Jean-Louis Bergeron
Nicole Côté Léger
Jocelyn Jacques
Laurent Bélanger

LES ASPECTS HUMAINS DE L'ORGANISATION

gaëtan morin
éditeur

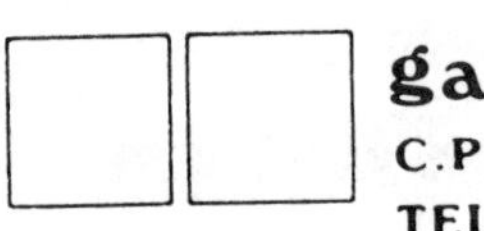

gaëtan morin éditeur
C.P. 965, CHICOUTIMI, P.Q. G7H 5E8
TEL.: (418) 545-3333

ISBN 2-89105-004-5

Dépôt légal 4e trimestre 1979
Bibliothèque nationale du Québec
Bibliothèque nationale du Canada

8e impression, août 1985

Distributeur exclusif pour l'Europe et l'Afrique :

Éditions Eska S.A.R.L.

30, rue de Domrémy
75013 Paris, France
Tél. : 583.62.02

On peut se procurer nos ouvrages chez les diffuseurs suivants :

Algérie

Entreprise nationale du livre
3, boul. Zirout Youcef
Alger
Tél. : (213) 63.92.67

Espagne

DIPSA
Francisco Aranda n° 43
Barcelone
Tél. : (34-3) 300.00.08

Portugal

LIDEL
Av. Praia de Victoria 14A
Lisbonne
Tél. : (351-19) 57.12.88

Algérie

Office des publications
universitaires
1, Place Centrale
Ben-Aknoun (Alger)
Tél. : (213) 78.87.18

Tunisie

Société tunisienne
de diffusion
5, av. de Carthage
Tunis
Tél. : (216-1) 255000

et dans les librairies universitaires des pays suivants :

Algérie
Belgique
Cameroun
Congo
Côte-d'Ivoire
France
Gabon
Liban
Luxembourg
Mali
Maroc
Niger
Rwanda
Sénégal
Suisse
Tchad

TABLE DES MATIERES

Pages

CHAPITRE 1

LES ASPECTS HUMAINS DE L'ORGANISATION: UN TOUR DE JARDIN*

Les avenues qui mènent à la description et à la compréhension du comportement humain sont tellement diversifiées et si peu balisées que le non-initié éprouve un certain malaise à s'y retrouver. En effet, les sciences du comportement dont l'objet au contour mal défini porte sur les déterminants individuels, sociaux et culturels du comportement humain constituent un véritable labyrinthe. Elles recoupent une multitude de disciplines telles que la psychologie, la sociologie, l'antrhopologie, la science politique, l'économique et les sciences de l'éducation. En empruntant ce labyrinthe, nous nous limitons ici à une dimension: celle qui traite plus précisément de l'application des sciences du comportement aux organisations du travail. Au sein des pays d'expression anglaise ou des pays qui ont subi l'influence américaine, il existe un certain consensus pour coiffer cette dimension du nom de "comportement organisationnel" alors que dans les pays d'expression française, on utilise assez couramment l'expression "psychosociologie des organisations". Au Québec, l'expression "les aspects humains de l'organisation" est de plus en plus utilisée et c'est celle que nous avons retenue.

Cette introduction au présent ouvrage se veut avant tout une tentative pour délimiter l'objet propre de ce nouveau champ de connaissances; pour retracer son évolution dans le temps; pour présenter un modèle qui permet de reconnaître l'ensemble des facteurs pertinents à la description et à la compréhension du comportement humain au sein des organisations et pour faire ressortir les interdépendances ou interrelations qui existent entre cette multitude de facteurs.

1.1 LE COMPORTEMENT ORGANISATIONNEL: SON OBJET PROPRE

Avec l'avènement de l'industrialisation, de l'utilisation intensive de la ligne de montage et d'assemblage et de l'automatisation récente des processus

* Chapitre rédigé par Laurent Bélanger.

de production, s'est développée parallèlement une certaine considération pour ce qu'il est convenu d'appeler le "facteur humain". Les dirigeants des grandes organisations de même que les universitaires ont commencé et continuent toujours à se poser une multitude de questions sur la manière d'obtenir et de maintenir la collaboration des individus et des groupes à la réalisation des objectifs des organisations. Ces questions se résument à quelques-unes qui demeurent fondamentales: Pourquoi un individu décide-t-il momentanément de se joindre à telle ou telle organisation? Une fois au service d'une organisation, pourquoi cet individu consent-il à y demeurer ou décide-t-il de la quitter? Pouquoi, à un moment donné, décide-t-il de produire plus et mieux et à un autre moment de produire moins? Quelles sont les raisons qui expliquent le plus ou moins grand degré de satisfaction qu'il retire de sa contribution aux objectifs de l'organisation? Même si les attitudes, les aspirations et les capacités des individus changent, même si les organisations évoluent par voie de diversification, de fusion, de croissance naturelle, ces questions fondamentales demeurent les mêmes. Cependant, les réponses qu'on leur a apportées dans le passé ne sont plus nécessairement les mêmes aujourd'hui. En demeurant sur un plan réaliste, force nous est de constater que les préoccupations fondamentales dans le domaine du comportement organisationnel tournent autour de deux thèmes majeurs: **la performance ou le rendement des individus au travail** et la **satisfaction qu'ils en retirent**. Productivité et satisfaction constituent donc deux composantes majeures de toute situation de travail, deux résultantes que l'on croit à tort ou à raison intimement reliées au point où les deux sont envisagées à tour de rôle comme cause ou effet.

Comme nous l'avons mentionné plus haut, nombreuses sont les disciplines qui traitent du comportement et qui tentent d'apporter, à l'intérieur de leur objet propre, une réponse partielle à l'une ou l'autre de ces questions fondamentales. Dans le domaine plus restreint du comportement organisationnel, l'éclairage nous vient surtout des trois disciplines suivantes:

a) la psychologie industrielle et organisationnelle
b) la sociologie industrielle
c) la psychologie sociale

La psychologie industrielle et organisationnelle traite d'abord des différences individuelles dont la connaissance et la mesure sont fortement pertinentes en matière de sélection, de formation, de promotion et d'affectation des ressources humaines au sein des organisations. Elle traite également des phénomènes de perception, d'attitudes et de motivations individuelles, autant de facteurs qui peuvent nous aider à comprendre les raisons qui incitent l'individu à fournir et à maintenir un effort de production et à en retirer une certaine satisfaction pour lui-même.

La sociologie industrielle, de son côté, s'intéresse surtout aux structures des organisations de travail, c'est-à-dire au partage des grandes responsabilités et de l'autorité nécessaire pour les assumer, à la réglementation interne des comportements à adopter. Elle traite également des phénomènes du pouvoir social et des conflits qui naissent, éclatent, ou se résorbent lorsque les acteurs au sein des organisations articulent leurs rapports quotidiens et vivent leurs interdépendances.

c) La psychologie sociale se donne comme objet l'étude et la compréhension des phénomènes de groupes: le processus d'émergence des groupes, leur structure, leurs valeurs et leurs normes, leur degré de cohésion, les réseaux de communication ou d'échange qui s'installent et se maintiennent au sein des groupes. Un groupe, à plus forte raison un groupe de travail, peut difficilement accéder à un certain degré de cohérence interne ou de cohésion sans la présence du leadership assumé en permanence par l'un de ses membres ou à tour de rôle par l'un ou l'autre de ses membres.

La contribution de chacune de ces disciplines peut se visualiser à l'aide du schéma suivant:

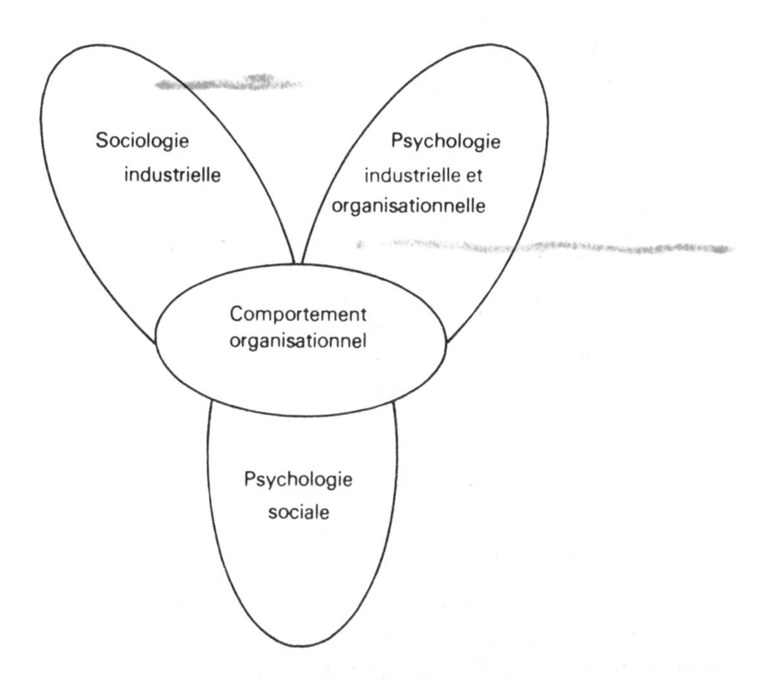

Le comportement organisationnel apparaît dans ce schéma comme un domaine de connaissances multidisciplinaires tirées des trois disciplines principales qui sont la psychologie industrielle, la sociologie industrielle et la psychologie sociale. Aux confins mêmes de ces trois disciplines, on retrouve les limites de l'objet propre du domaine du comportement organisationnel, **c'est-à-dire l'étude et la compréhension des déterminants individuels, groupals et organisationnels du comportement des individus et des groupes au sein des organisations de travail.**

1.2 LE COMPORTEMENT ORGANISATIONNEL: ORIGINE ET ÉVOLUTION

La recherche d'une compréhension nouvelle des déterminants du comportement organisationnel tire son origine d'une constatation des limites de trois courants de pensée qui ont fortement marqué la littérature portant sur le management au cours de la première moitié du 20e siècle:

- Le taylorisme
- les théoriciens de la bureaucratie
- l'Ecole des relations humaines

1.2.1 Le taylorisme et ses limites

On reconnaît le taylorisme à son principe même d'une organisation du travail au sein de laquelle une tâche complexe, voire artisanale, est dépouillée de ses gestes supposément inutiles pour ne retenir que ceux qui contribuent effectivement à un rendement optimal pour devenir une tâche parcellaire faisant appel à une ou à quelques habiletés.

On reconnaît la philosophie du "one best way". L'application d'une telle philosophie, alliée à l'utilisation intense d'une technologie constamment renouvelée a permis, il faut bien l'admettre, d'atteindre le niveau d'aisance matérielle que connaissent actuellement les pays fortement industrialisés. De plus, la conception de l'homme économique (the economic man) qui soutenait cet effort de rationalisation du travail traduisait assez bien au cours de la phase d'industrialisation et de l'émergence des grandes organisations les aspirations de la masse des exécutants, à savoir la survie économique, l'accès à une certaine aisance matérielle. Ce qui comptait surtout alors, c'était la possession d'un emploi stable et bien rémunéré, de façon à subvenir aux besoins de la famille et à réaliser "quelques économies pour les mauvais jours". Cependant, cette conception purement économique de l'individu au travail s'est développée parallèlement à l'approche des behavioristes des années 20 et 30 qui prônaient l'automaticité du comportement, à savoir qu'à un stimulus donné correspond une réponse donnée. Le taylorisme tablait surtout sur des récompenses d'ordre économique en prenant pour acquis que les besoins des individus étaient presqu'uniquement d'ordre physique et économique. Le comportement organisationnel, comme courant de pensée, reconnaît l'importance des motivations d'ordre économique, mais il situe également les aspirations des individus à un autre niveau: celui du mieux-être individuel et collectif. Ce mieux-être comporte une gamme de composantes telles que le sens de l'estime de soi, la conviction d'être une valeur personnelle, le désir de réalisation de soi par une meilleure utilisation de ses capacités et de son potentiel, le désir d'avoir un travail qui confère une identité personnelle et donne une signification à la vie.

1.2.2. Les théoriciens de la bureaucratie

Dans ce courant de pensée nous retrouvons des auteurs tels que Weber,

Fayol, Urwick et Gulick, Graincunas, connus aujourd'hui comme étant les pionniers des sciences administratives. Weber, comme on le sait, s'est appliqué à construire le modèle idéal de la bureaucratie en prenant soin de bien identifier chacune des composantes qui répondent de l'efficacité administrative. De ce modèle, les individus sont pratiquement absents; ce qu'on exige d'eux, c'est avant tout une certaine docilité face aux règles qui régissent les comportements. Fayol et d'autres élaborent au même moment les principes de gestion dont l'application correcte concourt supposément à une "performance optimale" à l'échelle des organisations. Tous ces principes (la répartition des grandes responsabilités, le staff et le line, l'envergure de la supervision, le couple centralisation-décentralisation, etc.) font l'objet des enseignements de base en administration.

Les organisations apparaissent donc comme un ensemble de niches prêtes à recevoir les individus. Chaque niche est une formalisation des comportements approuvés et imposés. Encore là, la conception sous-jacente ou implicite que ces auteurs se font du comportement humain renvoie au principe de l'automaticité (principes S.-R.; S étant le stimulus et R la réponse approuvée). C'est à juste titre que ce courant de pensée a reçu le nom "d'organisation sans les gens" (organizations without people).

1.2.3 L'École des relations humaines et ses limites

Ce courant de pensée tire son origine des études d'Elton Mayo, surtout celle conduite aux usines Hawthorne. Nous avons alors appris qu'en marge de l'organisation formelle ou de la structure bureaucratique, des systèmes sociaux émergent étant le produit d'échange spontané entre des individus engagés dans un effort collectif de production. Ces systèmes sociaux qui se traduisent dans des groupes de travail plus ou moins cohésifs ont leur propre réseau de communications, leurs valeurs, leurs normes, leur leader, qui viennent influencer le comportement des membres qui les composent. La présence de tels systèmes émergents se présente comme le moyen privilégié de satisfaire un besoin d'affiliation ou d'appartenance chez l'individu, tellement que les pionniers de cette Ecole en sont venus à considérer ce besoin comme étant dominant chez l'individu. De là à élaborer une philosophie de la collaboration spontanée (non pas consciente et critique) et des conditions nécessaires pour l'obtenir et la maintenir, il n'y a qu'un pas. Ce pas a été vite franchi par Elton Mayo lui-même et également par ceux qui ont largement et indûment interprété les conclusions de ses recherches. C'est ainsi qu'on a assisté à la diffusion d'une première forme de participation au sein des organisations (ou de pseudo-participation) qui consistait à mieux informer les exécutants ou encore à les consulter sur des points marginaux de l'organisation du travail. Le courant de pensée "comportement organisationnel", en autant que les besoins des individus au travail sont concernés, continue à reconnaître l'importance du besoin d'appartenance et tente d'effectuer un dépassement en postulant des besoins d'estime et d'actualisation de soi, de même qu'en cherchant à découvrir et à implanter les caractéristiques d'un milieu de travail qui serait satisfaisant, voire même valorisant.

En retenant les quelques facteurs identifiés par ces courants de réflexion et de recherche, les sciences du comportement appliquées aux organisations cherchent à aller plus loin en explorant les avenues suivantes:

- ***au plan de la motivation***

En mettant de l'avant une conception relativement nouvelle des besoins humains. Nous nous référons plus particulièrement ici à la hiérarchie des besoins d'Abraham Maslow et à une conception de la personne comme un être humain s'auto-actualisant.

- ***au plan de la philosophie***

En proposant une alternative à une philosophie autoritariste basée sur une conception négative de l'homme. Nous faisons allusion ici à la théorie Y de Mac Gregor qui fait ressortir une conception de l'individu susceptible d'autodirection et d'autocontrôle.

- ***au plan de la participation à la gestion***

La participation à la gestion fait appel à l'ensemble des capacités ou des habiletés des individus et porte sur des décisions qui concernent vraiment les travailleurs de la base puisqu'elles touchent à la nature et à l'organisation de leur propre travail.

- ***au plan du style de supervision***

L'évolution de la recherche et de la réflexion dans ce domaine soutient l'idée qu'il n'y a pas de style de supervision idéal, mais bien des styles adaptés aux caractéristiques des différentes situations administratives.

- ***au plan de la revalorisation du travail***

Pour contrer le mouvement de fragmentation du travail et de sa perte de signification, le courant "comportement organisationnel" recoupe celui de la qualité de la vie au travail en mettant de l'avant la conception et l'implantation de nouvelles formes d'organisation du travail telles que l'enrichissement vertical des tâches et la création des groupes semi-autonomes.

- ***au plan d'une vision globale et intégrée des organisations***

Les organisations sont envisagées sous l'angle d'un système social et technique; ce qui permet de mieux saisir l'impact d'une technologie sur la structure des organisations et sur le comportement des individus et des groupes qui les composent. On reconnaît de plus en plus l'aspect contingent des organisations, c'est-à-dire qu'à des environnements différents peuvent correspondre des structures différentes, de même qu'une technologie donnée peut s'accommoder de diverses formes d'organisation du travail.

1.3 UN MODÈLE DES DÉTERMINANTS DU COMPORTEMENT AU SEIN DES ORGANISATIONS

Un modèle est une représentation visuelle et symbolique d'une réalité. C'est une grille d'analyse qui permet d'accéder à une vision plus globale et intégrée d'un ensemble de facteurs et qui permet de reconnaître le jeu de l'interdépendance de ces facteurs dans l'explication d'un phénomène. En faisant ressortir la nature des éléments envisagés et leur interdépendance, un modèle se rapproche de la notion de système. C'est donc le mode de pensée ou de réflexion propre au système qui sert à la compréhension et à l'utilisation d'un modèle. En effet, lorsqu'on fait intervenir une multitude de facteurs dans l'explication d'un phénomène et que ces facteurs exercent une action réciproque les uns sur les autres, on peut difficilement recourir au mode de pensée linéaire causal du type: X est fonction de Y. L'approche systémique se réfère plutôt à l'idée de causalité multiple ou d'interdépendances causales. C'est en demeurant fidèle à cette dernière approche que nous présentons notre modèle des déterminants du comportement organisationnel.

Ce modèle repose sur une proposition fondamentale servant de base à la compréhension de tout comportement humain, proposition tirée des travaux de Kurt Lewin. Ce dernier, qui est un pionnier de la dynamique des groupes, prétend que tout comportement humain est fonction d'un ensemble de facteurs qui caractérisent la personnalité d'un individu et d'un autre ensemble de facteurs qui délimitent l'environnement physique, social et culturel dans lequel évolue l'individu. Cette proposition est habituellement transposée sous la forme suivante:

$$C = f(P \times E)$$

C: comportement de l'individu

P: facteurs de personnalité

E: facteurs d'environnement

Dans le modèle que nous présentons plus loin, nous avons jugé utile de distinguer entre environnement interne et environnement externe à l'organisation. Nous utilisons par conséquent la forme suivante:

$$C = f(P \times \text{Env. Int.} \times \text{Env. Ext.})$$

Cette proposition fondamentale qui sous-tend la représentation symbolique et schématique des déterminants du comportement organisationnel se réfère implicitement à l'action conjuguée de trois ensembles de facteurs. Cependant, le jeu des interdépendances ou des actions réciproques d'un ensemble de facteurs sur les autres, ou encore les actions réciproques d'un facteur sur les autres à l'intérieur d'un ensemble ne sont pas, il va sans dire, laissés au hasard. Dans toute organisation, comme dans tout système, on doit également reconnaître la présence de mécanismes d'intégration élaborés par les acteurs eux-mêmes qui servent à animer les structures mêmes de l'organisation et qui orientent ou régularisent le jeu des interactions entre les facteurs ou les ensembles de facteurs. On reconnaît les mécanismes d'intégration tels que les modes de prises de décision, le leadership, les modes de solutions de conflits, la structure de rémunération des acteurs ou structure d'incitations, les styles de supervision, le jeu du pouvoir, le processus de développement de l'organisation. Le modèle suivant (tableau 1) se veut donc une représentation symbolique de la place qu'occupe chacun des ensembles de facteurs qui permettent de comprendre la structure et le fonctionnement des organisations de même que le comportement des acteurs individuels et collectifs.

TABLEAU 1: Modèle des déterminants du comportement au sein des organisations de travail

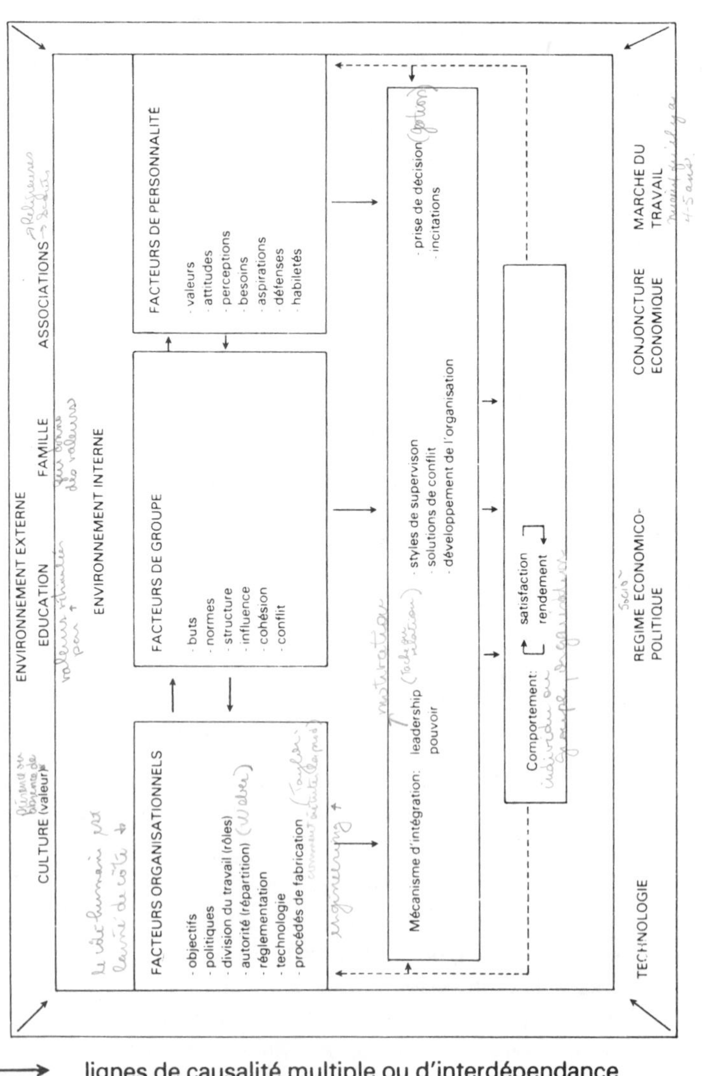

——→ lignes de causalité multiple ou d'interdépendance

- - - - - → lignes de rétroaction

1.4 DESCRIPTION SOMMAIRE DES ENSEMBLES DE FACTEURS CONTENUS DANS CE MODÈLE

La constitution psychologique et le processus de développement de l'individu se présentent sous une multitude de facettes que le concept de "personnalité" tente d'intégrer. Dans cet ouvrage, nous consacrons plusieurs chapitres à l'étude de la personnalité et de ses composantes en autant qu'elles aident à la compréhension et à l'explication du comportement des individus au sein des organisations. Ce qui explique l'importance que nous avons accordée à l'étude des valeurs, des attitudes, des perceptions, des motivations individuelles et de l'influence que peut exercer un individu en terme de pouvoir personnel et de leadership.

L'environnement interne des organisations de travail regroupe deux blocs de facteurs: un premier ensemble de facteurs a trait à la structure interne des organisations de travail: on retrouve sous cette rubrique des facteurs tels que les objectifs et les politiques, les caractères bureaucratiques des organisations et la technologie utilisée. Ce n'est qu'indirectement que nous étudions ces facteurs lorsque nous abordons l'étude du climat organisationnel, de la satisfaction au travail et du développement des organisations. Un deuxième ensemble de facteurs regroupe une somme de connaissances acquises du processus d'émergence des systèmes sociaux au sein des organisations. Nous référons aux normes véhiculées dans les groupes de travail, aux attitudes des membres, au phénomène de leadership et à la structure interne des groupes. Ce sont là des facteurs importants qui influencent la conduite des individus, membres d'une organisation.

On peut difficilement rendre compte du comportement d'un acteur au sein d'un système social et de la satisfaction qu'il retire de son appartenance à ce système si l'on ne tient pas compte des facteurs d'environnement externe c'est-à-dire l'ensemble des caractéristiques qui permettent de décrire le contexte technologique et socio-culturel avec lequel les organisations de travail entretiennent des relations réciproques ou relations d'interdépendance. Encore là, ce n'est qu'indirectement, au cours du présent ouvrage, que nous tiendrons compte de l'influence que peuvent exercer cet ensemble de facteurs sur l'évolution de l'organisation et sur le comportement des individus et des groupes qui la composent. En abordant chacun des chapitres, nous souhaitons que le lecteur retourne constamment au modèle présenté plus haut pour mieux cerner chacun des sujets traités et pour prolonger sa réflexion personnelle au-delà des connaissances acquises à ce jour dans ce champ de connaissances si vaste que sont les sciences du comportement appliquées aux organisations de travail.

CHAPITRE **2**

LA PERSONNALITÉ*

Les gens adoptent des attitudes fort intéressantes mais pour le moins paradoxales vis-à-vis des concepts "personnalité" et "individu".

D'une part, l'attitude la plus courante consiste en une réticence à approfondir les aspects "personnels" des phénomènes organisationnels et à s'arrêter pour réfléchir sur la nature, le fonctionnement et le développement du gestionnaire en tant que personne humaine. Cette réticence s'exprime concrètement dans des affirmations telles que "il est important de ne pas faire de personnalités", "ce n'est pas en faisant de l'introspection qu'on va apprendre à produire", "les phénomènes organisationnels et politiques n'ont rien à voir avec les petites histoires individuelles".

D'autre part, il suffit d'observer ce qui se passe dans nos entreprises et nos écoles d'administration pour constater qu'il existe une curiosité naturelle pour tout ce qui concerne la personnalité et la vie personnelle des gens. Cet intérêt se manifeste indirectement dans des discussions abstraites sur la planification de carrière, la formation du personnel, le rôle et l'image du gestionnaire. Il apparaît plus clairement dans les conversations informelles (placotages) où l'on parle beaucoup des autres, où l'on spécule sur les rumeurs qui courent dans le milieu, où l'on interprète à qui mieux mieux le comportement de ses ennemis ou de ses futurs alliés.

Quoi qu'il en soit, il est de plus en plus admis que les gestionnaires se doivent d'augmenter leurs connaissances sur la nature de l'homme et sa personnalité et ce, pour plusieurs raisons:

— La conception qu'un individu se fait de la nature humaine influence grandement sa compréhension des autres et ses réactions à leur comportement. Il importe donc que celui qui doit, de par ses fonctions, interagir fréquemment avec d'autres personnes et administrer des ressources humaines, soit bien renseigné sur le fonctionnement de l'homme, ses possibilités de développement et ses limites. En outre, on reconnaît de plus en plus que l'outil principal du gestionnaire est sa propre personnalité. C'est dire que celui qui veut produire et survivre dans un poste de gestion a besoin non seulement d'ac-

*Chapitre rédigé par Nicole Côté Léger.

quérir des connaissances sur "l'homme", mais également de se connaître mieux lui-même.

- Dans notre société bien pourvue de ressources humaines spécialisées et de techniques hautement sophistiquées, il arrive que les projets les mieux planifiés, les systèmes les mieux organisés,échappent au contrôle de ceux qui les conçoivent et les dirigent. Lorsqu'on analyse ces échecs, on constate qu'ils découlent bien plus souvent de problèmes humains que d'erreurs scientifiques.

- Finalement, considérons les grandes préoccupations de notre univers contemporain: surpopulation du globe, menaces constantes de guerres, raréfaction des ressources énergétiques, exploitation des minorités, etc. La misère humaine que reflètent ces problèmes et qu'ils provoquent constitue une toile de fond dont les dirigeants de notre société et de nos grandes entreprises doivent tenir compte de plus en plus dans leurs décisions.

  Abraham Maslow (1) a écrit à ce sujet:

  "Si nous améliorons la nature humaine, nous améliorons tout, parce que nous éliminons les principales causes des désordres du monde".

Cet énoncé peut s'appliquer facilement à nos organisations car, comme les systèmes politiques, elles ont été créées par des hommes, pour des hommes et se maintiennent grâce à des hommes.

Parmi les différentes sciences qui ont contribué à la connaissance de la nature et du comportement de l'homme, la psychologie est celle qui a le plus inspiré les théoriciens du comportement organisationnel.

Toutefois, comme l'exprime Fred Luthans (2), elle est la discipline académique la plus incomprise. D'une certaine façon, écrit-il, tout le monde est psychologue. En effet, chacun de nous, à partir de son expérience d'être humain, a des idées préconçues sur le comportement des hommes. Ces croyances sont souvent défendues très âprement et il en résulte des erreurs de jugement importantes et des réactions irrationnelles face à une discipline qui essaie de renseigner les gens sur ce qu'ils sont.

Il convient donc de rétablir les faits:

A. Les psychologues ne sont pas des diseurs de bonne aventure, ne sont généralement pas intéressés à psychanalyser tout le monde, ne peuvent (sauf exception) lire les pensées des gens et n'ont pas de pouvoirs télépathiques ou hypnotiques spéciaux.

---

(1) MASLOW, A. "A Philosophy of Psychology: The Need for a Mature Science of Human Nature. ***"Main Currents in Modern Throught***, vol. 13, 1957, 27-32.

(2) LUTHANS, F. ***Organizationnal Behavior***. New York: McGraw Hill, 1977, 41-43.

B. La psychologie utilise une méthode scientifique pour étudier le comportement humain et constitue un ensemble de connaissances systématisées sur l'homme et ses relations avec son environnement.

Il ne s'agit pas de dénigrer la valeur du "gros bon sens" de chaque individu mais de souligner que l'analyse et la compréhension des phénomènes humains complexes requièrent plus que de vagues intuitions. Elles nécessitent une connaissance articulée des principaux fondements de la science du comportement.

2.1 L'ÉVOLUTION DE LA PSYCHOLOGIE

La psychologie est une science relativement jeune qui a émergé de l'amalgame de la pensée philosophique et des techniques des sciences physiques. Sa naissance, comme discipline indépendante, remonte aux années 1870, époque où Wilhelm Wundt a fondé le premier laboratoire de psychologie expérimentale à Leipzig en Allemagne.

Cette nouvelle science qu'on définissait comme "science de l'esprit" se consacrait à l'étude de l'expérience consciente de l'individu et ses méthodes s'apparentaient à celles des sciences naturelles. La physique et la chimie étudiaient le monde matériel en le scindant en ses éléments de base; Wundt et ses collaborateurs ont ainsi tenté d'étudier la conscience en analysant ses éléments structuraux de base comme la sensation, la mémoire, les sentiments. C'est pourquoi cette première école de pensée en psychologie a été identifiée comme le **structuralisme**. La méthode qu'utilisaient les structuralistes pour cueillir leurs données était l'introspection, c'est-à-dire, une technique d'auto-observation où les sujets devaient décrire leurs réactions à différents stimuli comme les sons, les couleurs, etc. A cause de leurs procédés expérimentaux, ces premiers psychologues se sont limités aux seuls procédés mentaux susceptibles d'être manipulés et contrôlés par l'expérimentateur, c'est-à-dire aux processus sensoriels et perceptuels; ils ne se sont pas attardés à un concept aussi multidimensionnel que la personnalité.

Au début du présent siècle, le **fonctionnalisme** des philosophes américains William James et John Dewey est venu remplacer le structuralisme comme école dominante en psychologie. Les fonctionnalistes se voulaient plus englobants de la réalité et plus pragmatiques que leurs prédécesseurs. Selon eux, pour comprendre l'esprit, il était plus important d'étudier son fonctionnement que sa structure. Ils voulaient étudier l'adaptation de l'homme à son environnement. Bien qu'ils aient utilisé l'introspection comme méthode d'analyse des états conscients, ils y ont ajouté l'observation et la mesure du comportement total de l'individu.

Du fonctionnalisme est né le **behaviorisme**. Ce nouveau mouvement, dirigé par le psychologue John-B. Watson et largement influencé par les travaux du physiologiste russe Ivan Pavlov sur les réflexes conditionnés, allait marquer profondément les orientations de la psychologie expérimentale. Les structuralistes avaient centré leurs études sur l'expérience consciente, les fonctionnalistes, sur l'expérience, la conscience et le comportement. Les behavioristes ont pour leur part affirmé que seul le comportement observable est l'objet de la psychologie.

Selon Watson, qui était encore plus voué que Wundt à l'approche des sciences physiques, le concept de conscience ne peut servir de base à une science. La psychologie doit se centrer sur l'étude de la réponse de l'individu à des stimuli externes: ce qui se passe dans l'organisme après la présentation du stimulus et avant la réponse observable est sans intérêt, puisque non mesurable.

Les behavioristes ont donc présenté une image très mécaniste des êtres humains et ont défini la personnalité comme l'ensemble des réponses apprises par l'individu. Ils ont insisté sur l'importance des comportements appris dans le développement de la personne et ont totalement négligé les aspects héréditaires. La révolution de Watson a eu beaucoup de succès aux Etats-Unis et c'est d'ailleurs à partir de sa théorie qu'on en est venu à définir universellement la psychologie comme "la science du comportement". Aujourd'hui, le behaviorisme est encore une théorie très florissante: son leader actuel est Burrhus Frederic Skinner.

Parallèlement à la popularisation du behaviorisme aux Etats-Unis, une nouvelle école remplaçait le structuralisme en Allemagne. Wertheimer, Köhler et Koffka fondaient en 1912 la **Gestalt psychologie** ou la psychologie de la forme. Par opposition aux structuralistes qui étudiaient des unités sensorielles séparées et aux behavioristes qui se centraient sur des unités de réflexes conditionnés (fort ironiquement d'ailleurs), les gestaltistes affirmèrent que c'est l'ensemble du comportement et non la somme de ses parties qui est l'objet de la psychologie. A partir d'expériences sur la perception, ils ont découvert que l'organisme n'est pas passif face aux stimulations de son environnement. Au contraire, il sélectionne, organise et interprète les stimuli de telle sorte qu'il ne perçoit pas des séries de formes et de couleurs mais des objets précis qui ont un sens pour lui. Selon eux, pour pouvoir prédire le comportement, il faut comprendre les lois de cette organisation. C'est pourquoi ils ont utilisé l'introspection comme outil de recherche, de façon à obtenir une description de l'expérience intérieure de leurs sujets. Le schéma S→R (stimulus-réponse) des behavioristes est donc devenu S→O→R (stimulus→organisme→réponse). Il s'agit d'une approche phénoménologique au comportement.

Tout comme les behavioristes, les gestaltistes ont eu une grande influence sur le développement de la psychologie; ils sont notamment à l'origine de la théorie générale des systèmes et des approches cognitives modernes.

Les écoles que nous avons décrites plus haut tirent leurs sources des sciences physiques et de la philosophie. La psychologie a toutefois subi une autre influence importante dans son développement. Il s'agit de celle des médecins et des cliniciens qui, pendant que des scientistes travaillaient en laboratoire, se trouvaient aux prises avec des problèmes psychologiques réels vécus par les patients des hôpitaux psychiatriques. Parmi ces cliniciens, le plus connu et le plus génial est sans aucun doute Sigmund Freud. Freud était un médecin viennois qui, à partir de l'observation clinique de ses patients, a développé la **psychanalyse** qui est à la fois une théorie de la personnalité et une méthode de psychothérapie. Ses plus grandes contributions à la psychologie ont été l'étude des processus inconscients et de l'influence des expériences infantiles sur le développement adulte. Plusieurs spécialistes du comportement ont critiqué la théorie de Freud à cause de son absence de rigueur scientifique. Toutefois, la richesse et la systématisation des observations cliniques sur lesquelles elle est fondée font que la psychanalyse est considérée comme scientifique au sens large du terme et qu'elle a été hautement reconnue, dans la plupart des milieux cliniques du moins. Quoi qu'il en soit, Freud a donné un élan considérable au développement de nouvelles théories de la personnalité centrées sur la personne humaine telle qu'elle fonctionne dans le monde réel plutôt que sur les éléments de comportement étudiés en laboratoire.

Son influence se retrouve chez ses dissidents Jung et Adler, ses successeurs, Horney, Sullivan, Fromm, Murray, Erickson, jusqu'à Berne dont l'analyse transactionnelle peut être vue comme une vulgarisation et une adaptation de certains concepts psychanalytiques.

Bien que les premiers expérimentalistes en psychologie n'aient pas ignoré la personnalité comme objet d'étude et aient approfondi certains aspects de cette réalité, ce n'est que depuis le milieu des années 30, et sous l'inspiration des premiers psychanalystes, que la psychologie de la personnalité est devenue un domaine spécifique et formel de spécialisation.

Au milieu du siècle, l'étude de la personnalité a subi une nouvelle influence de la part de ce qu'on appelle la troisième force en psychologie. Ce nouveau mouvement, issu des philosophies phénoménologique et existentialiste, est connu sous le nom de **psychologie humaniste**. Il regroupe des auteurs comme Rollo May, Abraham Maslow et Carl Rogers. Les humanistes ont critiqué les behavioristes qui ont étudié les gens comme s'ils étaient des machines et ont réduit la complexité et la richesse de leur comportement à de simples associations de réflexes. Selon eux, de telles conceptions déshumanisaient les gens et les dépouillaient des qualités associées au fait d'être un être humain. Ils s'opposaient également à la psychanalyse qui perpétuait une conception médicale du comportement, en étudiant essentiellement ce qu'il y a de pathologique chez l'homme, et ignorait les aspects les plus positifs des émotions humaines: l'amour, la dignité, le respect de soi, l'individualité et l'actualisation de soi.

Ce mouvement, en plus de se baser sur la philosophie existentialiste, s'est inspiré des recherches que Kurt Lewin et ses collaborateurs ont effectuées sur des petits groupes dans les années 40. C'est à ce moment qu'on a découvert l'importance du "here and now" qui allait devenir la pierre angulaire du mouvement pour le développement du potentiel humain.

La psychologie humaniste a eu pour effet de donner une nouvelle orienta-

TABLEAU 1: Évolution des courants de pensée en psychologie

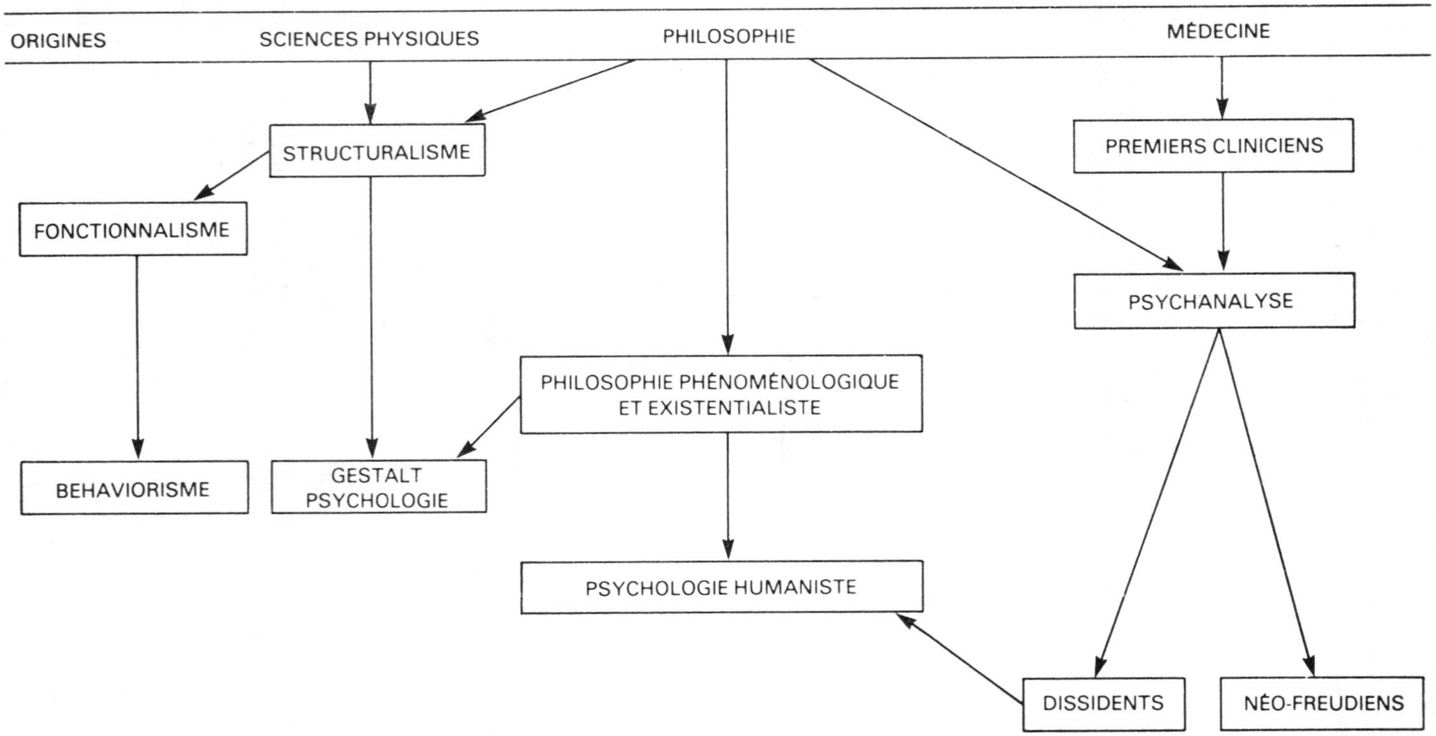

ORIGINES
SCIENCES PHYSIQUES
PHILOSOPHIE
MÉDECINE

STRUCTURALISME
PREMIERS CLINICIENS
FONCTIONNALISME
PSYCHANALYSE
PHILOSOPHIE PHÉNOMÉNOLOGIQUE ET EXISTENTIALISTE
BEHAVIORISME
GESTALT PSYCHOLOGIE
PSYCHOLOGIE HUMANISTE
DISSIDENTS
NÉO-FREUDIENS

tion aux théories de la personnalité et de permettre le développement de nombreuses techniques d'intervention psychologique. Cette troisième force est à l'origine des multiples recherches qui ont été faites sur la dynamique des petits groupes et les auteurs qui la représentent ont beaucoup influencé les théoriciens du management et des organisations.

La psychologie garde encore aujourd'hui la marque de ses disciplines d'origine (les sciences physiques, la médecine et la philosophie) dont se dégagent trois grandes approches correspondantes: l'approche expérimentale, la psychanalyse et l'approche humaniste. De plus en plus, les représentants des différentes écoles de pensée sont conscients des éléments positifs des autres approches. Mais, fidèles à leurs traditions distinctes, ces spécialistes gardent encore leurs distances les uns par rapport aux autres.

2.2 LES GRANDES ÉCOLES DE PENSÉE

Comme il n'existe pas de théorie unique de la personnalité, il importe d'analyser les contributions de chacune des grandes écoles de pensée et d'en apprécier la perspective originale de façon à pouvoir se situer parmi l'ensemble des connaissances scientifiques apportées par la psychologie.

Les approches qui ont le plus influencé l'évolution de la science du comportement et qui suscitent encore le plus d'intérêt sont les suivantes: la psychanalyse, le behaviorisme et la psychologie humaniste.

Nous décrirons brièvement ces trois approches à partir de: leurs perspectives de départ, leurs concepts fondamentaux, leur conception de la nature de l'homme, de la mésadaptation, de la thérapie et de la société.

2.2.1 L'approche psychanalytique

La psychanalyse est une théorie de la personnalité qui découle d'une pratique psychothérapeutique. Bien que plusieurs théoriciens soient associés au développement de cette approche, elle est surtout identifiée au nom de son fondateur, Sigmund Freud (1856-1939).

Perspectives de départ

Freud n'était pas un expérimentaliste, mais un médecin pratiquant la psychothérapie. Dès le début de ses travaux, il a favorisé une approche descriptive et spéculative. Il a donc établi les bases de sa théorie en induisant un modèle du comportement à partir du traitement de ses patients, de l'analyse de son propre inconscient, de l'étude de la littérature et de l'histoire du monde. Par la suite, il a développé son modèle en se centrant sur l'étude de cas individuels et en tentant de dégager des constantes dans le comportement de ses patients au cours du processus de psychanalyse pour les relier ensuite à ses concepts de base.

Concepts fondamentaux

La psychanalyse consiste fondamentalement en une conception de la structure et du développement de la personnalité.

Selon Freud, la personnalité est un système psychique complexe dont l'énergie émane de deux instincts fondamentaux: l'instinct de vie (pulsions sexuelles) et l'instinct de mort (pulsions agressives). A sa naissance, l'organisme est totalement gouverné par deux processus inconscients: le principe de constance, qui l'amène à maintenir ses tensions au plus bas niveau possible, et le principe de plaisir, qui le pousse à rechercher constamment le plaisir (la satisfaction de ses besoins) et à éviter le déplaisir (la frustration, la douleur). A mesure qu'il se développe et à partir de ses échanges avec son environnement, l'organisme subit progressivement l'emprise du principe de réalité grâce auquel il accommode sa recherche de plaisir aux conditions imposées par le monde extérieur. La substitution du principe de réalité au principe de plaisir se traduit par le développement des fonctions conscientes d'adaptation à la réalité et par l'apparition de comportements de plus en plus articulés. Toutefois, au cours de cette évolution, une grande partie des pulsions reste inconsciente ou est refoulée dans l'inconscient à cause des pressions sociales. C'est ainsi qu'il subsiste chez tout individu trois niveaux de conscience: **l'inconscient** qui est constitué des éléments psychiques dont il n'est pas conscient, **le préconscient**, dont les éléments ne sont pas conscients mais sont accessibles moyennant un effort de concentration, et **le conscient**, qui correspond à tout ce qui est immédiatement disponible à la conscience. Les trois niveaux de conscience ne sont pas des catégories absolues mais des points sur un continuum qui va de ce qui est clair, présent et contrôlé par l'individu, à ce qui est profondément enfoui dans sa personnalité et l'influence continuellement sans qu'il en soit conscient [3].

Pour décrire la structure de la personnalité, Freud a conceptualisé trois ensembles de forces psychiques: le ça, le moi et le surmoi [4].

Le ça est le réservoir inconscient des ressources psychiques de la personne: il est constitué de l'héritage instinctuel de l'individu et fournit l'énergie à la personnalité. Il est dirigé par le principe du plaisir. Il recherche uniquement la satisfaction des instincts sans aucune considération de morale ou de logique.

Le moi est le système conscient qui gouverne les deux autres instances de la personnalité en interagissant avec le monde extérieur. Il est mû par le principe de réalité: il cherche à gratifier les demandes du ça en exploitant le monde extérieur et en essayant de s'adapter à ses contraintes.

Le surmoi est l'instance morale de la personnalité: il résulte de l'introjection des exigences des parents et de la culture. Il fonctionne selon le principe de perfection.

Quand le moi contrôle les autres instances de la personnalité, la personne

---

(3) FREUD, S. ***Introduction à la psychanalyse***, Paris: Payot, 1959.

(4) FREUD, S. ***Essais de psychanalyse***. Paris: Payot, 1965, 177-210.

s'ajuste à son environnement. Même si les besoins agressifs et sexuels cherchent à émerger, ils sont satisfaits de façon saine et acceptable. Le moi a pour but de favoriser la croissance de la personnalité. Lorsque celle-ci fait face à des bouleversements, il utilise des **mécanismes de défense** destinés à réduire la tension et à éviter les dangers psychiques. Les principaux mécanismes de défense sont le refoulement, la formation réactionnelle, la négation, la projection, la rationalisation, la régression, et la sublimation. Ils aident le moi à se protéger contre l'anxiété en falsifiant la réalité. Ils sont utiles mais s'ils interviennent trop souvent, ils peuvent affecter gravement le bon fonctionnement de la personne.

Freud croit que la structure de base de la personnalité s'établit dès les six premières années de la vie. Il a été le premier à affirmer que la personnalité de l'adulte est le résultat de ce qui lui est arrivé à travers son enfance et son adolescence. Selon lui, les six premières années de la formation de l'enfant se caractérisent par les stades bien précis qu'il identifie selon la préoccupation qu'a l'enfant pour une zone érogène de son corps: **les stades oral, anal et phallique**.

A chacun de ces stades, la libido, ou énergie psychique, s'attache à des besoins précis qui, s'ils ne sont pas satisfaits, peuvent causer des fixations et diminuer la somme d'énergie nécessaire pour aborder le stade subséquent. Ainsi, il peut arriver qu'un adulte n'atteigne jamais la maturité si son énergie reste investie à des stades antérieurs de développement.

Conception de la nature humaine

Freud a une conception de l'homme nettement pessimiste. Il définit l'enfant comme étant un pervers polymorphe c'est-à-dire essentiellement mauvais [5]. Avec ses forces inconscientes qui exigent une satisfaction égoïste, l'homme ne peut survivre que si la société inhibe ses énergies ou les réoriente. Finalement, le problème n'est jamais résolu puisque le processus de socialisation contredit continuellement les instincts de l'homme.

Conception du comportement mésadapté et de la thérapie

Freud voit la névrose comme étant un problème qui a ses sources dans la dynamique interne de l'individu. La mésadaptation découle de l'interaction vitale entre la nature de l'homme et son environnemnt "civilisé". La thérapie psychanalytique consiste en l'analyse des racines inconscientes des problèmes et vise à rendre l'individu capable d'adapter ses impulsions internes à la réalité extérieure.

Conception de la société

L'approche psychanalytique s'attarde beaucoup à décrire les conflits constants entre l'homme naturel et la société. La fonction des parents, des éducateurs et des agents culturels est d'inhiber les instincts de l'homme et d'offrir des avenues constructives pour leur sublimation [6]. La société a donc un devoir

---

(5) FREUD, S. ***op. cit.***, 1959.

(6) FREUD, S. ***Malaise dans la civilisation***. Paris: Presses Universitaires de France, 1971.

de contrôle dont dépend la survie et le développement de la civilisation.

Applications au comportement organisationnel

La psychanalyse a contribué à mieux faire comprendre plusieurs aspects du comportement organisationnel dont a) la créativité; b) les indices d'insatisfaction; c) les relations interpersonnelles; d) le développement des groupes et e) les phénomènes de leadership et d'influence.

a) La créativité: Freud croit que certaines étapes du processus de créativité sont inconscientes et impliquent la sublimation d'instincts primitifs. De plus, les mécanismes de défense peuvent expliquer l'inhibition de l'expression de la créativité.

b) Les indices d'insatisfaction: les psychanalystes croient que certains comportements comme les rationalisations, les oublis et les maladresses sont des réactions à la frustration, à l'anxiété et aux conflits intérieurs de l'individu. Eric Berne (7), qu'on peut considérer comme un vulgarisateur de la psychanalyse, interprète plusieurs comportements comme l'absentéisme, les retards répétés, l'agression et la soumission excessives, comme des scénarios que les personnes jouent.

c) Les relations interpersonnelles: l'analyse transactionnelle a puisé ses hypothèses fondamentales dans la conception freudienne de la structure de la personnalité. Correspondant au ça, au moi et au surmoi, Berne (8) propose trois états de la personnalité: l'enfant, le parent et l'adulte. A partir de ces états, il explique comment les individus entrent en relation les uns avec les autres, vivent des conflits et se manipulent mutuellement.

d) Le développement des groupes: selon Freud, un groupe se cimente grâce à l'établissement de liens affectifs très forts. Lorsqu'un membre du groupe est accepté comme leader, il devient une figure d'identification pour les autres. L'approche psychanalytique peut aider à comprendre les phénomènes de cohésion à l'intérieur des groupes et de compétition inter-groupes.

e) Le leadership et l'influence: l'approche psychanalytique a contribué à l'analyse des phénomènes d'émergence du leadership, des relations des individus avec l'autorité et des styles autoritaires d'influence.

2.2.2 L'approche behavioriste

Le behaviorisme moderne, issu des travaux de Watson et Pavlov, est identifié principalement au nom de Burrhus Frederic Skinner (1904-   ), un des psychologues contemporains les plus connus.

---

(7) BERNE, E. ***Des jeux et des hommes***. Paris: Stock, 1976.

(8) BERNE, E. ***Analyse transactionnelle et psychothérapie***. Paris: Payot, 1971.

Perspectives de départ

Skinner n'est pas un théoricien au sens typique du terme. Selon lui, la théorie n'est utile que si elle représente formellement des données recueillies et analysées scientifiquement. Il emploie donc une méthode expérimentale très stricte et insiste sur la nécessité d'utiliser des définitions opérationnelles pour déterminer précisément la relation de cause à effet entre les facteurs environnementaux et les comportements observables qu'ils occasionnent. La plupart de ses recherches ont d'abord été effectuées en laboratoire avec des animaux. Il a ensuite appliqué ses principes à l'étude systématique du comportement humain.

Selon lui, seule l'observation des événements (stimuli) et des comportements qui en résultent (réponses) peut expliquer comment un individu fonctionne. Dans son approche, il n'y a pas de place pour des concepts aussi vagues et abstraits que "l'instinct", "le choix individuel", "l'autonomie". Le comportement de l'homme est déterminé par des événements passés et présents qui se sont produits dans l'environnement auquel il appartient. Il ne nie pas l'importance de l'hérédité, mais pour lui l'environnement est de première importance, car c'est lui qui contrôle les processus d'adaptation et de développement [9].

Concepts fondamentaux

Skinner distingue deux types de comportement: le comportement répondant et le comportement opérant.

Le comportement répondant est un comportement spécifique qui est causé par un stimulus spécifique. Il s'agit en quelque sorte d'un comportement réflexe dans lequel le stimulus précède la réponse. Par exemple, la vue de la nourriture stimule la salivation. Pavlov et Watson ont démontré il y a fort longtemps que le comportement répondant peut être conditionné, c'est-à-dire qu'un stimulus originellement neutre peut causer un comportement après avoir été associé au stimulus précis qui cause le comportement. Ce principe a été énoncé suite à une expérience célèbre au cours de laquelle Pavlov a réussi à faire saliver un chien au simple son d'une cloche, après avoir couplé plusieurs fois ce son avec la présentation de nourriture.

Skinner accepte les principes du comportement répondant. Mais selon lui les comportements humains les plus significatifs et les plus complexes ne sont pas les réponses-réflexes à des stimuli spécifiques, mais celles qui sont émises par l'organisme et produisent des conséquences. C'est là qu'il introduit la notion de comportement opérant. **Le comportement opérant** est un comportement émis par un individu qui produit des effets sur l'environnement. Il est la caractéristique des organismes actifs.

Les conséquences positives du comportement opérant sont des récom-

---

(9) SKINNER, B.F. ***Science and Human Behavior***. New York: Free Press, 1967.

penses ou **renforcements**: si un comportement est récompensé (ou renforcé), il aura plus de probabilité de réapparaître dans le futur. Ainsi, au cours de son développement, l'enfant "émet" une multitude de comportements dont un certain nombre est renforcé par ses parents. Ces comportements renforcés en viennent à constituer un répertoire de réponses conditionnées qu'on appelle personnalité. Les comportements qui ne sont pas renforcés ou sont ignorés des parents ne tendent pas à devenir fréquents. De même, si un comportement qui a déjà été renforcé ne produit plus de résultat, il tend à devenir de moins en moins fréquent. Ce processus de diminution de fréquence est appelé processus d'**extinction**. Par exemple, un enfant qui a été conditionné à être poli peut devenir plus agressif en vieillissant parce que dans son groupe d'amis, la politesse n'est pas récompensée.

Il existe deux types de renforcement: le **renforcement positif** (création d'une situation agréable ou obtention d'un bien) et le **renforcement négatif** (retrait d'un stimulus désagréable). Les deux types augmentent la probabilité de réapparition du comportement mais Skinner favorise le renforcement positif, car l'individu est dans de meilleures conditions lorsque son comportement lui permet de gagner quelque chose que lorsqu'il doit éviter une situation pénible.

La **punition** est un autre moyen de contrôler le comportement. Il y a punition lorsqu'une réponse est suivie d'une conséquence désagréable ou du retrait d'un renforcement positif. La punition occasionne la suppression du comportement. Bien que la punition soit utilisée fréquemment pour contrôler les gens, Skinner pense que c'est une mauvaise façon de supprimer les comportements indésirables parce qu'elle peut produire des effets secondaires nocifs et n'est pas toujours efficace, ses effets étant souvent temporaires.

A partir de ces principes fondamentaux, Skinner a fait de nombreuses recherches sur l'utilisation rationnelle des renforcements dans le façonnement progressif des comportements [10]. Par exemple, il a analysé les conséquences des intervalles fixes et variables dans la présentation des stimuli sur le conditionnement ainsi que l'effet des renforcements continus et intermittents sur le maintien des réponses. Ses études sur les différentes "cédules" de renforcement constituent d'ailleurs une de ses principales contributions à la science du comportement.

Conception de la nature humaine

Skinner considère que les êtres humains fonctionnent comme des machines, de façon ordonnée, prédéterminée. Bien qu'il admette que chaque personne a un héritage biologique, il insiste sur le fait que l'organisme humain est programmé par son environnement, ses qualités de base n'étant ni bonnes ni mau-

---

(10) SKINNER, B.F. ***Contingencies of Reinforcement: A Theoritical Analysis***. New York: Appleton-Century-Crofts, 1969.

vaises. Il rejette toute notion de moi "autonome" qui peut choisir sa destinée et agir librement et spontanément. Tous les aspects du comportement humain (même les émotions) sont contrôlés de l'extérieur par l'environnement. Nous sommes ce que l'histoire de nos conditionnements successifs et notre condition présente nous font. Notre personnalité est donc le répertoire des réponses que nous avons apprises.

Conception du comportement mésadapté et de la thérapie

Skinner voit le comportement mésadapté comme étant le résultat de conditions adverses ou de punitions excessives. A ce stade, il reste au niveau comportemental et ne considère que l'analyse des données objectives. La thérapie qu'il préconise consiste à apprendre aux sujets des comportements alternatifs adaptés qui peuvent être acquis par renforcement, extinction ou contrôle des contingences de renforcement dans la vie quotidienne.

Conception de la société

Puisque la société contrôle le comportement de ses membres, son rôle premier est d'organiser des contingences de renforcement planifiées systématiquement de façon à maximiser les chances de survie [11]. A cet effet, Skinner favorise le renforcement positif des comportements désirés plutôt que l'utilisation de la punition et du contrôle aversif. Selon lui, la fonction première de la société est de prendre sa responsabilité de contrôle. Ceux qui épousent des valeurs de liberté et de dignité oublient le fait que le comportement est toujours affecté par l'environnement: ils ne font que créer de la confusion en supposant que les êtres humains peuvent agir en dehors des principes du conditionnement.

Applications au comportement organisationnel

L'approche behavioriste a été utilisée pour expliquer presque tous les aspects du comportement organisationnel, et particulièrement a) la productivité; b) l'apprentissage; c) le leadership; d) les conflits.

a) La productivité: les concepts de conditionnement et de "cédules" de renforcement ont permis de décrire comment des variations de renforcement peuvent affecter la quantité de travail produit, surtout lorsqu'il s'agit de tâches routinières.

b) L'apprentissage: l'approche behavioriste est en quelque sorte une théorie de l'apprentissage. Elle peut offrir des éléments de solution à certains problèmes de motivation, de formation et de supervision.

c) Le leadership: une des hypothèses de l'approche behavioriste est que le fac-

---

(11) SKINNER, B.F. ***Par-delà la liberté et la dignité***. Paris: Laffont, 1972.

teur de conditionnement réciproque détermine les comportements de leadership: c'est dire que le groupe peut influencer le leader autant que le leader influence le groupe.

d) Les conflits: selon Skinner, les conflits entre les groupes sont difficiles à résoudre parce que les membres des groupes se renforcent lorsqu'ils démontrent de la loyauté envers leur propre groupe et expriment de l'hostilité envers les autres groupes. Cette hypothèse est fort utile à la compréhension des relations intergroupes.

2.2.3 L'approche humaniste

L'approche humaniste est le dernier-né des grands courants théoriques en psychologie. Elle a été créée en réaction contre le déterminisme outré des autres théories. Elle s'est fortement inspirée de la philosophie existentialiste qui tentait d'expliquer comment l'individu peut combattre les éléments dépersonnalisants de son environnement en se structurant une identité et en recherchant un sens à sa vie.

Bien que plusieurs auteurs aient contribué à la naissance et à l'évolution de la psychologie humaniste, Carl Rogers (1902-   ) est celui qu'on identifie comme le principal leader de ce mouvement pour le développement du potentiel humain.

Perspectives de départ

La théorie de Rogers découle directement d'une longue expérience clinique et de recherches effectuées dans divers milieux académiques. Rogers croit que la connaissance de l'être humain nécessite la poursuite de trois avenues. Bien que l'approche objective et quantitative soit un bon moyen d'étudier le comportement, la connaissance subjective (connaissance de soi) et la connaissance empathique (compréhension des états subjectifs des autres) sont tout aussi importantes. Seule une interaction de ces trois approches peut assurer une connaissance adéquate des phénomènes humains.

Rogers considère l'homme comme un être qui fonctionne consciemment et tente de comprendre ses expériences subjectives. Il utilise souvent des résultats de recherches de laboratoire pour supporter ses affirmations sur le comportement humain, mais il refuse de les placer sur le "piédestal de la respectabilité scientifique". Selon lui, l'objet de la psychologie est "la personne totale" et on doit tenter de la comprendre de façon multidimensionnelle.

Concepts fondamentaux

Rogers définit le comportement comme "l'effort intentionnel de l'organisme pour satisfaire ses besoins comme il les expérimente dans la réalité telle qu'il la perçoit" (12).

Cette définition est purement phénoménologique: elle implique que la réalité n'est pas un ensemble objectif de stimuli mais la perception subjective que la personne a de cette réalité. Elle est existentialiste parce qu'elle insiste sur le fait que le comportement est intentionnel et découle d'un choix que fait l'individu. Le schéma qui pourrait résumer cette définition est plus complexe que le "stimulus - réponse" des behavioristes. Il est:

stimulus → expérience de l'organisme → réponse

Le terme expérience inclut non seulement les connaissances et les perceptions: il englobe également le vécu émotif et affectif.

La théorie rogérienne de la personnalité repose sur deux concepts fondamentaux: l'organisme et le "self" ou concept de soi.

L'organisme est le lieu psychologique où se produit toute expérience. Il est un système organisé qui englobe toutes les dimensions de la personne (physique, émotive, intellectuelle) et toute altération d'une de ses parties affecte ses autres composantes.

Par "expérience", Rogers entend tout ce qui se passe dans l'organisme et est susceptible de devenir conscient. L'expérience est le cadre de référence de la personne et elle n'est connue que d'elle-même.

Le **"self" ou concept de soi** est une structure psychologique qui se développe à mesure que l'enfant fait la différence entre lui-même et les autres. Il est composé des perceptions que la personne a de ce qu'elle est et de ses relations avec son environnement. Il inclut les valeurs attachées à ses perceptions.

A la base, l'organisme a une forte tendance à se maintenir en vie et à se développer selon sa nature et son potentiel héréditaire: c'est la **tendance à l'actualisation**. Bien qu'il existe une grande variété de besoins, tous les besoins de l'organisme sont soumis à cette tendance actualisante.

Dès la naissance, l'organisme subit de fortes influences de la part de son environnement, principalement de son environnement social. Les réponses spontanées de l'enfant à diverses situations sont évaluées par ses parents. Et parce que l'enfant reçoit des évaluations positives et négatives, il apprend à identifier des sentiments et des comportements qui sont "bons" (approuvés) et d'autres qui sont "mauvais" (désapprouvés). A mesure que se forme le concept de soi, les "mauvais" sentiments et comportements sont exclus de l'image que la personne se fait d'elle-même, même s'ils sont toujours valides pour l'organisme. C'est dire que l'enfant apprend à être ce que les autres veulent

---

(12) ROGERS, C.R.*Client Therapy: Its Current Practice Implications and Theory*. Boston: Hougton Mifflin, 1951.

qu'il soit au lieu d'être ce qu'il est. Il y a alors **incongruence** entre l'expérience de l'organisme et le concept de soi. Lorsque cette brèche se produit, elle occasionne des comportements défensifs, des distorsions dans la perception de la réalité et des difficultés dans les relations interpersonnelles. Par exemple, la personne qui apprend à ne pas accepter ses besoins sexuels ou son agressivité en vient à les exclure de son expérience, à les nier et même à se sentir hostile envers les personnes qui représentent pour elle ces comportements. Elle est constamment menacée et anxieuse.

Lorsque l'enfant se sent compris de ses parents et accepté sans condition, il apprend à accepter intégralement ses expériences sensorielles et affectives. Il apprend à s'accepter tel qu'il est et à inclure dans son concept de soi toutes ses dimensions. Il vit alors de la **congruence** entre l'expérience de son organisme et son concept de soi. Il accepte ses besoins sans anxiété et fonctionne librement. Par conséquent, il devient plus flexible et plus compréhensif envers les autres.

Les besoins d'acceptation inconditionnelle et d'estime de soi sont appris au cours du développement de l'individu et ils deviennent des conditions essentielles à son bon fonctionnement.

Rogers offre une description de la personne qui fonctionne pleinement (13). La personne actualisée est consciente de son expérience et ouverte à tout, autant à ses sentiments dits négatifs qu'à ses sentiments positifs. Etant ouverte, elle peut répondre de façon adaptée à une grande variété de situations et vivre une vie riche et flexible. Elle a confiance en son propre organisme dans sa totalité. Par conséquent, elle est plus susceptible de faire confiance aux possibilités des autres et de respecter leur intégrité. Elle est libre, créatrice, elle prend des risques et mène une vie enrichissante, excitante, gratifiante et significative.

Conception de la nature humaine

Rogers affirme que les êtres humains sont fondamentalement bons, dignes de confiance et qu'ils sont naturellement orientés vers la croissance et l'actualisation de leur potentiel positif. Il est optimiste face aux caractéristiques inhérentes de l'homme et est certain que la liberté de se développer naturellement résulte en des comportements positifs et bénéfiques pour les autres. Ce n'est que lorsque l'individu voit sa nature aliénée qu'il devient nocif pour lui-même et pour la société.

Conception de la mésadaptation et de la thérapie

Selon Rogers, la mésadaptation résulte de l'interruption du processus d'actualisation de soi. Au départ, l'individu est sain, c'est-à-dire orienté vers la

---

(13) ROGERS, C.R. ***Le développement de la personne***. Paris: Dunod, 1968.

conscience de son expérience et l'établissement de bonnes relations avec les autres. Il en arrive à mal se sentir ou se comporter si sa nature fondamentale est corrompue par des influences sociales néfastes. L'influence la plus destructrice est l'acceptation conditionnelle de la part de personnes significatives (surtout les parents).

La thérapie rogérienne est basée sur la création d'une atmosphère d'acceptation inconditionnelle et de compréhension empathique. Cette atmosphère diminue chez le client le besoin de se défendre et lui permet d'explorer librement ses sentiments et son expérience interne. Rogers s'adresse aux capacités conscientes de la personne et vise à amener son client à prendre conscience de lui-même "ici et maintenant", à s'accepter et à faire des nouveaux choix face à son environnement.

Conception de la société

Selon l'approche humaniste, la société est généralement trop restrictive et trop statique [14]. Les êtres humains sont destinés à s'épanouir comme individus et comme membres de la société, mais les parents, les éducateurs et les employeurs déforment leur destinée en leur imposant des valeurs établies et en les forçant à y adhérer.

La société devrait devenir un processus plutôt que de se confiner à des structures rigides et statiques. Elle laisserait ainsi à ses membres la liberté d'expérimenter différentes alternatives et permettrait l'erreur sans la condamner. Elle deviendrait plus "naturelle", plus flexible, plus créatrice.

Applications au comportement organisationnel

L'approche humaniste a eu un impact considérable sur les théories de la gestion. Parmi les aspects du comportement organisationnel qu'elle a aidé à approfondir citons: a) les styles de gestion; b) la motivation; c) la communication; d) les processus de groupe.

a) Les styles de gestion: les humanistes ont démontré à quel point la conception de la nature humaine que préconise un gestionnaire affecte son style de gestion et comment le style de gestion affecte le comportement des employés.

b) La motivation: la théorie de la hiérarchie des besoins proposée par Abraham Maslow a suscité et suscite encore beaucoup de recherches sur les facteurs de satisfaction et de motivation au travail.

c) La communication: les notions d'acceptation inconditionnelle d'autrui et d'empathie ont inspiré de nombreux chercheurs intéressés aux processus de communication efficaces et aux obstacles à la communication.

---

(14) ROGERS, C.R. ***Personal Power***. New York: Delacorte Press, 1977.

d) Les processus de groupe: les psychologues humanistes ont beaucoup écrit sur la dynamique des groupes et ont posé des hypothèses intéressantes sur les facteurs qui influencent le climat d'apprentissage à l'intérieur des groupes de travail.

2.3 L'ÉTAT ACTUEL DES CONNAISSANCES SUR LA PERSONNALITÉ

La description des approches psychanalytique, behavioriste et humaniste met en évidence le fait que devant un même objet d'analyse, de grands théoriciens sont arrivés à des conclusions différentes, parfois même contradictoires, sur la nature, le fonctionnement et le développement de la personne humaine.

A première vue, ces différences peuvent être déroutantes. Mais si on considère que Freud, Skinner et Rogers ont abordé l'étude de la personnalité selon des perspectives très différentes, à partir de leur expérience particulière dans des milieux diversifiés, l'absence de consensus n'est pas surprenante. C'est d'ailleurs en approfondissant des points de vue opposés qu'ils ont polarisé les énergies des spécialistes du comportement et stimulé de multiples recherches sur la personnalité.

Comme il n'existe pas de réponses absolues aux questions que l'on se pose sur la personnalité, il semble que l'approche la plus sage consiste en un certain éclectisme. Etre éclectique ne veut cependant pas dire être hétéroclite ou incohérent, mais plutôt dégager les grandes tendances qui se dessinent à mesure que l'état des recherches avance, ainsi que les points sur lesquels la plupart des auteurs contemporains s'entendent.

Bien que l'étude de la personnalité soit un domaine très vaste et très diversifié, il est possible d'identifier certaines questions qui ont été soulevées par la plupart des théoriciens de la personnalité. Quels sont les facteurs déterminants de la personnalité? Quelle est l'importance relative des expériences de l'enfance par rapport aux expériences ultérieures? Quelles sont les principales étapes du développement de la personnalité? La nature de l'homme est-elle fondamentalement bonne ou mauvaise?

2.3.1 Les facteurs déterminants de la personnalité

Hérédité vs environnement

Au début des recherches sur la personnalité, la question principale que se sont posée les psychologues est la suivante: la personnalité d'un individu est-elle déterminée par son hérédité ou son environnement? En d'autres mots, la personnalité est-elle prédéterminée à la naissance ou est-elle uniquement le résultat de l'interaction de l'individu avec son environnement?

La première hypothèse qui a souvent été défendue par les bigots et les racistes de ce monde suggère que les caractéristiques de la personnalité sont fixées dès la naissance et qu'aucune expérience ne peut les altérer.

La seconde hypothèse, soutenue par Watson, le fondateur du behaviorisme, suppose qu'il est possible, quelle que soit l'hérédité, de façonner un individu comme on veut, pourvu qu'on lui assure un conditionnement adéquat.

De nombreuses recherches ont finalement démontré qu'aucune des deux hypothèses n'est vraie, la personnalité étant à la fois déterminée par l'hérédité et par l'environnement.

L'hérédité détermine le potentiel et les limites de l'individu. Par exemple, il est évident que même si on investissait beaucoup de temps, de ressources et d'efforts, on ne pourrait amener un individu affecté de mongolisme à effectuer des opérations mentales complexes, ou encore entraîner une personne souffrant d'une insuffisance cardiaque congénitale à devenir championne olympique à la course.

L'environnement détermine le niveau de développement du potentiel héréditaire, jouant ainsi un rôle critique dans la formation de la personnalité. De multiples études ont démontré que chez l'homme, la plupart des comportements sont appris: les comportements sociaux, affectifs, intellectuels, physiques, etc. L'environnement doit fournir les conditions d'apprentissage, les stimulations adéquates tout au long du processus de maturation de l'enfant, sinon son potentiel risque de ne jamais s'actualiser. Les études concernant les pseudo-débiles (enfants qui deviennent arriérés mentaux faute de conditions affectives suffisantes) sont assez concluantes à ce sujet.

En plus de déterminer le niveau de développement de la personnalité, l'environnement influence l'orientation de cette évolution. Les recherches sur les jumeaux identiques (qui, à partir d'une hérédité semblable peuvent devenir très différents s'ils sont éduqués dans des milieux socio-économiques différents), de même que les recherches sur les criminels, ont largement confirmé l'importance de l'influence de l'environnement sur la personnalité.

Variabilité des situations vs stabilité des traits de personnalité

Si l'hérédité et l'environnement influencent la personnalité, celle-ci est également influencée par un troisième facteur: la situation. C'est dire que la personnalité, bien que généralement stable et constante, change selon les situations, car différentes circonstances stimulent différents aspects de la personnalité. Toutefois, les recherches actuelles ne permettent pas de préciser avec exactitude la nature de cette influence ni de classifier rigoureusement les différents types de situations qui ont un impact sur le comportement.

Par contre, il existe de nombreux systèmes de classification des caractéristiques stables de la personnalité. En effet, plusieurs théoriciens de la personnalité (dont Gordon Allport et Raymond Cattell) se sont intéressés aux différences individuelles et ont tenté d'isoler des traits de personnalité qui permettraient de prédire le comportement dans certaines situations. Les résultats de leurs tentatives ont été très contestés en raison de la multiplicité des traits possibles, de la difficulté de les définir, et des contradictions et recoupements observés.

D'autres auteurs ont essayé de regrouper les traits de personnalité en catégories plus générales, en types de personnalité. Les typologies les plus connues sont celles de Carl G. Jung (basée sur la variable introversion-extraversion et le niveau d'anxiété) et de William Sheldon (basée sur la structure physique).Mais, tout comme l'approche des traits de personnalité, l'approche des types psychologiques n'a pas réussi à prédire le comportement dans un nombre suffisant de situations.

En fait, il semble que l'échec de ces approches dépend de ce qu'elles n'ont pas suffisamment tenu compte des variables situationnelles. Leur validité prédictive n'est significative que lorsqu'on rencontre des traits ou des types psychologiques extrêmes et donc, par définition, d'une rigidité presque pathologique.

Implications pour l'organisation

La première conclusion de l'analyse des facteurs déterminants du comportement est que, bien que l'hérédité détermine le potentiel de l'individu, l'environnement contribue largement (et même pour la plus large part) à l'apprentissage des comportements. C'est dire que l'organisation peut avoir un impact considérable sur la performance et la formation de ses membres.

L'analyse de l'environnement de l'individu au travail peut aider à trouver la solution à plusieurs problèmes humains qu'on rencontre dans l'entreprise. Elle peut également permettre une meilleure utilisation des ressources humaines. Il est important de connaître les conditions qui incitent les gens à apprendre, à se développer et à produire, de même que celles qui les démotivent et les rendent défensifs. De multiples études sur la motivation et la productivité ont donné des résultats concluants à ce sujet et ont amené plusieurs employeurs à modifier les conditions de travail de leurs employés. Toutefois, les progrès sont lents et il reste encore beaucoup de changements à introduire dans ce domaine.

Le fait qu'on admette aujourd'hui que les traits de caractère et les types psychologiques sont beaucoup moins prédictifs que les variables situationnelles a déjà eu des effets sur les méthodes de sélection du personnel. Pendant longtemps les psychologues industriels se sont confinés à l'utilisation de tests de personnalité pour sélectionner les employés. Devant le peu de succès de cette méthode, ils ont développé une nouvelle approche: l'appréciation du personnel par simulation. Cette approche, en plus de fournir des données à partir de tests et d'entrevues, permet d'obtenir des données comportementales à l'aide de simulations où le candidat est observé alors qu'il est confronté à des situations qui font partie de ses futures attributions. Le candidat est alors évalué à partir de son habileté à occuper le poste qu'il demande et non à partir de ses performances passées dans des postes différents. En ce sens, l'appréciation du personnel par simulation tient compte du principe de Peter.

2.3.2 Le développement de la personne

Si on postule, comme Freud, que ce qui nous est arrivé dans l'enfance a un impact critique et définitif dans la formation de la personnalité, on peut croire que le développement de l'individu n'est qu'une simple élaboration des thèmes établis dans les premières années de la vie. La psychanalyse a contribué à établir la croyance que la personnalité est fixée vers l'âge de 5 ans et est peu sujette à changer par la suite.

Rogers s'est opposé à cette opinion en considérant la personnalité comme plus indépendante du passé et susceptible de s'actualiser tout le long de sa vie.

De plus en plus, les psychologues spécialisés en développement s'entendent pour adopter une position intermédiaire et affirmer que les expériences passées ont une influence importante mais pas absolument permanente. De ce point de vue, les expériences ultérieures peuvent renforcer ou altérer la personnalité établie à la fin de l'enfance. "Tout **ne** se joue donc **pas** avant six ans".

Bien que le déterminisme de Freud ait été contesté, sa conception des stades de développement prévaut encore.

D'autres auteurs ont observé qu'après les stades oral, anal et phallique, la période de latence et la puberté, d'autres crises de développement peuvent être identifiées chez la majorité des personnes.

La théorie de Erik Erikson

Erik Erikson a identifié huit stades de développement(15). Bien que sa théorie soit basée sur les stades psycho-sexuels freudiens, il s'est plus intéressé aux aspects psychosociaux des périodes de la vie qu'à leur aspect biologique. Il conçoit le développement humain comme une série de conflits que la personne doit résoudre. Chaque conflit émerge à un moment de la croissance où l'environnement fait des demandes spécifiques à l'individu. Cette confrontation avec l'environnement est une crise qui implique un changement de perspective de la part de la personne, un choix entre deux façons de faire face à la vie. S'il en résulte un choix adapté aux nouvelles exigences de la situation, le développement se poursuit, avec l'énergie nécessaire pour aborder le stade suivant. Si l'individu fait un mauvais choix, il se crée un problème et perd de la force nécessaire pour affronter la prochaine crise.

Le tableau qui suit résume les différentes étapes du développement telles que décrites par Erikson. Il indique également l'âge moyen qui correspond à chaque stade ainsi que les choix positifs et négatifs qui peuvent en résulter.

---

(15) ERIKSON, E.H. ***Childhood and Society*** (2nd ed.). New York: Norton, 1968.

STADE		AGE	CHOIX		
			POSITIF		NEGATIF
1-	oral-sensoriel	0 - 1 an	confiance	-	méfiance
2-	musculaire-anal	1 - 3 ans	autonomie	-	honte et doute
3-	locomoteur-génital	3 - 5 ans	initiative	-	culpabilité
4-	latence	6 - 11 ans	activité	-	infériorité
5-	adolescence	12 - 18 ans	identité	-	confusion de rôle
6-	début de l'âge adulte	19 - 35 ans	intimité	-	isolation
7-	âge adulte	35 - 50 ans	généralisation	-	stagnation
8-	maturité	50 ans et +	intégrité du moi	-	désespoir

Chacune de ces huit étapes de la vie implique en quelque sorte une crise d'identité. Bien que les périodes de passage d'une étape à l'autre soient des périodes de grande vulnérabilité, elles offrent la possibilité de développer de nouvelles forces et sont des expériences très riches.

La théorie de Gail Sheehy

Récemment, Gail Sheehy a proposé une nouvelle description du développement [16] qui constitue une extension des travaux d'Erikson. Consciente du fait qu'Erikson avait très peu élaboré sa pensée sur le développement de l'adulte, elle a entrepris une revue de la littérature sur le sujet et effectué une série d'entrevues très détaillées avec des adultes de tous les âges. Elle a conclu que les adultes se développent à travers cinq crises qu'elle appelle des "passages".

a) Le déracinement (18-22 ans)

Cette période correspond au moment où l'individu quitte ses parents et commence à vivre son indépendance financière, émotive et sociale. Le jeune adulte vit alors de nombreuses craintes et incertitudes mais garde souvent une façade de confiance en prenant ouvertement des risques. Il s'agit d'une crise d'identité importante et ceux qui ne réussissent pas à quitter leur famille d'origine pour se retrouver comme individus indépendants devront de toute façon le faire plus tard. Comme Erikson, Sheehy affirme en effet que chaque crise doit être résolue: si elle est évitée, elle surgira plus tard, à un moment où les décisions seront plus difficiles à prendre.

---

(16) SHEEHY, G. ***Passage: les crises prévisibles de l'âge adulte***. Montréal: Presses Select Ltée, 1978.

b) Les ruades de la vingtaine (22-28 ans)

La vingtaine est l'époque des grands choix sur les plans affectif et professionnel. D'une part, l'individu est porté à s'impliquer fortement dans une relation affective et dans une carrière; d'autre part, il sent le besoin d'explorer, d'expérimenter et de se garder des portes de sortie. C'est une période remplie d'espoir, d'énergie et d'idéalisme. En même temps, c'est une époque teintée d'illusions: le jeune adulte vit beaucoup d'anxiété parce qu'il est convaincu que ses choix sont irrévocables.

c) Le passage des trente ans (28-32 ans)

A l'approche de la trentaine, une nouvelle crise surgit. L'individu sent le besoin de rompre la routine, de reviser ses engagements, s'il en a fait, c'est-à-dire de les approfondir, de les modifier ou d'y mettre fin tout simplement (la plupart des divorces se produisent à cette époque). S'il ne s'est pas impliqué auparavant, il se sent pressé de le faire. Au cours de cette période tumultueuse, les orientations changent ou encore les rêves se transforment en objectifs plus réalistes.

d) La décennie de la dernière chance (35-45 ans)

A partir de 35 ans, l'individu constate qu'il vieillit, qu'il a au moins la moitié de sa vie derrière lui. Il se sent forcé de réévaluer ses valeurs, ses buts et de décider comment il orientera ses énergies dans l'avenir. C'est une période cruciale et dangereuse. Il est temps ou jamais de faire fructifier ses talents, de produire. Sheehy remarque que cette crise est vécue différemment selon le sexe et que l'évolution de l'homme et de la femme qui ont adopté des rôles traditionnels ne coïncident habituellement pas.

e) Le renouveau ou la résignation (45 ans et plus)

Après 45 ans, l'adulte se stabilise. Cette stabilité peut être dynamique et enrichissante s'il donne un sens nouveau à sa vie et continue à se développer. Par contre, s'il n'a pas eu le courage de résoudre ses crises antérieures et n'effectue pas les choix qui s'imposent pour les résoudre finalement, cette période peut devenir celle de la résignation, de l'inertie et du défaitisme qui amène un vieillissement précoce.

La théorie de Gail Sheehy est récente et a besoin d'être appuyée sur plus d'évidence scientifique pour être plus solidement reconnue. Toutefois, elle a été assez bien accueillie en psychologie parce qu'en un sens elle rejoint les principes admis par les théoriciens classiques du développement de la personnalité. Ces principes sont les suivants:

- le développement de l'individu est constitué de stades qui représentent des crises à résoudre;
- chaque crise doit être résolue positivement sinon l'individu dispose de moins d'énergie pour affronter les crises subséquentes;

- au cours de sa vie, la personne saine évolue de la dépendance vers l'autonomie et une plus grande conscience d'elle-même;
- chaque crise d'identité amène de l'anxiété et de la vulnérabilité d'une part, des possibilités créatrices et des énergies nouvelles d'autre part;
- les individus qui se développent continuellement à travers les différents passages de la vie ont des personnalités saines, riches et socialement adaptées. Ceux qui s'arrêtent en cours de route se structurent en personnalités rigides, peu adaptées.

Implications pour l'organisation

De nos jours, la plupart des organisations ont besoin et désirent acquérir la flexibilité qui pourrait leur permettre de s'adapter davantage à un environnement qui change et se complexifie très rapidement. Dans une telle situation, ceux qui croient encore que les gens qui vieillissent acquièrent nécessairement leur maturité au détriment de leur capacité de changer se voient pris dans plusieurs dilemmes: favoriser l'évolution ou la maturité, avancer l'âge de la retraite et voir se succéder rapidement les générations de dirigeants ou encore placer les gens qu'ils considèrent les moins flexibles dans les positions qui nécessitent le plus de flexibilité.

Par contre, ceux qui se rendent compte du fait que l'âge ne constitue pas une limite sérieuse au développement et que l'individu peut croître et apprendre tout au long de sa vie, peuvent se permettre de mieux utiliser les personnes qui ont le plus d'expérience et de maturité. Toutefois, une telle utilisation s'accompagne d'une responsabilité vis-à-vis de ces mêmes personnes. Il importe en effet d'être conscient du fait que l'individu a besoin de support pour pouvoir continuer à se développer. C'est dire que les organisations auraient avantage à fournir des occasions de perfectionnement à leurs employés plus âgés, de façon que ceux-ci puissent mettre davantage à profit leurs acquis et rester motivés jusqu'à la fin de leur carrière. Elles éviteraient ainsi un gaspillage énorme de capital humain et pourraient concilier leurs besoins de stabilité et de flexibilité.

Une seconde constatation des psychologues du développement de la personnalité s'avère très intéressante. On observe en effet que le développement s'effectue par crises et que chaque crise, bien que génératrice d'anxiété et de bouleversements, libère un fort potentiel énergétique et créateur. Plusieurs gestionnaires sont craintifs face aux conflits. Ils sont portés à percevoir plus facilement leurs aspects insécurisants que leurs aspects dynamiques. C'est pourquoi ils déploient souvent énormément d'énergie pour éviter les confrontations, ignorant ainsi que ce ne sont pas tellement les conflits qui éclatent qui nuisent à l'entreprise mais ceux qui demeurent latents.

Pourtant, les théoriciens du développement organisationnel sont de plus en plus convaincus que le développement des organisations, comme celui des individus, s'effectue par crises et que, pour rester adaptées à leur environnement, les entreprises doivent faire face aux difficultés qu'elles vivent en acceptant de se remettre en question périodiquement et non en se structurant davantage pour éteindre les forces conflictuelles qu'elles contiennent.

2.3.3 La nature de l'homme

La nature de l'homme est-elle bonne ou mauvaise? Une telle question fait appel à une réponse nécessairement basée sur un jugement de valeur qui, supposément, n'a rien à voir avec le monde objectif et sans passion que constitue la science. Pourtant, tous les théoriciens se sont, du moins implicitement, posé cette question. Et leurs réponses diffèrent.

Freud est pessimiste face à la nature de l'homme: l'être humain fonctionne uniquement pour obtenir le plaisir et éviter la douleur, les tensions et les frustrations. Selon Skinner, l'homme est un robot programmé par son environnement: il n'est ni bon ni mauvais. Rogers est entièrement optimiste et affirme que l'individu est mû par un besoin de s'actualiser et que sa nature est positive au départ.

La controverse est loin d'être résolue, mais il importe d'être conscient des implications de chacun des points de vue.

Si on considère l'homme comme mauvais ou neutre, on insistera sur la nécessité de le contrôler. Une telle conception peut être très attirante pour les esprits autoritaires et elle convient parfaitement aux idéologies basées sur la coercition, la punition, la récompense et la persuasion.

Si on considère que l'homme est doté d'imagination, de bonté et de créativité, on insistera sur la nécessité de lui fournir des conditions où il pourra librement s'autodiriger et s'autocontrôler. Cette seconde conception de l'homme se répand de plus en plus parmi les agents de changement (éducateurs, consultants, etc.) qui se donnent comme défi d'assouplir le climat social en remettant en question les valeurs autoritaires traditionnelles. Toutefois, ces dernières valeurs demeurent très fortes.

La solution à cette dichotomie est peut-être de reconnaître les différences individuelles et de conclure que ces deux conceptions de la nature humaine ont leur place et leur utilité. A cet égard, Frederick Perls (17) apporte un éclairage intéressant. Il conçoit l'homme comme un ensemble de polarités qui interagissent constamment. Selon lui, pour fonctionner sainement, la personne doit apprendre à vivre avec ses aspects "positifs" et "négatifs". Il évite de moraliser à ce sujet et insiste sur la valeur de survie de tous les éléments de la nature humaine. Il affirme que si l'homme veut évoluer, changer et s'améliorer, ce n'est pas en essayant d'être autre chose que ce qu'il est mais en assumant les paradoxes qui

---

(17) PERLS, F., HEFFERLINE, R.E., GOODMAN, P. ***Gestalt thérapie: technique d'épanouissement personnel***. Ottawa: Editions internationales Alain Stanké, 1977.

le composent, en devenant davantage lui-même qu'il réussira.

Implications pour l'organisation

Les théories du comportement ayant influencé les courants de pensée en management depuis le début de leur existence, on a pu observer entre les théoriciens de la gestion les mêmes débats que ceux qui animent les psychologues.

Les approches classiques (Taylor, Fayol) ont répandu l'idée que les gens sont naturellement paresseux et ont besoin d'être poussés, contrôlés et surveillés pour produire. Elles préconisaient uniquement des récompenses monétaires pour motiver les employés ainsi qu'une direction autoritaire pour les encadrer.

L'analyse des systèmes et les théories cognitives représentent une position plus neutre. Les tenants de ces approches voient les gens comme adaptables et croient que la plupart des comportements sont appris sans prédisposition négative ou positive. Certains types de personnes correspondent bien à certains types d'environnement: il s'agit de bien agencer les individus et les situations.

Finalement, l'approche des relations humaines représentée entre autres par McGregor, Likert et Bennis, a adopté les vues de la psychologie humaniste. Elle considère que les individus sont motivés par l'obtention d'un bien-être personnel et social, par la reconnaissance et la satisfaction du travail bien fait. Les théoriciens de cette école insistent sur la gestion démocratique, l'enrichissement des tâches et la création de conditions de travail propices à la créativité.

Dans le domaine de la psychologie organisationnelle comme dans celui de la psychologie individuelle, il semble bien qu'aucune de ces approches ne détient la vérité absolue. Selon les situations, les types d'entreprises, les différents emplois et employés, il est possible de découvrir l'apport relatif de chacun des courants de pensée. S'ancrer de façon rigide dans une tendance ne peut qu'occasionner une déformation de la réalité. En exclure une ne peut qu'aboutir à un appauvrissement des moyens dont disposent les gestionnaires pour atteindre les buts des organisations qu'ils dirigent et pour satisfaire leurs intérêts personnels et ceux de leurs employés.La réalité organisationnelle est à l'image des individus qui la composent: elle est diversifiée, multidimensionnelle et hautement paradoxale.

SUJETS D'ÉTUDE ET DE DISCUSSION

1. Parmi les approches psychanalytique, behavioriste et humaniste, quelle est celle qui insiste le plus sur a) l'importance de l'hérédité dans la détermination du comportement, b) l'activité mentale consciente, c) le rôle déterminant de l'environnement dans la formation de la personnalité?

2. Freud croit que la personnalité est substantiellement déterminée avant l'âge de 6 ans. A partir de votre expérience personnelle, élaborez deux arguments qui vont dans le sens de cette hypothèse et deux autres qui la contredisent.

3. En vous référant aux principes du conditionnement opérant, trouvez trois méthodes autres que la punition que peuvent utiliser les parents pour faire disparaître des comportements indésirables chez leurs enfants.

4. Comment un gestionnaire peut-il favoriser l'actualisation de soi de ses employés?

5. Réfléchissez à votre propre conception de la nature de l'homme et de la société et décrivez au moyen d'exemples concrets comment cette conception influence votre comportement dans votre milieu de travail.

BIBLIOGRAPHIE SUPPLÉMENTAIRE

ALLPORT, G.W. ***Pattern and Growth in Personality***, New York: Holt, Rinehart and Winston, 1961.

ARGYRIS, C. "Personality and Organization Theory". ***Administrative Science Quarterly***, Juin 1973, 141-167.

BEER, S. "The world we manage". ***Behavioral Science***, Vol. 18, 1973, 198-209.

BISCHOF, L.J. ***Interpreting Personality Theories.*** (2nd. ed.), New York: Harper and Row, 1970.

BORING, E.G. ***A History of Experimental Psychology***. (2nd ed.). New York: Appleton Century Grafts, 1950.

DEUTSH, M., KRAUSS, R.***Theories in Social Psychology***. New York: Basic Books, 1965.

HALL, C.S. ***A Primer of Freudian Psychology***. New York: The World Publishing Company, 1954.

HALL, C.S., LINDZEY, G. ***Theory of Personality***. New York: John Wiley and Sons, 1970.

HERRNSTEIN, R.J., BORING, E.G. (eds.). ***A Source Book in the History of Psychology***. Cambridge, Mass.: Harvard University Press, 1966.

KNOWLES, H.P., SAXBERG, B.O. ***Personality and Leadership Behavior***. Reading, Mass.: Addison-Wesley, 1971.

LICHTMAN, C.M., HUNT, R.G. "Personality and Organization Theory: A Review of Some Conceptual literature". ***Psychological Bulletin***, Octobre 1971, 271-294.

LINDSEY, G., AROVSON, E. ***Hand Book of Social Psychology***. (2nd ed.) Reading, Mass.: Addison Wesley, 1968, vol. 1.

MILES, R.E. ***Theories of Management***. New York: McGraw Hill, 1975.

NYE, R.D. ***Three Views of Man: Perspectives from Sigmund Freud, B.F. Skinner, Carl Rogers***. Monterey, Calif.: Brooks/Cole, 1975.

SHAW, M.E., COSTANZO, P.R. ***Theories in Social Psychology***. New York: McGraw Hill, 1970.

ROGERS, C.R. "Toward a Science of the Person" in WANN, T.W. (ed.). ***Behaviorism and Phenomenology***. Chicago: University of Chicago Press, 1964, 109-140.

SKINNER, B.F. ***Waldentwo***. New York: McMiller, 1962.

SKINNER, B.F. "The Machine that is Man". ***Psychology Today***, avril 1969, 20-25, 60-63.

STRUPP, H.H. "Freudian Analysis Today". ***Psychology Today***, Juillet 1972, 33-40.

WEICK, K.E. "Amendments to Organizational Theorizing". ***Academy of Management Journal***, Septembre 1974, 487-502.

WORTMAN, M., LUTHANS, F. ***Emerging Concepts in Management*** (2nd. ed.). New York: MacMillan, 1975.

WRIGHTSMAN, L.S. ***Social Psychology in the Seventies***. Monterey, Calif.: Brooks/Cools, 1973.

CHAPITRE 3

LA PERCEPTION*

L'homme de la rue croit qu'il voit, entend et sent le monde tel qu'il est. Il pose l'hypothèse que sa perception est véridique. Bien que les psychologues aient partiellement confirmé cet énoncé, ils ont décrit de multiples situations qui le contredisent. Il semble bien que notre perception ne soit pas une représentation exacte de la réalité.

L'étude des illusions d'optique, entre autres, le prouve, de même que l'analyse psychologique des témoignages. Les gens qui ont assisté à certains événements font parfois de graves erreurs en décrivant et en interprétant ce qu'ils ont vu ou entendu et leurs témoignages sont souvent très incomplets. Une étude récente (1) a démontré qu'après le visionnement du film d'un accident, les spectateurs relataient spontanément moins de 10% des détails de l'événement observé et que même après une entrevue très serrée, le pourcentage d'information rapportée ne dépassait pas 20%.

Il arrive également que lorsque plusieurs témoins sont interrogés sur le même événement, les souvenirs relatés diffèrent de façon très marquée. On peut observer des exemples de ce phénomène tous les jours. Ainsi, si on interroge des étudiants à la fin d'un cours pour évaluer l'efficacité de leur professeur, il se peut que certains l'évaluent comme excellent alors que d'autres le trouvent très insatisfaisant. En dépit du fait que les étudiants ont reçu le même enseignement, ils le perçoivent très différemment. C'est ce qui amène la conclusion que "nous ne voyons pas la réalité mais plutôt nous interprétons ce que nous voyons et nous l'appelons réalité" (2).

La simple constatation que les processus perceptuels ne reproduisent pas une image exacte de la réalité et que, par conséquent, les gens voient les mêmes choses très différemment a suscité un grand nombre de recherches sur le phénomène de la perception. L'intérêt pour ce phénomène découle égale-

---

* Chapitre rédigé par Nicole Côté Léger.

(1) MARQUIS, K., OSKAMP, S., MARSHALL, J. "Testimony Validity as a Function of Question form, Atmosphere and Item Difficulty". ***Journal of Applied Social Psychology***. Vol. 2, 1972.

(2) ROBBINS, S.P. ***Organizational Behavior - Concepts and Controversies***. Englewood Cliffs, Prentice Hall, 1979, 90.

ment du fait qu'on a observé que la perception influence énormément le comportement.

Tout d'abord, sans la perception, l'interaction de l'individu avec son environnement serait impossible. Pour pouvoir réagir au monde qui l'entoure, l'homme doit être capable de recevoir de l'information sur ce monde et il doit pouvoir apprécier cette information: ce sont ses processus perceptuels qui lui permettent de le faire. En ce sens, la perception a un effet déterminant sur la réponse de l'individu aux stimulations de son environnement. Car on réagit au monde tel qu'on le perçoit. Par exemple, si un patron annonce un nouveau projet à ses employés et si l'expression de ses interlocuteurs change au cours de la conversation, il réagira en fonction de sa perception de ce changement d'expression. S'il perçoit l'expression de ses employés comme une approbation, il pourra s'enthousiasmer et décrire les multiples facettes du projet; s'il la perçoit comme une opposition, il pourra devenir agressif ou essayer de se justifier.

De multiples situations de ce genre se produisent chaque jour dans des organisations et confirment que la perception est un phénomène complexe qu'il convient d'approfondir si on veut saisir l'ampleur des différences individuelles et leurs conséquences possibles sur la vie organisationnelle.

Plusieurs questions surgissent lorsqu'on aborde le thème de la perception. Qu'est-ce que la perception et quelles en sont les caractéristiques? Quels sont les facteurs qui influencent la perception? Plus spécifiquement, quels sont les biais perceptuels les plus répandus et comment peuvent-ils affecter le comportement organisationnel?

3.1 DÉFINITION

La perception est un processus par lequel l'individu organise et interprète ses impressions sensorielles de façon à donner un sens à son environnement.

L'homme ne fonctionne pas comme une caméra ou un magnétophone, il appréhende la réalité activement. Il identifie, discrimine, reconnaît et juge l'information qu'il reçoit de ses sens. Ce processus perceptuel actif lui permet de ne pas être submergé par les stimuli du monde extérieur et de vivre une certaine cohérence dans son expérience sensorielle.

Comme la perception implique une interaction dynamique entre l'individu et la réalité objective, elle est fortement influencée par les caractéristiques de celui qui perçoit. Les individus étant très différents les uns des autres, il n'est pas surprenant que leurs perceptions diffèrent très souvent.

3.2 CARACTÉRISTIQUES DE LA PERCEPTION

Hastorf, Schneider et Polefka [3] décrivent cinq caractéristiques de la perception.

(1) La perception est immédiate

(2) Elle a une structure

(3) Elle est stable

(4) Elle a un sens

(5) Elle est sélective

3.2.1 La perception est immédiate

Dès que nous nous éveillons, nous percevons des choses, très rapidement, et ce, sans effort de pensée ou d'interprétation. On définit d'ailleurs couramment la perception comme l'ensemble des "processus de l'expérience immédiate dans les organismes" [4].

Si on veut distinguer sommairement la perception des autres processus d'appréhension de la réalité, on peut dire qu'en termes d'immédiateté et de complexité, elle se situe entre la sensation et la cognition.

sensation → perception → cognition.

Sensation → perception

La sensation est un comportement très élémentaire qui est en grande partie déterminé par le fonctionnement physiologique.

La perception est beaucoup plus complexe que la sensation. Elle est le processus par lequel les données sensorielles sont filtrées, organisées et modifiées. Ce processus s'effectue automatiquement, dès qu'une sensation émerge, sans même qu'on en soit conscient.

La description de ce qui se passe lors du visionnement d'un film peut illustrer très simplement la distinction entre sensation et perception. Lorsqu'un individu regarde un film, son oeil reçoit et **sent** en réalité un grand nombre d'images séparées se succédant rapidement, mais il **perçoit** spontanément et immédiatement un mouvement continu.

---

(3) HASTORF, A.H., SCHNEIDER, D.J., POLEFKA, J. ***Person Perception***. Reading, Mass.: Addison Wesley, 1970, (paperback).

(4) FRENCH, D. "The Relationship of Anthropology to Studies in Perception and Cognition" in Koch, S. (ed.). ***Psychology: A Study of a Science***. Vol. 6: ***Investigations of Man as Socius***. New York: McGraw Hill, 1963, 388-428.

En somme, les processus perceptuels altèrent l'expérience sensorielle et cette altération est tellement naturelle qu'on est porté à confondre les deux processus. Dans plusieurs cas toutefois, la modification opérée par la perception est plus évidente que dans l'exemple précédent. Ainsi, on voit souvent une personne réagir vis-à-vis d'une autre d'une façon étonnante, cela étant dû au simple fait que cette personne aura vu ou entendu des choses fort différentes de ce que l'autre a dit ou fait.

Perception → cognition

A mesure que l'expérience devient moins immédiate et que le nombre d'inférences faites par l'organisme augmente, les processus cognitifs deviennent impliqués. La perception diffère de la cognition en ce sens qu'elle est plus immédiate et plus directement reliée à l'expérience sensorielle. Les processus cognitifs consistent en des activités plus compliquées comme penser, décider, choisir et inférer (5); étant plus complexes que les processus perceptuels, leur relation avec les données sensorielles est beaucoup moins évidente, même si elle existe.

3.2.2 La perception a une structure

La perception est un processus qui permet d'organiser les données sensorielles en touts identifiables plutôt qu'en un ensemble d'éléments disparates. Nous ne percevons pas des couleurs, des formes ou des dimensions, mais des objets précis et organisés. Cette organisation perceptuelle est en partie apprise: par exemple, nous avons appris que deux yeux, un nez et une bouche constituent un visage. Mais pour la plus grande partie, elle est une propriété innée de nos organes sensoriels et de notre système nerveux.

Les psychologues gestaltistes (Wertheimer, Köhler et Koffka) ont étudié la structure de l'organisation perceptuelle et ont énoncé les principes suivants:

- nous percevons les objets comme des figures en relation avec un fond,
- nous avons tendance à regrouper les stimuli en touts cohérents selon les lois de la fermeture, de la continuité, de la proximité et de la similarité.

La perception figure-fond

La perception figure-fond implique tout simplement que nous percevons toujours les objets comme émergeant d'un environnement donné. Nous percevons des figures précises par opposition à un fond ou arrière-plan. Par exemple, lorsque nous lisons un texte, les mots constituent la figure, la page, le fond; lors-

(5) TAJEF, H. "Social and Cultural Factors in Perception", in: LINDSEY, G. and ARONSON, E. (Eds.). ***The Handbook of Social Psychology***. Reading, Mass: Addison Wesley, 1969, 315-394.

que nous écoutons une chanson, nous percevons la mélodie vocale comme figure et l'accompagnement instrumental comme fond.

"Cette capacité primitive de distinguer un objet de son environnement sensoriel général est fondamentale à toute perception d'objet" (6). C'est le mécanisme premier de l'organisation perceptuelle, celui qui permet d'ordonner les stimulations de façon à extraire d'un ensemble des objets précis et à les situer les uns par rapport aux autres.

La loi de la fermeture

Notre perception est beaucoup plus complète que la stimulation sensorielle que nous recevons. En effet, les processus perceptuels tendent à organiser les sensations de façon que l'on perçoive des touts complets et non des parties disparates.

Lorsqu'un stimulus est incomplet, l'organisme le complète. Ainsi, si on présente à un individu la photographie d'une personne dont on a tronqué la partie supérieure, le sujet dira vraisemblablement qu'il perçoit une personne qui a la tête cachée et non pas une poitrine, un bassin, des bras et des jambes. C'est dire qu'un individu peut facilement percevoir un tout même s'il n'existe pas. Cette tendance à la fermeture peut parfois causer des distorsions perceptuelles. A ce sujet, Luthans (7) donne l'exemple du chef de département qui propose une idée à ses employés lors d'une réunion. Après une discussion au cours de laquelle certains membres de l'équipe se sont prononcés, il peut être assuré d'avoir obtenu l'approbation unanime de son personnel alors qu'en fait ceux qui n'ont pas parlé s'opposent à lui. La nature même de l'organisation perceptuelle viendrait expliquer pourquoi dans bien des cas on souscrit au célèbre adage: "qui ne dit mot consent".

La loi de la continuité

La tendance à la continuité est celle qui nous porte à rattacher chaque sensation à celle qui l'a précédée, à percevoir les objets ou les situations comme des configurations continues. C'est dire que, plutôt que de percevoir chaque événement ou objet comme nouveau et unique, nous sommes portés à le percevoir comme une extension des situations ou des choses qui ont été perçues antérieurement ou qui sont habituelles.

Dans un contexte organisationnel, cette tendance peut être un obstacle à la créativité. Souvent les situations nouvelles sont assimilées aux événements passés et sont perçues très rapidement sans que leur aspect nouveau et original

---

(6) MORGAN, C.R., KING, R.A. ***Introduction to Psychology***. (3rd ed.). New York: McGraw Hill, 1966, 345.

(7) LUTHANS, F. ***Organizational Behavior***. New York: McGraw Hill, 1977.

ne soit considéré. Dans de tels cas, les gens abordent leurs problèmes à la façon traditionnelle et habituelle, sans recherche de voies nouvelles.

La loi de la proximité

Les objets qui sont près les uns des autres sont facilement perçus comme formant un ensemble, même s'ils n'ont pas de rapport objectif les uns avec les autres. De même, les événements rapprochés dans le temps sont souvent perçus comme liés par une relation de cause à effet.

Par exemple, si plusieurs employés d'un même ministère gouvernemental quittent leur emploi en même temps, les gens risquent de percevoir ces départs comme une protestation concertée contre la gestion ou la politique du ministère même s'il ne s'agit que de coïncidences et que les individus impliqués ne se connaissent même pas. Dans un tel cas, la proximité des départs dans le temps contribue à fausser la perception de même que la proximité dans l'espace, les employés d'un ministère étant perçus comme un groupe.

La loi de la similarité

Les objets, les personnes ou les événements qui ont des caractéristiques semblables tendent à être regroupés. Par exemple, les femmes dans une entreprise peuvent être vues comme un groupe spécial et homogène bien qu'en réalité elles se retrouvent à des niveaux différents de l'organisation et n'ont pas nécessairement de traits communs. Plus les ressemblances sont grandes, plus la tendance au regroupement s'accentue. Ainsi, dans un hôpital s'il y a des femmes médecins, la tendance à les regrouper sera plus forte que celle qui a été décrite dans l'exemple précédent.

La loi de la similarité ressemble à la loi de la proximité mais elle a plus d'impact que cette dernière. En effet, dans la plupart des cas, la similarité prédomine sur la proximité dans le processus de regroupement des stimuli.

3.2.3 La perception est stable

La stabilité ou constance perceptuelle est une forme très sophistiquée de l'organisation perceptuelle qui permet de percevoir le monde comme stable à travers les changements qui s'y produisent continuellement. C'est le mécanisme adaptatif qui fait que même si les objets ou les personnes changent de place ou de conditions, leur forme, leur couleur, leurs dimensions ou leur luminosité sont perçues comme inchangées. Par exemple, si une personne s'approche de nous, elle ne nous apparaît pas comme plus grosse ou plus grande que lorsqu'elle est éloignée.

Pour le profane, il n'est pas surprenant que le monde soit perçu comme stable. Pourtant la constance perceptuelle est un processus compliqué d'interprétation des stimuli qui doit être appris au cours du développement et de la maturation. Sans cette constance, le monde serait perçu comme désorganisé, voire même chaotique. Il serait impossible de se retrouver dans la variabilité des stimuli et de percevoir l'identité stable des objets et des personnes. Nous devrions nous adapter continuellement et l'acquisition des automatismes nécessaires à plusieurs activités quotidiennes serait fort compromise.

3.2.4 La perception a un sens

En plus d'être constante et organisée, la perception implique un processus d'interprétation de la réalité. C'est dire que nous percevons toujours les objets, les personnes et les événements dans un contexte et que nous leur donnons une signification en termes de notre relation avec eux et de leur relation avec d'autres objets, personnes ou événements.

Les stimuli n'ont pas de sens en eux-mêmes. Ce n'est que lorsqu'ils sont placés dans un contexte précis qu'ils prennent leur valeur. Dans l'exemple suivant:

```
   3 2
   2 1
P  I O  N
```

Les signes "1" et "0" représentent des chiffres dans les séries verticales et des lettres dans la série horizontale.

L'environnement et les circonstances dans lesquelles un événement ou un objet est perçu peuvent donc avoir un impact considérable sur l'interprétation qui lui sera donnée. Si un gestionnaire boit un cognac à deux heures de l'après-midi avec un client, on dira qu'il remplit sa tâche de relations publiques. S'il pose le même geste seul, le matin, en arrivant au bureau, on le soupçonnera d'être alcoolique [8]. Si un patron critique vertement un de ses employés devant tout le personnel du service, on le percevra comme agressif; s'il le fait en entrevue individuelle, il sera davantage perçu comme correct, honnête et même aidant.

3.2.5 La perception est sélective

L'organisme est sans cesse confronté à une multitude de stimuli variés et simultanés. S'il absorbait tous ces stimuli à la fois, il serait vite envahi de toutes parts et deviendrait surexcité et totalement confus. C'est pourquoi il fait constamment des sélections parmi les nombreuses possibilités qui s'offrent à lui et ne porte attention qu'à peu d'éléments de la réalité à la fois.

La sélectivité est la caractéristique première de la perception. C'est le processus par lequel l'individu divise son expérience entre ce qui est central et ce qui est périphérique de façon à pouvoir centrer son attention sur un phénomène précis et oublier momentanément les autres événements qui se produisent en même temps. Par exemple, pour pouvoir lire un texte, il faut se concentrer sur la signification des mots imprimés et oublier alors les bruits ambiants, ses sensations corporelles et les autres stimuli présents.

---

(8) REITZ, J.-H. ***Behavior in Organizations***. Homewood, Ill.: Richard D. Irwin inc., 1977, 132.

Un aspect fort intéressant de l'attention sélective est son perpétuel mouvement. En effet, ce qui est central à un moment donné peut devenir périphérique le moment suivant et ainsi de suite. Ce mouvement continu de sélection ne se fait pas au hasard. Il est déterminé par plusieurs influences qui proviennent de l'intérieur ou de l'extérieur de l'individu et il obéit strictement aux lois de l'organisation perceptuelle décrites plus haut.

3.3 LES FACTEURS DÉTERMINANTS DE LA PERCEPTION

L'analyse des principes de l'organisation perceptuelle a démontré que la structure même de la perception contribue à créer des distorsions de la réalité "objective". En plus de cette structure, d'autres facteurs ont une influence très importante sur la perception: ce sont ceux qui affectent la sélectivité perceptuelle.

On peut diviser les facteurs déterminants de la perception en deux catégories:

1. Les facteurs externes (relatifs à l'objet perçu)
2. Les facteurs internes (relatifs à celui qui perçoit).

3.3.1 Les facteurs externes

Il est évident que la perception est affectée par l'objet perçu. Plusieurs recherches ont démontré que certains aspects des objets ont la propriété d'augmenter leurs chances d'être perçus. Ces aspects sont l'intensité, les dimensions, le contraste, la répétition et le mouvement.

L'intensité

Plus un stimulus est intense, plus il attire l'attention. Un son très percutant et une lumière éclatante ont plus de chance d'être perçus qu'un son étouffé et une lumière diffuse.

Le principe d'intensité est très utilisé en publicité. Ainsi les messages publicitaires de télévision et de radio ont un volume sonore légèrement plus élevé que les émissions courantes. On peut aussi trouver des illustrations de ce principe dans la vie organisationnelle. Par exemple, si plusieurs employés convoquent le directeur du personnel pour protester contre une décision qui les affecte et lui poser des questions, il est à peu près certain qu'il répondra d'abord à ceux qui parlent le plus fort.

Il faut cependant être prudent lorsqu'on analyse l'influence relative d'un aspect de l'objet comme l'intensité. L'intensité n'est qu'une caractéristique du stimulus; d'autres facteurs intervenant simultanément peuvent affecter davantage la perception. Ainsi, si on se réfère à l'exemple précédent, il se peut tout aussi bien qu'un employé reconnu pour sa véhémence dans les contestations en arrive à ne plus attirer l'attention en criant et se fasse plus aisément remarquer lorsqu'il baisse le ton ou se tait. Dans ce cas, la nouveauté du comportement aurait plus d'impact que l'intensité.

Les dimensions

Les dimensions de l'objet perçu ont une influence de même nature et de même sens que son intensité. Plus un objet occupe d'espace, plus il a de chance d'être perçu. Par exemple, un joueur de football qui entre dans un bar risque d'être plus facilement remarqué qu'un homme de taille moyenne. En publicité, on sait qu'une annonce qui couvre une page entière dans un journal attire plus l'attention qu'un simple entrefilet parmi les annonces classées.

Là encore, le principe des dimensions est relatif. L'influence de la grandeur et de la grosseur peut être annulée par d'autres facteurs. Ainsi, si un homme de taille moyenne se retrouve seul parmi une équipe de football, c'est lui qu'on remarquera le plus.

Le contraste

L'exemple qui vient d'être cité illustre justement l'influence du contraste sur la sélectivité perceptuelle. En tant qu'êtres humains, nous avons tendance à nous adapter et à nous habituer aux stimulations de notre environnement. Tout stimulus inattendu ou inhabituel attire notre attention.

L'ouvrier qui travaille dans une manufacture hautement mécanisée en vient à ne plus entendre le bruit infernal qui est continuellement présent. Par contre, si les machines s'arrêtent, il percevra immédiatement le silence. Si un professeur entre dans une salle de cours où il n'y a qu'une femme parmi les étudiants, il la remarquera probablement avant de pouvoir identifier tout autre étudiant.

Le principe du contraste s'applique au rapport nouveauté-familiarité. Un stimulus nouveau dans un environnement familier attire facilement l'attention. Ce phénomène est à la base du système de rotation de tâches qu'on a instauré dans plusieurs entreprises. De la même facon, un stimulus familier dans un environnement nouveau a beaucoup de chance d'être perçu. Il est facile d'imaginer qu'un Nord-Américain visitant la Chine puisse être frappé par la première annonce de Coca-Cola qu'il rencontre.

La répétition

Un stimulus attire plus l'attention s'il est répété que s'il n'est présenté qu'une fois. Un retard au travail peut passer inaperçu, mais des retards fréquents sont plus susceptibles d'être remarqués.

L'avantage de la répétition est double. D'abord, un stimulus répété a plus de chances d'être perçu dans le cas où l'attention tend à faiblir. Ceux qui supervisent des travailleurs qui remplissent des tâches routinières et peu intéressantes savent qu'il faut constamment les encourager à être **vigilants** si on veut maintenir leur niveau d'attention.

De plus, la répétition augmente la sensibilité au stimulus. La plupart des parents utilisent la répétition pour sensibiliser leurs enfants aux bonnes manières par exemple. En publicité, la répétition des messages publicitaires est toujours utilisée lors de la mise en marché d'un nouveau produit.

Le mouvement

Les êtres humains, comme les animaux, sont plus sensibles aux objets qui bougent dans leur champ visuel qu'à ceux qui sont immobiles. Un néon clignotant est plus vite perçu que n'importe quelle autre enseigne lumineuse. Dans une assemblée, un visage expressif attire plus l'attention qu'un visage impassible. Un conférencier qui se déplace en parlant maintient mieux l'intérêt de ses auditeurs qu'un autre qui reste assis et lit calmement son texte.

imp. →

3.3.2 Les facteurs internes

Si "une partie de ce que l'on perçoit provient, grâce à nos sens, de l'objet perçu, une autre partie provient toujours de notre tête" (9). Cette affirmation de William James a été confirmée depuis longtemps. De nombreuses recherches scientifiques ont démontré que les déterminants internes de la perception sont tout aussi influents que les déterminants externes, et même plus. Parmi les aspects de la personne qui influencent sa perception, les plus importants sont ses attentes, sa motivation, ses sentiments et son appartenance culturelle.

Les attentes

Les attentes d'un individu sont le facteur qui détermine le plus fortement l'ordre et la direction qu'il donnera à ses expériences perceptuelles. Dire que l'homme perçoit ce qu'il s'attend à percevoir, c'est dire que son histoire perceptuelle passée affecte sa perception actuelle. Par exemple, si une personne a eu des parents sévères et a vécu sous les ordres de patrons autocratiques, elle s'attendra à ce que son patron actuel la dirige de façon rigide et autoritaire: elle percevra vraisemblablement plus facilement les gestes d'autorité posés par son supérieur que ses manifestations d'amitié.

Avec le temps, l'individu apprend à se former un cadre de référence qui devient la grille de sélection à travers laquelle il filtre les données sensorielles. L'observation du comportement de plusieurs spécialistes qui envisagent un même problème illustre bien ce fait. Supposons que les profits d'une entreprise baissent à un moment donné et que des représentants de divers départements se réunissent pour discuter des solutions à apporter pour améliorer la situation. Le directeur du personnel sera plus sensible à la nécessité de perfectionner les employés, le chef du département de génie suggèrera une modernisation de l'équipement, alors que le directeur général insistera sur une meilleure planification à long terme.

---

(9) JAMES, W. ***Principles of Psychology***. New York: Holt, Rinehart and Winston, 1890. CITÉ PAR MORGAN, C.T., KING, R.A., op. cit., 340.

Stagner et Rosen [10] ont étudié les relations de travail dans les industries et ont conclu que les différences perceptuelles entre les patrons et les syndicats sont la principale source des conflits de travail. A cause d'attentes et d'apprentissages différents, il arrive que les deux parties ne s'entendent même pas sur les faits. Les travailleurs peuvent se plaindre d'être moins payés que ceux d'une autre région alors que les patrons nient objectivement qu'il existe une différence entre les deux systèmes de rémunération.

La motivation

La motivation a un impact très fort sur la perception. Dans un certain sens, l'individu perçoit ce qu'il veut. C'est dire que ses besoins actuels orientent ses choix perceptuels. Ainsi une personne affamée est plus sensible aux stimuli qui sont reliés à la nourriture. Elle est également plus susceptible d'interpréter les stimuli ambigus selon son besoin [11]. Si quelqu'un va au marché avant le dîner, il est probable qu'il achètera plus de nourriture que s'il y allait après le repas.

L'influence des motivations secondaires est toute aussi importante que celle des besoins primaires. Ceux qui sont motivés par le pouvoir ont tendance à percevoir des luttes de pouvoir dans plusieurs situations même s'il n'y en a pas. Ceci vaut également pour les besoins d'affiliation et de réalisation [12].

A cet égard, il est intéressant d'analyser les différences de comportement des individus dans les groupes; elles dépendent souvent des différences de perception de la situation [13]. Si un groupe se trouve en situation de problème, l'un des membres peut percevoir ce problème comme menaçant pour lui et se montrer très prudent. Un autre, très intéressé par le contenu du problème, peut ne pas percevoir cet aspect menaçant et se centrer rapidement sur sa tâche, alors qu'un dernier peut avoir comme objectif premier de rencontrer des amis et porter son attention sur la façon plus ou moins amicale dont se déroule la discussion.

Notons finalement que lorsque le degré de motivation est excessivement élevé, lorsque l'individu a un fort besoin d'agir et que la situation l'empêche de le faire, la perception peut être faussée par l'imagination et dans ces cas extrêmes, par des hallucinations. Des individus très assoiffés peuvent commencer à voir ou

---

(10) STAGNER, R., ROSEN, H. ***Psychology of Union Management Relations***. Belmont, Calif.: Wordsworth Publishing Compagny, 1965.

(11) LEVINE, R.I., CHEIN, I., MURPHY, G. "The Relation of the Intensity of a Need to the Amount of Perceptual Distorsion". ***Journal of Psychology***, 1942, 13, 283-293.

(12) McCLELLAND, D.C., ATKINSON, J.W., CLARK, R.A.,LOWELL, E.L. ***The Achievement Motive***. New York: Appelton-Century-Crofts, 1953.

(13) BASS, B.M., DUNTEMAN, G.D. "Behavior in Groups as a Function of Self, Interactions and Tash Orientation". ***Journal of Abnormal and Social Psychology***, May 1963, 419-428.

entendre de l'eau à mesure que leur état de privation s'accentue. Une personne qui lutte pour le pouvoir et est incapable de l'acquérir peut en venir à avoir des délires de grandeur.

Les sentiments

En général, on reconnaît plus facilement les stimuli qui ont une connotation émotionnelle positive que ceux qui sont neutres.

Dans le cas des stimuli à connotation émotionnelle négative, deux phénomènes peuvent se produire: la défense perceptuelle ou la sensibilisation perceptuelle.

Il y a **défense perceptuelle** lorsqu'une personne ne reconnaît pas un stimulus menaçant ou socialement inacceptable. C'est la réaction la plus courante: la plupart du temps les gens ont tendance à ériger des barrières psychologiques vis-à-vis des stimuli négatifs, contre les critiques, par exemple [14].

Généralement, l'information qui suscite des sentiments négatifs ou qui bouleverse est perçue moins facilement que celle qui est neutre émotionnellement. C'est pourquoi les événements sont toujours perçus différemment par les gens qui sont impliqués que par des observateurs détachés. Plusieurs entreprises auraient avantage à faire appel à des consultants de l'extérieur lorsqu'elles sont confrontées à des problèmes sérieux; en effet, il se peut qu'en raison de défenses perceptuelles, des indices de la gravité de la situation ne soient pas perçus de l'intérieur de l'entreprise.

Lawless [15] a décrit les conséquences des défenses perceptuelles. D'une part, les stimuli négatifs existent et amènent souvent des distorsions perceptuelles; certains tentent d'éviter ces stimuli par des perceptions-substituts qui empêchent leur reconnaissance. Par exemple, pour éviter de percevoir le mécontentement de ses subordonnés, un gestionnaire insécure peut en arriver à les percevoir comme très satisfaits et très productifs. D'autre part, tout stimulus suscite une émotion qui doit être exprimée. Or, il arrive souvent que cette émotion, ne pouvant être exprimée pour une raison ou pour une autre, soit déguisée ou dirigée ailleurs. Ainsi, le découragement suscité par une situation financière précaire peut prendre la forme d'une agressivité contre la nonchalance de certains employés. Un employé agressif envers un patron injuste peut diriger son émotion contre sa propre secrétaire, son épouse ou ses enfants.

Il existe un mécanisme de défense encore plus sophistiqué que la simple négation des faits ou la résistance à les reconnaître: **la projection**. La projection est un processus qui amène l'individu à voir chez les autres les traits de caractère

---

(14) BRUNER, J.S., POSTMAN, L. "Emotional Selectivity in Perception and Reaction". ***Journal of Personality***, Sept. 1947, 69-77.

(15) LAWLESS, D.J. ***Effective Management***. Englewood Cliffs, N.J.: Prentice-Hall inc., 1972.

ou les sentiments qui lui sont propres et qu'il nie. Cette tendance à projeter sur les autres ses propres émotions ou ses traits de caractère se manifeste surtout lorsque l'individu éprouve des sentiments négatifs face à lui-même. Il s'agit d'un phénomène très courant. Par exemple, les gens malhonnêtes perçoivent très souvent des intentions suspectes chez les autres, les individus méfiants ont tendance à s'imaginer que les autres se méfient d'eux. Il n'est pas rare d'entendre une personne nerveuse dire à un interlocuteur plus calme qu'elle: "Je te sens mal à l'aise".

Bien que les stimuli négatifs soient généralement moins facilement perçus que les stimuli neutres ou positifs, il y a des cas où ils suscitent une réaction tout à fait contraire. Il y a **sensibilisation perceptuelle** lorsque l'individu est convaincu qu'une vigilance accrue peut lui permettre d'éviter les conséquences négatives d'une situation dangereuse. Ce phénomène est particulièrement susceptible de se produire lorsque les stimuli sont extrêmement menaçants. En temps de guerre, par exemple, les combattants sont aux aguets et deviennent très sensibles au moindre indice d'une présence ennemie.

La culture

Parce que les gens d'une même culture partagent un certain nombre d'expériences et que des gens de cultures différentes se développent et vivent dans des conditions parfois très différentes, on constate que l'appartenance d'un individu à une culture donnée affecte sa perception et que les différences culturelles s'accompagnent de différences perceptuelles.

Les effets de la culture sur la perception sont dus à trois facteurs: la fonction des objets, la familiarité, et les systèmes de communication.

La fonction des objets varie d'une culture à l'autre. Un élément nécessaire de la survie d'une culture peut ne pas avoir la même importance dans une autre culture. A cause de l'environnement physique et social dans lequel ils évoluent, les membres d'une culture sont encouragés très tôt à porter attention à certains éléments de la réalité plutôt qu'à d'autres et ils apprennent à sélectionner et à organiser leurs perceptions d'une manière particulière. Ainsi, les esquimaux apprennent à faire des distinctions très subtiles entre les différents types de neige et de glace alors que les habitants des pays tempérés n'ont pas besoin de porter attention à de tels détails [16].

La familiarité joue un rôle important en perception: en effet, les éléments familiers sont en général plus rapidement perçus que les éléments inconnus. Des choses ou des expériences familières dans une culture peuvent être totalement absentes d'autres cultures. Par exemple, les travailleurs des pays industrialisés sont très conditionnés par l'horloge. Ils considèrent le temps comme très important et accordent beaucoup d'attention aux échéances rapides

---

(16) BOAS, F. (ed.). ***General Anthropology***. Boston: Heath, 1938.

et à la ponctualité. Par contre dans des pays moins développés où la mesure du temps est moins familière, les travailleurs peuvent percevoir un travail urgent comme devant être terminé demain, plus tard, ou selon leur rythme.

Les systèmes de communication contribuent également à déterminer ce que les membres d'une culture perçoivent. Le langage détermine non seulement la façon dont une personne communique, mais encore sa façon d'analyser la nature, de remarquer ou de négliger des phénomènes et d'interpréter la réalité. Le développement d'un langage est très relié à l'importance et à la fonction des objets dans la culture. Ainsi, en Amérique, la connaissance des véhicules motorisés a une fonction très importante et on a développé en conséquence de nombreux termes reliés à la mécanique automobile. Par analogie, dans la langue arabe, il existe environ 6000 mots qui concernent les chameaux [17]. En raison même de leurs possibilités linguistiques, les individus développent des habiletés à percevoir certains phénomènes plutôt que d'autres. Par exemple, dans les organisations, on remarque que des groupes de spécialistes développent leur propre langage et leur propre culture en rapport avec leur technologie, de telle sorte qu'ils en arrivent à percevoir les problèmes et à classifier les phénomènes différemment des non-spécialistes. Ainsi, un directeur d'hôpital peut en venir à classifier les patients selon leurs maladies; à ce moment-là, il ne les voit pas comme des hommes ou des femmes, des professionels ou des ouvriers, mais comme des attaques cardiaques, des hystérectomies, des fractures, etc.

3.4 LA PERCEPTION DES PERSONNES

Il ne fait aucun doute que le processus de perception des personnes suit les mêmes principes que la perception de tous les phénomènes. Toutefois, lorsque des personnes sont l'objet de la perception, des variables additionnelles entrent en jeu: le processus perceptuel est davantage affecté par les sentiments et il s'additionne d'un jugement sur les besoins, les émotions, les pensées et les intentions de l'objet perçu.

Dans les organisations, la perception des personnes joue un rôle crucial dans tout le processus de communication entre les individus et entre les groupes. Il suffit d'observer à quel point les chefs d'entreprise, les gestionnaires et les politiciens se préoccupent de l'image qu'ils projettent pour en saisir l'importance. De plus, l'évaluation subjective des autres personnes intervient dans la plupart des décisions ainsi que dans de nombreuses activités telles les négociations, la sélection du personnel et l'évaluation de la performance.

Afin de bien comprendre les aspects spécifiques de la perception des personnes, il convient d'analyser d'une part le déroulement de ce processus et d'autre part, les biais qui interviennent le plus souvent pour le fausser.

---

(17) THOMAS, W.I. ***Primitive Behavior: An Introduction to Social Sciences***. New York: McGraw Hill, 1937.

3.4.1 Le processus de perception sociale

Le processus de perception et d'évaluation des personnes s'effectue en deux étapes principales. La première, celle de la formation des impressions, implique des inférences basées sur un minimum d'information. La seconde, qu'on appelle le processus d'attribution, est plus complexe. Après le premier contact, celui qui perçoit utilise des données additionnelles pour obtenir une description et une évaluation de l'autre qui inclut des éléments explicatifs et prédictifs.

La formation des impressions

Luchins [18] a démontré qu'il existe une tendance à donner plus d'importance à l'information recueillie au premier contact avec l'autre qu'à l'information obtenue par la suite. Lorsqu'on rencontre une personne pour la première fois, on se forme très rapidement une impression à partir de peu d'indices. Cette première impression est cruciale car elle détermine la façon dont on intègrera les perceptions subséquentes. Elle tend donc à persister longtemps, à moins d'être fortement contredite.

Parmi les facteurs qui influencent la formation des premières impressions, certains sont relatifs à la personne perçue. D'abord, les traits visibles comme les gestes, les postures, les expressions, l'apparence et le langage sont immédiatement saisis et interprétés. En entrevue de sélection, le candidat qui entre dans la pièce en traînant les pieds, s'écrase sur son siège et regarde le plafond peut être rapidement perçu comme peu énergique et peu motivé; celui qui donne une poignée de main vigoureuse, regarde son interlocuteur et sourit fréquemment a des chances d'être perçu comme dynamique et sociable.

Le statut de la personne perçue influence également la formation des premières impressions. Certains facteurs historiques (âge, occupation) et sociaux (provenance géographique, institutionnelle) disposent celui qui perçoit à interpréter des éléments objectifs dans un sens particulier. Si un intellectuel hautement réputé se présente en "jeans" à un dîner officiel, on pensera qu'il est original ou distrait. Si un simple étudiant se présente de la même façon, on pourra penser qu'il est irrespectueux ou contestataire.

Les caractéristiques de celui qui perçoit déterminent en grande partie l'utilisation des indices précités. Zalkind et Costello [19] ont énoncé quelques principes à ce sujet.

- Ceux qui se connaissent bien eux-mêmes perçoivent les autres avec plus de justesse que ceux qui sont peu conscients de ce qu'ils sont.

---

(18) LUCHINS, A.S. "Primacy-Recency in Impression Formation" in HOVLAND, C.I. (ed.). ***The Order of Presentation in Persuasion***. New Heaven, Conn.: Vale University Press, 1957.

(19) ZALKIND, S.S., COSTELLO, T.W. "Perception: Some Recent Research and Implications for Administration". ***Administration Science Quarterly***, sept. 1962, 227-229.

— Les caractéristiques de celui qui perçoit affectent les caractéristiques qu'il risque de voir chez les autres; entre autres, ses valeurs et sa culture ont un impact important. Le mécanisme de projection peut également jouer dans certains cas.

— Ceux qui s'acceptent bien eux-mêmes sont susceptibles de percevoir davantage les caractéristiques positives des autres.

— La justesse de la perception n'est pas une habileté simple. A ce sujet, une recherche de Cronbach (20) a démontré que pour être bon juge il ne faut pas être trop sensible aux différences individuelles.

Enfin, les circonstances dans lesquelles les personnes se rencontrent pour la première fois teintent les premières impressions d'une couleur spéciale (21). Parmi les variables situationnelles qui peuvent influencer la perception de l'autre, citons le lieu de la rencontre (un bar ou une salle de conférence), la personne-cible de la rencontre ou celle qui accompagne la personne perçue (un collègue respecté ou un subordonné peu estimé) et l'occasion de la rencontre (un dîner officiel ou une session de négociation).

Ce qu'il faut retenir au sujet des premières impressions, c'est que le processus par lequel elles sont formées est relativement constant et qu'elles ont tendance à se confirmer par la suite et à persister.

Certains auteurs (22) ont tenté d'expliquer la stabilité et la durabilité des premières impressions en reliant la perception sociale au comportement interpersonnel réel des personnes. Ils en sont arrivés aux conclusions suivantes:

a) La stabilité perceptuelle correspond en partie à une stabilité comportementale réelle. C'est dire que la perception est assez véridique et que le comportement des individus perçus reste relativement constant.

b) La perception peut rester constante en dépit des variations du comportement des personnes. La théorie de la personnalité que chacun adopte implicitement permet des exceptions. On conçoit facilement que des gens agréables et aimables puissent avoir des "mauvais jours", surtout lorsque leur comportement est influencé par des circonstances extérieures difficiles. Pour autant que les exceptions ne se produisent pas trop souvent, le jugement global sur la personne ne change pas beaucoup.

---

(20) CRONBACH, L.J. "Processus Affecting Scores on "Understanding of Others" and "Assumed Similarity". ***Psychological Bulletin***, 1955, 52, 177-193.

(21) MITCHELL, T.R. ***People in Organizations: Understanding their Behavior***. New York: McGraw Hill 1978.

(22) HASTORF, SCHNEIDER, POLEFKA. ***op. cit.,*** 92-95.

c) La stabilité perceptuelle dépend partiellement de l'information restreinte dont dispose celui qui perçoit. Par exemple, certains traits déplaisants sont susceptibles de ne pas être étalés en public. Le fait que les premières impressions soient rarement testées ou approfondies maintient les erreurs perceptuelles. Ceci est particulièrement vrai dans le cas des impressions négatives qui amènent souvent l'évitement de l'autre et empêchent automatiquement la rétroaction corrective.

d) Les premières impressions provoquent fréquemment chez la personne perçue des comportements qui les confirment et donc, augmentent leur durabilité. C'est l'exemple de la prophétie qui se réalise d'elle-même. Si on perçoit une personne comme aimable, on la traitera vraisemblablement avec gentillesse et on suscitera davantage son amabilité. Si un contremaître perçoit que des ouvriers sont agressifs, il les traitera agressivement ou défensivement et ces derniers risqueront de lui répondre de façon hostile en retour.

Le processus d'attribution

A partir du moment où celui qui perçoit a la possibilité d'interagir avec une autre personne et d'observer son comportement, ses premières impressions deviennent plus complexes et sa perception s'enrichit d'hypothèses sur la motivation, l'attitude, les intentions et la personnalité de la personne en question.

Le processus d'attribution est celui par lequel l'individu attribue des causes aux comportements qu'il perçoit. Alors que le mouvement des objets est généralement attribué à des causes physiques, le comportement humain est perçu comme intentionnel dans la majorité des cas. L'évaluation de celui qui perçoit est largement influencée par le degré de responsabilité qu'il attribue à la personne perçue. Selon que les causes du comportement d'un individu sont perçues comme internes ou externes, le jugement posé peut varier de façon importante. Ainsi, si un subordonné remet un rapport en retard, la réaction de son supérieur diffèrera selon que ce dernier croit que le retard est dû à la paresse ou à un surcroît de travail. Si une secrétaire échappe une pile de dossiers, elle sera excusée si la cause perçue de l'incident est un plancher glissant. Par contre, elle sera réprimandée si on croit qu'il s'agit d'une maladresse ou encore, congédiée, si on croit que son geste était délibéré.

En général, les gens attribuent plus facilement les causes du comportement aux individus qu'à l'environnement et ce, surtout s'il s'agit de comportements fréquents et persistants.

Parmi les facteurs qui influencent le processus d'attribution, le plus important est sans aucun doute le statut de la personne observée.

Les gens qui ont un statut élevé sont perçus comme étant plus responsables de leurs actes que les personnes de statut inférieur [23]. Si tous les membres

---

(23) THIBAUT, J.W., RIECHKIN, H.W. "Some Determinants and Consequence of the Perception of Social Casuality". ***Journal of Personality***. Vol. 24, 1955, 113-133.

d'une organisation sont convoqués à une cérémonie officielle, on sera porté à croire que le personnel de la haute direction y assiste de plein gré et que les employés de niveau inférieur sont obligés de participer.

Le statut influence aussi la perception des intentions. On attribue souvent de meilleures intentions à ceux qui ont un haut statut qu'à ceux qui ont un statut moindre. Si un ouvrier spécialisé et un cadre font des heures supplémentaires, on percevra que l'ouvrier travaille par besoin d'argent alors que le gestionnaire le fait par dévouement pour son organisation. Si un président de compagnie prend congé pour jouer au golf un après-midi, on dira qu'il prend soin de sa santé. Si sa secrétaire fait la même chose, on l'accusera de manque d'intérêt pour son travail.

Les conséquences du comportement peuvent également affecter le processus d'attribution. Plus les conséquences d'un geste sont graves, plus l'individu est susceptible d'en être tenu responsable [24]. Si un ordinateur tombe en panne le vendredi après-midi juste avant que les employés quittent le bureau, l'opérateur sera perçu comme moins coupable que si la panne se produit un lundi matin et occasionne un arrêt de travail de deux jours. "Les accidents sont perçus comme des accidents sauf lorsqu'il s'agit de désastres" [25]. Les gens acceptent mal les désastres et croient qu'on peut aisément les prévenir. C'est pourquoi on trouve toujours des boucs émissaires en cas d'accidents graves.

3.4.2 Les biais systématiques en perception sociale

A cause de la nature même de la perception, il existe un certain nombre d'erreurs systématiques que les gens sont portés à faire lorsqu'ils jugent les autres personnes. Parmi celles-ci, les stéréotypes et l'effet de halo sont les plus courantes.

Les stéréotypes

Dans la vie de tous les jours, il nous arrive fréquemment de côtoyer des personnes dont nous ne connaissons que les caractéristiques globales telles l'âge, la nationalité, le sexe, l'occupation. A partir de ces parcelles d'information, nous les classifions selon des catégories, leur attribuant de ce fait un ensemble de traits supposément caractéristiques de leurs classes culturelles, sociales ou occupationnelles.

Ce processus par lequel nous catégorisons les individus selon les caractéristiques proéminentes de leurs groupes d'appartenance est appelé stéréotype.

Dans certains cas, les stéréotypes sont utiles parce qu'ils réduisent l'ambiguïté et permettent de classer rapidement les gens à partir d'un minimum de renseignements; parfois il est nécessaire de procéder ainsi. Toutefois, ils

---

(24) MANN, L. ***Social Psychology***. Sidney, Australia: John Wiley and Sons, 1969.

(25) REITZ, J.H. ***op. cit.***, 140.

mènent très souvent à des erreurs de jugement parce que chaque individu étant unique, les traits réels de la personne jugée sont la plupart du temps très différents de ceux que suggère le stéréotype.

De plus, les stéréotypes ont le désavantage de prédisposer celui qui perçoit à ne considérer que des caractéristiques qui sont incluses dans la catégorie et à négliger d'autres traits de la personnalité de l'individu qui peuvent être très importants.

Enfin, même s'il y a presque toujours un certain consensus au sujet des stéréotypes, il arrive souvent que ceux-ci ne se vérifient pas dans la réalité. Le fait qu'ils soient répandus peut tout simplement signifier que plusieurs personnes partagent la même erreur perceptuelle à partir de fausses hypothèses sur un groupe donné. Une recherche récente (26) a démontré que les hommes croient que les femmes sont trop émotives et instables pour occuper des postes de gestion. Ces perceptions sont maintenues en dépit du fait qu'on a prouvé que les femmes ne sont pas plus émotives que les hommes au travail et que, l'âge et le type d'emploi étant égaux, la mobilité des hommes et des femmes est équivalente. Les conséquences de tels stéréotypes peuvent être désastreuses. Il peut en résulter une diminution des chances de promotion pour des femmes compétentes et une sur-évaluation de l'efficacité de l'organisation alors que les candidats les plus qualifiés sont tenus à l'écart.

On retrouve de nombreux autres stéréotypes dans les organisations. Ils se manifestent dans des énoncés tels que:

"Les gens mariés sont plus stables que les célibataires".

"La haute direction ne se préoccupe jamais du bien-être des employés".

"Les syndiqués veulent tout avoir pour rien".

Il importe d'être conscient de ces biais qui peuvent parfois avoir un impact très fort sur les perceptions interpersonnelles.

L'effet de halo

L'effet de halo se produit lorsqu'on se forme une impression générale de la personne à partir d'une seule de ses caractéristiques comme son apparence, son intelligence ou sa sociabilité. De telles généralisations sont très fréquentes. Par exemple, les gens ont tendance à surestimer la performance de ceux qu'ils aiment et à sous-estimer les capacités de ceux qu'ils n'aiment pas.

Ce processus est fortement teinté de la théorie de la personnalité implicite de celui qui perçoit. La plupart des individus croient que certains traits de la personnalité sont nécessairement associés à d'autres traits. Ainsi, on peut pen-

---

(26) GORDON, F.E., STROBER, M.H. ***Bringing Women into Management***. New York: McGraw-Hill, 1975.

ser que les gens travaillants sont honnêtes, que les personnes chaleureuses sont généreuses.

Ash [27] a confirmé l'existence de l'effet de halo lors d'une étude au cours de laquelle il a présenté à des sujets une liste de qualificatifs comme intelligent, travaillant, habile, pratique, déterminé, chaleureux, et leur a demandé d'évaluer la personne qui possédait ces caractéristiques. A partir de ces traits, la personne a été jugée comme adroite, populaire, imaginative et ayant le sens de l'humour. Par la suite, il a modifié sa liste en substituant le mot "froid" au mot "chaleureux" et a obtenu des perceptions tout à fait différentes. C'est dire que les sujets se sont clairement laissés influencer par une seule caractéristique pour juger l'ensemble de la personne. Enfin, Ash a démontré que certains traits sont plus centraux que d'autres et sont ainsi plus susceptibles d'influencer la perception que d'autres. Par exemple, lorsqu'il a substitué le mot "poli" au mot "impoli", il a constaté moins de différences que dans le cas précédent.

De la même façon que l'effet de halo varie selon que les traits perçus sont plus ou moins centraux, il est également influencé par d'autres facteurs. Il est plus fort lorsque les caractéristiques annoncées ne sont pas clairement perçues dans le comportement ou sont ambiguës, lorsqu'elles ont une connotation morale et enfin quand celui qui évalue connaît peu ou a peu d'expérience des traits mentionnés [28]. Dans les organisations, l'effet de halo a des conséquences importantes dans toutes les situations où des personnes doivent en évaluer d'autres. Il n'est pas rare qu'un jury de sélection favorise un beau parleur en croyant qu'il sera par le fait même plus compétent pour diriger une équipe qu'un candidat plus réservé. De même un patron peut croire sincèrement qu'une secrétaire qu'il trouve attirante est plus intelligente que les autres même si ce n'est pas le cas.

Finalement, un autre biais qu'on observe très souvent est la tendance à évaluer l'information à partir de sa source. Une bonne idée présentée par un employé de bas niveau hiérarchique est facilement négligée; si la même idée provient d'un cadre supérieur, elle risque d'être mieux acceptée et même surévaluée.

3.5 CONCLUSION

L'analyse des processus perceptuels a fait ressortir que c'est à partir d'activités complexes de sélection, d'organisation et d'interprétation que l'individu donne un sens à la réalité qui l'entoure. La perception est un processus actif d'appréhension des phénomènes qui est en très grande partie déterminé par

---

(27) ASH, S.E. "Forming Impressions of Personality". ***Journal of Abnormal and Social Psychology***, July 1946, 258-290.

(28) TAGUIRI, R. "The Perception of People" in Lindsey, E. (ed.). ***Handbook of Social Psychology***. Cambridge, Mass: Addison Wesley, 1969, 395-449.

l'expérience passée et l'état actuel de celui qui perçoit. Il est donc peu probable que deux individus aient des perceptions totalement identiques de la réalité surtout si les situations sont le moindrement ambiguës et s'il s'agit de juger d'autres individus. En effet, la perception des personnes est encore plus susceptible d'être biaisée par les tendances personnelles de celui qui perçoit que la perception des objets. Il existe même des erreurs perceptuelles qui peuvent à certains moments être partagées par plusieurs personnes à la fois et fausser considérablement le jugement et les évaluations interpersonnelles.

De cette exploration des phénomènes perceptuels, nous pouvons, en nous inspirant quelque peu de Coffey et Raynolds (29), dégager quelques points de réflexion sur la perception dans les organisations.

- Nous sommes souvent confrontés à des situations ambiguës et la signification que nous leur donnons influence notre comportement. Une grande partie du monde extérieur est en réalité à l'intérieur de nous. Souvent, nous lisons dans les situations ce que nous voulons bien y voir.
- De la même façon que nous avons tendance à voir ce que nous croyons, nous sommes portés à croire ce que nous voyons. Les autres également ... Quand quelqu'un nous demande d'être plus "objectif", il exige implicitement que nous nous ralliions à sa subjectivité.
- Il est important de ne pas oublier que nous sélectionnons, interprétons et organisons les stimuli extérieurs en fonction de nos expériences passées, de nos besoins, de nos valeurs et de nos sentiments et que, par le fait même, nous avons tendance à négliger ce qui ne nous correspond pas. La vérité absolue ne nous appartient pas; elle n'appartient pas aux autres non plus. Par conséquent, nous devons continuellement nous mettre en garde contre toute interprétation rigide de la réalité.
- Nous devons apprendre à vivre avec nos perceptions. Il est possible de développer notre flexibilité et notre justesse perceptuelle en devenant plus conscients de nos propres biais perceptuels. Mieux nous nous connaîtrons nous-mêmes, mieux nous connaîtrons les autres.
- Parce que chaque personne a un cadre de référence unique, nous percevons tous les choses différemment. C'est pourquoi la communication est essentielle.
- Toutefois, la communication est impossible à réaliser si les parties ne révèlent pas leurs perceptions respectives et ne sont pas assez flexibles pour s'adapter en vue de partager une réalité plus riche et plus diversifiée. La communication est une fantaisie lorsque les gens se contentent de "lire entre les lignes" sans confronter leurs lectures.

---

(29) COFFEY, R.E., RAYNOLDS, P.A. "Personal Perception, Involvement, and Response" in: COFFEY, R.E., ATHOS, A.G., RAYNOLDS, P.A. ***Behavior in Organizations: A multidimensional View***. Englewood Cliffs, New Jersey: Prentice Hall, 1975, 59-69.

SUJETS D'ÉTUDE ET DE DISCUSSION

1- a) Ecrivez le nom d'une personne avec laquelle vous êtes assez intime et que vous connaissez de longue date et faites une liste de ses principales caractéristiques.

   b) Essayez de vous rappeler les circonstances dans lesquelles vous avez rencontré cette personne et décrivez les premières impressions que vous aviez formées à ce moment-là.

   b) Comparez vos deux listes et dégagez-en les impressions qui sont restées identiques et celles qui se sont modifiées.

   d) En quoi vos premières impressions influencent-elles encore votre perception de cette personne? Quels sont les facteurs qui ont le plus contribué à modifier une partie de ces premières impressions?

2- Pensez aux messages publicitaires que vous avez récemment entendus à la radio ou à la télévision et identifiez celui qui vous a le plus frappé. Dégagez les éléments de ce message qui le rendent susceptible d'attirer l'attention plus que d'autres ainsi que les aspects de votre personne ou de votre état actuel qui vous amènent à choisir ce message précis.

3- On dit souvent que "la vérité sort de la bouche des enfants", sous-entendant par là que les enfants ont une perception plus juste des sentiments et des intentions des autres personnes que la plupart des adultes. A votre avis, est-ce exact et pourquoi?

4- Quels sont les biais perceptuels qui peuvent avoir le plus d'influence sur l'évaluation de la performance des gestionnaires de niveau supérieur?

5- Donnez un exemple concret et vécu démontrant comment les différentes positions hiérarchiques d'un supérieur et d'un subordonné peuvent les amener à percevoir un événement de façon différente. Décrivez les différences entre la perception des deux individus ainsi que leurs causes. Enfin, selon votre situation actuelle, essayez d'identifier vos propres biais perceptuels par rapport à cet événement.

BIBLIOGRAPHIE SUPPLÉMENTAIRE

ALLPORT, G.W. ***The Nature of Prejudice***. Cambridge, Mass.: Addison Wesley, 1954.

ANDERSON, C.R, PAINE, F.T. "Managerial Perceptions and Strategic Behavior". ***Academy of Management Journal***, December 1975, 811-823.

BARTLEY, S. ***Perception in Everyday Life***. New York: Harper and Row, 1972.

CLINE, V.B. "Interpersonal Perception" in MAHER, B.A. (ed.). ***Progression in Experimental Personality Research***. Vol. 1, New York: Academic Press, 1964, 221-284.

CARTWRIGHT, C.A., CARTWRIGHT, G.P. ***Developing Observation Skills***. New York: McGraw Hill, 1974.

COSTELLO, T.W., ZALKIND,S.S. ***Psychology of Administration***. Englewood Cliffs, N.J.: Prentice Hall, 1963.

CUMMINGS, L.L., SCOTT, W.E. (ed.). ***Readings in Organizational Behavior and Human Performance***. Georgetown, Ont.: Irwin Dorsey, 1969.

DUBIN, A., PORTER, L.W., STONE, E.F., CHAMPOUX, J.E. "Implications of Differential Job Perceptions". ***Industrial Relations***, October 1974, 265-273.

FRAISSE, P., PIAGET, J., (Eds.). ***Traité de psychologie expérimentale***, Vol. 9, Psychologie sociale, Paris: Presses Universitaires de France, 1965.

GAGE, N.L., CRONBACH, L.J. "Conceptual and Methodological Problems in Interpersonal Perception". ***Psychological Review***. 62, 1955, 411-422.

HANEY, W.V. ***Communications and Organizational Behavior***. Homewood, Ill.: Richard D. Irwin, 1973.

HAIRE, M. "Role Perception in Labor-Management Relations: An Experiential Approach". ***Industr...l and Labor Relations Review***, 8, 1955, 204-216.

HEIDER, F. ***The Psychology of Interpersonal Relations***. New York: Wiley, 1958.

KOLB, D.A., McINTYRE, J.M., RUBIN, I.M. ***Comportement Organisationnel - une démarche expérientielle***. Trad. par Guy Marion et Robert Prévost, Montréal: Guérin, 1976.

LAU, J.B. ***Behavior in Organizations - An Experiential Approach***. Homewood, Ill: Richard D. Irwin, 1975.

LEAVITT, H.J. ***Managerial Psychology***. Chicago: The University of Chicago Press, Phoenix Books 1958.

MAIER, N.R.F., HOFFMAN, L.F., HOOVEN, J.J., READ, W.R. ***Superior Subordinate Communication in Management***. New York: American management association, 1961.

RENNICK, P.A. "Perception and Management of Superior - Subordinate Conflict". ***Organizational Behavior and Human Performance***, June 1975, 444-456.

TAIGURI, R., PETRULLO, L. ***Person Perception and Interpersonal Behavior***. Stanford: Stanford University Press, 1958.

WEBBER, R.A. "Perception of Interactions Between Superiors and Subordinates". ***Human Relations***. June 1970, 235-248.

CHAPITRE **4**

LES VALEURS ET LES ATTITUDES *

Parmi les nombreux facteurs qui influencent le comportement d'un individu, il faut inclure ses croyances concernant ce qui est bien et ce qui est mal (ses valeurs), ainsi que ses sentiments vis-à-vis certaines choses qu'il aime ou qu'il déteste (ses attitudes). Le présent chapitre est consacré à ces deux "guides internes" de nos actions.

4.1 LES VALEURS

4.1.1 Une définition

Dans notre société, il arrive souvent que les "vieux" (tous ceux qui ont 40 ans et plus ...) se plaignent des "jeunes" dans les termes suivants: "ils se moquent de l'autorité sous toutes ses formes; ils ridiculisent la religion et l'Eglise; ils rejettent le mariage et la famille; ils ont horreur du travail et de l'effort; ils ne connaissent même pas le sens des mots sacrifice, dévouement, épargne, prière, politesse, obéissance, péché, patriotisme; ils ne pensent qu'à eux-mêmes, à leurs plaisirs, à leurs amis". Cette litanie pourrait également se résumer de la façon suivante: les jeunes n'ont pas les mêmes "valeurs" que les vieux, celles des vieux étant (évidemment) bien meilleures...

Comme le laisse entendre l'exemple donné ci-dessus, une valeur est une conviction profonde et relativement stable quant à la supériorité d'un mode de conduite ou d'un objectif de vie. Par "mode de conduite", on entend des façons habituelles de se comporter vis-à-vis les gens et les choses: travailler fort, se montrer joyeux et agréable, aider les autres, aimer, obéir, pardonner, faire preuve de courage, de compétence, de contrôle de soi, d'honnêteté, etc. Les "objectifs de vie", par contre, sont des situations ou des états de fait que l'on cherche à atteindre: une vie confortable ou excitante, un environnement de paix ou de beauté, la liberté, l'égalité, le plaisir, la sécurité, l'amitié, le salut de son âme, le

* Chapitre rédigé par Jean-Louis Bergeron.

bonheur, etc. Tous ces comportements et ces objectifs peuvent être considérés comme "supérieurs" soit parce qu'ils sont à l'avantage de l'individu lui-même ("il faut faire des sacrifices si on veut réussir dans la vie"), soit parce qu'ils contribuent au bien commun ("si on veut éviter l'anarchie dans la société, chaque citoyen doit obéir aux lois et respecter l'autorité"). Les valeurs sont des idéaux assez abstraits qui influencent toute notre vie, mais sans s'attarder à un objet spécifique ou à une situation particulière: le fait de croire qu'il faut "aider les autres" ou "rechercher une vie confortable" peut affecter notre comportement dans des milliers de situations extrêmement diverses (1).

4.1.2 L'importance des valeurs

Plusieurs auteurs s'intéressent aux valeurs principalement parce qu'ils les considèrent comme la principale source de nos attitudes vis-à-vis le monde qui nous entoure. D'autres, sans nier la relation valeurs → attitudes, s'attachent plus particulièrement à mesurer la relation entre les valeurs et le comportement.

a. *La relation valeurs → attitudes*

Pour comprendre cette relation, il est souvent utile de faire appel à une analogie, celle d'un arbre dont les quelques branches principales (nos valeurs) donnent naissance à des centaines de branches secondaires (nos attitudes). Par exemple, une valeur telle que "le respect de l'ordre et de l'autorité" pourrait donner naissance à toute une série d'attitudes, y compris une attitude favorable envers les forces armées et une attitude défavorable envers le syndicalisme. C'est parce que les attitudes sont plus spécifiques aux objets et aux situations et par le fait même exercent une influence plus évidente et plus immédiate sur les comportements que la majeure partie de ce chapitre y sera consacrée.

b. *La relation valeurs → comportements*

Parmi les recherches qui portent sur cette relation, il faut noter en particulier les efforts entrepris depuis quelques années pour mesurer l'impact de l'éthique protestante du travail sur la motivation et le rendement. L'éthique protestante du travail est une valeur qui regroupe plusieurs convictions héritées du protestantisme (et plus particulièrement des calvinistes): par exemple, le travail est bon en soi; il forme la volonté et le caractère; ceux qui à force de travail, de sacrifices et de courage atteignent le succès financier méritent l'admiration de tous (et, disaient les calvinistes, le ciel après leur mort). Dans une étude de laboratoire, il a été démontré que devant une tâche répétitive et monotone ceux qui possèdent cette valeur à un niveau élevé travaillent plus longtemps et ont une productivité plus élevée que les autres: même si le travail ne leur plaît pas, ils

---

(1) Ce paragraphe emprunte beaucoup à Milton Rokeach: ***Beliefs, Attitudes, and Values***. San Francisco: Jossey-Bass, 1968; et ***The Nature of Human Values***. New York: The Free Press, 1973.

sont motivés par leurs valeurs [2]. Une autre étude tend à indiquer que ces mêmes individus acceptent plus facilement les objectifs de l'organisation pour laquelle ils travaillent [3].

Avant de passer à l'examen des attitudes, il convient de regarder d'un peu plus près cette question des "valeurs de travail".

4.1.3 Les valeurs de travail aujourd'hui

Les gens (et surtout les jeunes) croient-ils encore que le travail est une vertu, qu'il est formateur, qu'il permet à l'individu de verser sa juste contribution à l'effort commun de la société? Croient-ils encore à des maximes comme "la valeur d'un homme se mesure à la façon dont il accomplit son travail", "tout ce qui mérite d'être fait mérite d'être bien fait", etc.? La réponse à ces questions dépend beaucoup des auteurs ou des recherches que l'on consulte.

Il y a plusieurs auteurs qui considèrent que les valeurs de travail (ou l'Ethique protestante) sont à la baisse. A l'appui de cette opinion, ils soulignent les faits suivants:

a) plusieurs jeunes "débarquent", abandonnent "le système", pour se réfugier dans des communes ou vivre de l'assistance sociale;

b) presque tout le monde connaît quelqu'un qui ne travaille que quelques mois par année, "juste assez pour pouvoir retirer l'assurance-chômage";

c) les syndicats parlent de plus en plus de la semaine de quatre jours, et plusieurs l'ont obtenue;

d) dans certaines industries, l'absentéisme est devenu un problème grave;

e) de plus en plus de gens cherchent à prendre leur retraite à 55 ou à 60 ans;

f) il devient de plus en plus difficile dans les entreprises de trouver quelqu'un qui accepte de faire des heures supplémentaires;

g) des ressources de plus en plus considérables sont consacrées par l'Etat et par l'entreprise privée à organiser et à meubler les loisirs de la population.

D'autres, par contre, sont d'avis que les valeurs de travail se portent, sinon parfaitement bien, du moins assez bien pour qu'il n'y ait pas lieu de s'inquiéter. C'est en tout cas la conclusion que contenait une enquête menée par le gouvernement canadien en 1974, enquête au cours de laquelle on avait in-

---

(2) MERRENS, M.R. et GARRETT, J.B. "The Protestant Ethic Scale as a Predictor of Repetitive Work Performance". ***Journal of Applied Psychology***, 1975, 60, 125-127.

(3) KIDRON, A. "Work Values and Organizational Commitment". ***Academy of Management Journal***, 1978, 21, 239-247.

terrogé 2,000 personnes [4]. Cette étude devait révéler, entre autres choses, que seulement 3% des répondants aimaient mieux rester à ne rien faire et retirer de l'assurance-chômage que de travailler; 70% se disaient très impliqués dans leur travail et 79% se considéraient "très consciencieux"; 92% ont affirmé n'avoir manqué aucune journée de travail au cours des derniers mois, même s'ils n'avaient pas toujours envie d'aller travailler. Dans une autre étude [5], 94% des membres d'un échantillon de 463 travailleurs québécois (dans 32 organisations diverses) se sont déclarés en désaccord avec la phrase suivante: "il faut faire bien attention de ne pas faire plus d'ouvrage que l'on est payé pour en faire". Une troisième étude, réalisée dans un hôpital du Québec en 1977, auprès d'employés représentant plusieurs départements et plusieurs niveaux hiérarchiques, a également donné des résultats qui démontrent la présence de ces valeurs, comme en fait foi le tableau 1.

TABLEAU 1: Pourcentage d'employés d'un hôpital (n: 176) qui se disent "plutôt" ou "fortement" d'accord avec certains énoncés représentatifs des "valeurs de travail"

Enoncés	% d'accord
- Le travail n'a aucune valeur en soi: ce n'est qu'un moyen de gagner de l'argent.	4.5%
- Perdre son temps volontairement au travail, c'est agir de façon très malhonnête.	87%
- Les gens qui réussissent dans la vie sont ceux qui sont prêts à travailler beaucoup et à s'imposer des sacrifices.	75%
- Une des grandes satisfactions qu'on retire dans la vie, c'est de savoir qu'on a bien fait son travail.	95%
- On peut juger de la valeur d'une personne en regardant comment elle accomplit son travail.	85%
- Les gens qui travaillent fort méritent plus de respect que ceux qui en font juste assez pour garder leur emploi.	77%

Source: J.L. Bergeron, Conférence présentée au Congrès de "L'Association des hôpitaux de la province de Québec", Québec, novembre 1977.

---

(4) LA BERGE, R. "Les Canadiens et l'éthique du travail". ***S'adapter à un monde en pleine évolution***. Numéro spécial de "La Gazette du travail". Ottawa: Travail Canada, 1978.

(5) LESAGE PIERRE et RICE JUDITH-ANNE. "Le sens du travail et le gestionnaire". ***Gestion***, novembre 1978, 6-15.

Il semble de plus en plus évident que l'explication qu'il faut donner à ces opinions et à ces observations souvent contradictoires est la suivante: une forte majorité de gens croient encore au travail, mais pas à n'importe quelle sorte de travail. Ils croient au travail qui leur permet d'utiliser et de développer leurs talents et leurs aptitudes, de participer à certaines décisions et d'assumer des responsabilités, d'exercer leur propre jugement dans un climat d'autonomie et d'ouverture aux idées nouvelles. Ils ne reconnaissent aucune valeur "intrinsèque" et "formatrice" à un travail répétitif, monotone, accompli dans un système rigide et autoritaire. Une étude réalisée en 1960 auprès de 400,000 jeunes américains des écoles secondaires révélait qu'ils espéraient surtout trouver un travail qui leur assurerait "la sécurité d'emploi" et "des chances d'avancement"; en 1970, ces deux item avaient été remplacés par "l'autonomie nécessaire pour prendre mes propres décisions" et "la possibilité de faire quelque chose qui me semble important" (6). Voilà un changement majeur! Une autre recherche fut faite en 1977 auprès des lecteurs de la revue américaine "Psychology Today"; 23,000 d'entre eux retournèrent un questionnaire sur divers aspects du travail (7). A la question "Qu'est-ce qui est le plus important pour vous dans un emploi?", ils répondirent en attribuant la priorité aux item suivants:

a) la possibilité de faire quelque chose qui m'amène à être content et fier de moi-même;

b) la possibilité de faire quelque chose qui en vaut la peine;

c) la possibilité d'apprendre des choses nouvelles;

d) la possibilité de développer mes capacités;

e) la liberté de faire ce que je veux;

f) la chance de faire ce dans quoi je suis le meilleur.

Notons que dans cette liste la sécurité d'emploi venait en onzième place et le salaire en douzième! (S'ils ne représentent évidemment pas "l'Américain moyen", les lecteurs de cette revue représentent cependant assez bien une "nouvelle génération", plus instruite et plus exigeante que l'ancienne).

4.2 LES ATTITUDES

4.2.1 Une définition

Dans le langage de tous les jours, le mot "attitude" prend plusieurs sens. On dira, par exemple, que tel projet ou telle réunion a échoué à cause de "l'atti-

---

(6) Ces résultats sont rapportés dans le rapport ***Work in America***, préparé pour le gouvernement américain, Cambridge, Mass.: The M.I.T. Press, 1973, 45.

(7) RENWICK, P.A., LAWLER, E.E. et une équipe de travail, "What You Really Want From Your Job". ***Psychology Today***, mai 1978, 53 et suivantes.

tude négative" de certaines personnes. Ce que l'on veut dire, c'est que ces personnes ont fait preuve d'indifférence ou d'hostilité et ce d'une manière continue et généralisée. Il arrive également que certains individus soient décrits comme ayant une "attitude hautaine" (ou soumise, ou arrogante, ou intéressée); dans ce cas, le mot "attitude" semble décrire une réalité aussi bien physique (la façon de se tenir et de se comporter) que psychologique (les opinions et sentiments de l'individu vis-à-vis son entourage). Finalement, un reporter peut interviewer des gens sur la rue pour connaître leur "attitude" envers l'avortement, les Anglais, la peine de mort, un parti politique, etc.

La définition proposée ici se retrouve fréquemment chez les spécialistes des sciences humaines et emprunte plusieurs des éléments mentionnés plus haut: une attitude, c'est une prédisposition à réagir d'une façon systématiquement favorable ou défavorable face à certains aspects du monde qui nous entoure. Connaître l'attitude d'un individu envers les noirs, ou le syndicalisme, ou l'art moderne, c'est donc pouvoir prédire d'avance comment il va réagir à des dizaines de situations impliquant chacun de ces "objets" ou aspects de son environnement. Par exemple, il est relativement facile d'imaginer ce que pourrait penser, ressentir et faire un individu qui aurait une attitude nettement anti-syndicale, face à chacune des situations suivantes:

a) une campagne de recrutement syndical dans son usine;

b) un conflit de travail dans l'hôpital de sa région;

c) un programme de télévision consacré à l'histoire du syndicalisme;

d) des piquets de grève devant un commerce qu'il a coutume de fréquenter;

e) une nouvelle loi du travail favorisant le syndicalisme;

f) une manifestation syndicale à l'occasion de la Fête des Travailleurs, le 1er mai.

C'est à cause de cette uniformité dans les réponses données à des stimuli divers mais associés à un même objet ou phénomène que nous disons qu'une attitude est une "prédisposition à réagir". Notons également que l'objet d'une attitude peut être n'importe quelle réalité à la condition qu'elle soit perçue par l'individu comme une entité distincte: une personne, un groupe, un organisme, un mouvement social ou religieux, etc. Je ne peux cependant pas avoir une attitude spécifique envers les Ougandais si je ne les distingue pas de la catégorie "Africains", ni envers les directeurs du personnel si je ne les distingue pas de la catégorie "administrateurs".

4.2.2 Les composantes des attitudes

La plupart des auteurs considèrent que les attitudes sont composées de trois éléments reliés mais distincts:

A. Un élément cognitif, c'est-à-dire une idée, une connaissance, une croyance quelconque concernant l'objet de l'attitude. Par exemple: je "sais" que les assistés sociaux sont paresseux, les marxistes veulent abolir le système capitaliste, la musique moderne est criarde, les jeunes sont égoïstes, l'Eglise propage la Vérité. Nos croyances peuvent posséder plusieurs caractéristiques:

1) **Elles peuvent être vraies ou fausses.** Cette caractéristique n'a pas beaucoup d'influence sur nos attitudes, car ce qui importe c'est la façon dont nous voyons le monde et non pas ce qu'il est en réalité.

2) **Elles peuvent être simples ou complexes.** Si je ne connais personnellement aucun Allemand, mais que j'ai entendu dire que ces gens sont autoritaires et disciplinés, mes croyances à leur sujet sont simples, c'est-à-dire peu nombreuses, peu diversifiées, peu nuancées. Le terme "Allemand" évoquerait chez moi des croyances ou idées infiniment plus complexes, si j'avais vécu cinq ans en Allemagne. Les attitudes qui reposent sur des croyances simples sont probablement plus sujettes à changement: leur base est facile à démolir parce qu'elle est rarement conforme à la réalité.

3) **Elles peuvent être importantes (pour l'individu) ou secondaires.** Des convictions profondes concernant la religion, la démocratie, l'amour, le patriotisme peuvent jouer un rôle extrêmement important dans la vision qu'une personne a d'elle-même et du monde. Les attitudes qui reposeraient sur de telles convictions (e.g. les attitudes envers l'Eglise) seraient donc très difficiles à changer. D'autres croyances peuvent être très secondaires dans la vie d'un individu, par exemple le fait de croire en la supériorité des voitures G.M. sur les voitures Ford; peu d'individus (sauf les concessionnaires G.M.) subiraient un changement profond et déchirant dans leur vie s'ils étaient amenés à changer d'opinion à ce sujet!

B. Un élément affectif, c'est-à-dire des émotions ou sentiments qui surgissent lorsque l'individu est placé en face de l'objet ou, simplement, pense à cet objet. Le terme "émotion" implique ordinairement une réaction physiologique, comme par exemple une accélération des battements du coeur en présence d'un être aimé ou des "sueurs froides" en présence d'un danger. Tout comme les croyances, les émotions possèdent des caractéristiques importantes:

1) **Elles peuvent être favorables ou défavorables**, c'est-à-dire que l'individu "se sent bien" devant certains objets alors qu'il est malheureux ou mal à l'aise devant d'autres éléments du monde qui l'entoure. Notons ici qu'à elles seules les manifestations physiologiques ne peuvent ordinairement pas suffire à indiquer si l'émotion ressentie est favorable ou défavorable: on peut pleurer de joie aussi bien que de peine!

2) **Elles peuvent être intenses ou superficielles.** On peut évidemment s'attendre à ce que nos attitudes aient plus d'influence sur notre vie et soient plus difficiles à changer lorsqu'elles s'accompagnent d'émotions vives et profondes. Ce serait le cas, par exemple, d'un individu qui serait grandement troublé simplement en entendant le nom de son pays ou en voyant

flotter son drapeau: une attitude patriotique basée sur des sentiments aussi forts serait pratiquement indéracinable.

C. ***Un élément comportemental***, c'est-à-dire non pas une action mais une tendance à l'action. Si l'attitude est favorable, l'individu sera "tenté" de poser des gestes comme se rapprocher de l'objet, l'acheter, l'aider, en vanter les mérites, etc.; si, par contre, l'attitude est défavorable, la tentation sera forte de s'éloigner, de détruire, de nuire, de dénigrer, etc. Comme nous le verrons plus loin, l'action désirée ne sera pas toujours prise, à cause principalement des normes et contraintes imposées par la société: au cours d'une soirée mondaine dans la "haute société", un individu peut rencontrer cinq personnes envers lesquelles il a une attitude très défavorable sans que jamais ses comportements (polis, corrects, neutres) ne trahissent ce qu'il ressent vraiment.

4.2.3 La structure des attitudes

Les trois composantes énumérées ci-haut ne sont évidemment pas indépendantes les unes des autres. Il existe en fait plusieurs théories qui cherchent à démontrer et à expliquer une tendance à l'uniformité non seulement entre les composantes des attitudes, mais également entre certaines attitudes ainsi qu'entre les attitudes et les comportements. Deux de ces théories seront résumées ici: la théorie de la balance et la théorie de la dissonance cognitive.

A. La théorie de la balance. L'auteur de cette théorie, Fritz Heider, s'intéressait au triangle d'attitudes formé par deux personnes en relations entre elles et avec un troisième "objet". Le genre de questions qu'il se posait était le suivant: qu'arrive-t-il si une personne P qui a une attitude très favorable envers un objet quelconque X, découvre qu'une autre personne A, qu'elle aime beaucoup, déteste X? Selon cet auteur (8), une telle situation crée chez la personne P une inconsistance cognitive très inconfortable illustrée au tableau 2 (j'aime X, mais j'aime aussi A qui déteste X). Une situation de balance, par contre, existe à chaque fois que les trois côtés du triangle sont positifs ou que deux d'entre eux sont négatifs (e.g. je déteste X et je déteste aussi A qui lui aime X). La théorie de Heider prévoit que l'individu dont les connaissances ne sont pas en équilibre dans le sens indiqué ici va chercher à rétablir sa "balance cognitive". Il peut le faire par l'un ou l'autre des moyens suivants:

1) il peut changer son attitude soit envers X, soit envers A;
2) il peut se dire que A ne connaît pas grand-chose au sujet de X et que son attitude envers X serait la même que la sienne s'il était plus au courant;

---

(8) HEIDER, F. "Attitudes and Cognitive Organization". ***Journal of Psychology***, 1946, 21, 107-112.

3) il peut essayer de ne plus penser aux divergences d'attitudes qu'il observe entre lui et A;

4) il peut admettre les divergences, mais se convaincre qu'elles portent sur un point mineur (X) et sans importance.

Cette diversité dans les moyens de rétablir l'équilibre cognitif constitue la grande faiblesse de cette théorie: si elle permet d'identifier cette "maladie" qu'est le déséquilibre cognitif, elle ne permet que très rarement de prédire quel sera le "remède" choisi par P.

TABLEAU 2: Illustration d'une situation inconfortable qui amènerait la personne P à tenter de rétablir l'équilibre ou la balance entre ses attitudes envers A et envers X

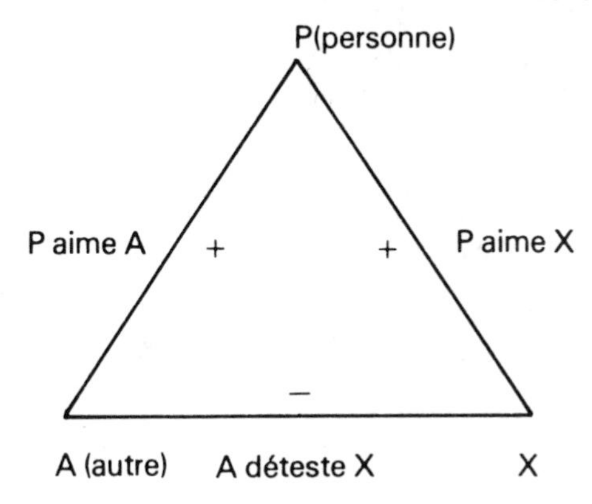

B. La théorie de la dissonance cognitive. Leon Festinger a décrit la dissonance cognitive comme un état inconfortable résultant du fait qu'un individu maintient dans son esprit deux "éléments de connaissance" (attitudes, croyances, observations de ses comportements) dont l'un devrait normalement produire le contraire de l'autre [9]. Par exemple, la croyance "la cigarette cause le cancer" combinée avec le comportement "je continue à fumer" produit une dissonance cognitive, car le premier élément de connaissance devrait normalement amener comme deuxième élément "je cesse de fumer", c'est-à-dire le contraire de ce qu'on observe. Contrairement à Heider qui ne s'intéressait qu'à l'équilibre entre les attitudes d'un individu vis-à-vis une autre personne et un troisième "objet", Festinger s'intéresse beaucoup à la concordance entre les attitudes et les comportements d'une personne. Comme Heider, Festinger suppose que la personne dont les éléments de connaissance ne sont pas en concordance va chercher à rétablir l'équilibre soit en changeant ses attitudes ou ses convictions, soit en changeant ses comportements. Pour ce qui est du fumeur décrit ci-haut, il pourrait donc éliminer la dissonance de deux façons:

---

(9) FESTINGER, L. ***A Theory of Cognitive Dissonance***. Evanston, Illinois: Row, Peterson, 1957.

a) se convaincre que la cigarette n'est pas si terrible après tout ("il faut bien mourir de quelque chose"; "ça me détend": "mon grand-père a fumé toute sa vie et il est mort à 90 ans");

b) cesser de fumer.

La théorie de Festinger a donné lieu à de très nombreuses recherches et à des découvertes pour le moins surprenantes. En voici deux exemples:

1) En 1959, il y eut une émeute sur le campus de l'Université Yale et la police dut intervenir; elle le fit beaucoup trop brutalement, aux dires des étudiants qui s'entendaient presque tous à condamner cette intervention. Quelques jours plus tard, un professeur choisit plusieurs étudiants au hasard et leur demanda d'écrire un mémoire très favorable à l'action de la police lors de l'émeute. A certains de ces étudiants, il offrit $10.00, à d'autres $5.00, à d'autres $1.00, à d'autres $0.50. Une série de mesures prises auprès de ces étudiants et d'un groupe contrôle démontrèrent que ceux qui avaient reçu $10.00 ou $5.00 pour écrire le mémoire n'avaient pas modifié leur attitude négative envers la police par suite de la rédaction. Par contre, ceux qui n'avaient reçu que $1.00 ou $0.50 étaient devenus beaucoup plus favorables à cette intervention policière qu'ils ne l'étaient avant d'écrire le mémoire (10). L'explication de ces résultats est la suivante:

a) le fait d'écrire un mémoire favorable à la police devrait créer chez tous les étudiants une grande dissonance cognitive, car il s'agit là d'un comportement qui contredit une attitude qui elle est défavorable;

b) ceux qui reçoivent une forte somme d'argent (en 1959) pour écrire le mémoire ne ressentent pas cette contradiction, car la récompense promise et reçue les justifie entièrement de ne pas agir selon leur conviction;

c) ceux qui ne reçoivent qu'un montant dérisoire ne peuvent pas se convaincre qu'ils ont agi pour l'argent et ressentent pleinement la contradiction entre leur attitude et leur comportement;

d) la meilleure façon de réduire cette dissonance, après que le comportement a eu lieu, c'est de changer son attitude et de "l'enligner" avec le comportement.

Ce genre d'études a conduit plusieurs auteurs à énoncer le principe suivant: lorsqu'on veut amener un individu à adopter une attitude favorable envers une activité qu'il déteste au point de départ (e.g. faire ses devoirs), il faut exercer juste assez de pression pour que l'individu agisse, mais pas assez pour qu'il puisse dire "je n'avais absolument pas le choix"; cette situation devrait créer chez lui une dissonance cognitive qu'il peut réduire par la suite en améliorant son attitude envers l'activité en question.

---

(10) BREHM, J.W. et COHEN, A.R. ***Explorations in Cognitive Dissonance***. New York: Wiley, 1962.

2) Une autre étude [11] se déroula de la façon suivante. Des étudiantes qui s'étaient portées volontaires pour participer à des discussions de groupe sur "la psychologie des relations sexuelles" furent assignées (au hasard) à deux méthodes distinctes "d'initiation": l'une facile, l'autre difficile (on leur avait dit que le but de l'initiation était de voir si elles pouvaient discuter de ces sujets sans être embarrassées ou gênées). L'initiation "facile" consistait à lire à haute voix devant le chercheur cinq mots reliés au sexe mais non obscènes; celles qui furent soumises à l'initiation "difficile" durent lire, dans les mêmes conditions, 12 mots obscènes ainsi que deux descriptions détaillées de relations sexuelles (tirées de romans à la mode). Toutes les étudiantes écoutèrent ensuite une discussion menée à ce moment-là par le groupe auquel elles voulaient se joindre (il s'agissait en fait d'un enregistrement fictif que les chercheurs avaient rendu aussi ennuyant que possible). Lorsque "la discussion" qu'elles écoutaient fut terminée, les étudiantes furent appelées à l'évaluer (et à évaluer les participantes qu'elles n'avaient pas vues) sur 14 facteurs: intérêt, intelligence, etc. Les étudiantes qui avaient subi une initiation difficile trouvèrent la discussion beaucoup plus intéressante, enrichissante, valable, etc. que celles dont l'initiation avait été facile. C'était pour elles la meilleure façon de réduire la dissonance créée par les deux éléments de connaissance suivants:

a) j'ai beaucoup souffert pour avoir le droit de me joindre à ce groupe;

b) c'est un groupe ennuyant, et les discussions ne m'apporteront rien.

La théorie de Festinger, comme celle de Heider, permet souvent d'expliquer certains phénomènes... après qu'ils se sont produits. En général, ces théories ne nous permettent pas de prédire d'avance comment un individu va réagir ou se comporter dans telle ou telle situation, parce qu'il peut choisir entre plusieurs façons de rétablir son équilibre cognitif. Elles tendent, cependant, à nous démontrer que l'être humain cherche un certain équilibre, une certaine consistance logique non seulement entre ses diverses attitudes (et leurs composantes), mais aussi entre ses attitudes et ses comportements [12].

4.2.4 Les sources des attitudes

L'aspect le plus évident des attitudes, c'est qu'elles varient considérablement d'un individu à un autre, d'un groupe à un autre. Quel que soit "l'objet" auquel on peut penser (un politicien, une religion, un groupement quelconque), il est facile de trouver des gens qui sont farouchement "pour" et d'autres qui sont carrément "contre"! Il convient de se demander d'où viennent des attitudes qui

---

(11) ARONSON, E. et MILLS, J. "The Effect of Severity of Initiation on Liking for a Group". ***Journal of Abnormal and Social Psychology***, 1959, 59, 177-181.

(12) Pour une opinion différente et une réinterprétation des études rapportées ici, voir: D.J. BEM. ***Beliefs, Attitudes, and Human Affairs***. Belmont, Californie: Brooks/Cole Publishing Company, 1970.

peuvent être aussi différentes. Parmi les principaux facteurs à l'origine de nos attitudes, il faut noter:

A. La culture, c'est-à-dire les coutumes, valeurs, façons de vivre, etc. de la société à laquelle nous appartenons. Ce type d'influence est certainement très important et peut expliquer, par exemple, pourquoi les citoyens de pays différents ont souvent des attitudes contradictoires sur une foule de sujets, de la bière jusqu'à la peine de mort! Le mot "culture" peut également s'appliquer à des secteurs importants d'une même société, par exemple une classe sociale, un groupement religieux, une ville, une race, un groupe ethnique. L'appartenance à ces diverses "cultures" explique certainement une partie des différences d'attitudes que l'on retrouve à l'intérieur d'une même société.

B. Les groupes, ceux dont nous sommes membres (groupes d'appartenance), mais aussi ceux auxquels nous voudrions appartenir (groupes de référence). Dans un cas comme dans l'autre, la direction de la causalité n'est pas facile à établir: nous pouvons choisir de nous joindre à un groupe parce que ses membres partagent nos attitudes (mes attitudes → mon intégration au groupe), tout comme nous pouvons d'abord appartenir à un groupe pour diverses raisons et en arriver éventuellement à adopter les attitudes de ceux qui le composent (mon intégration au groupe → mes attitudes). Dans bien des cas, ces deux types d'influence se renforcent mutuellement. Deux recherches peuvent être rapportées ici pour illustrer l'influence du groupe sur les attitudes.

La première, une étude classique de Newcomb [13], fut faite dans un petit collège américain pour jeunes filles (Bennington College), de 1932 à 1935. Les étudiantes provenaient presque toutes de milieux riches et conservateurs; les professeurs, par contre, étaient très libéraux et même très avant-gardistes sur le plan des idées sociales, politiques, économiques, etc. Le collège favorisait grandement les échanges et discussions entre professeurs et étudiantes. Une mesure de "conservatisme socio-économique" prise à chacune des quatre années du programme démontra que les étudiantes adoptaient des attitudes de plus en plus libérales et "modernes" pour l'époque. Une suite à cette étude, réalisée 25 ans plus tard par le même auteur et auprès des mêmes (anciennes) étudiantes [14], démontra que même après ce temps elles étaient nettement plus libérales que d'autres femmes du même âge et du même milieu socio-économique. Leur "score" de finissantes sur l'échelle de conservatisme s'avéra même être un très bon prédicteur de la façon dont elles allaient voter lors des élections présidentielles de 1960 opposant Richard Nixon à John F. Kennedy.

La deuxième recherche fut faite dans une grande entreprise industrielle où l'on avait l'habitude de mener une enquête annuelle pour mesurer l'attitude

---

(13) NEWCOMB, T.M. ***Personality and Social Change***. New York: Dryden, 1943.

(14) NEWCOMB, T.M. ***Persistance and Change: Bennington College and its Students after 25 Years.*** New York: Wiley, 1967.

des employés envers la compagnie et envers le syndicat [15]. Une année, à la suite d'une expansion soudaine de l'entreprise, 23 employés furent promus au poste de contremaître, pendant que 35 personnes étaient choisies par le syndicat pour agir comme délégués de section. Au cours de l'année suivante, les attitudes de tous ces gens furent comparées à celles des employés d'un groupe contrôle qui n'avaient pas été nommés à de tels postes et qui, au point de départ, avaient sensiblement les mêmes attitudes que les nouveaux élus. Les résultats démontrèrent qu'après un an les nouveaux contremaîtres avaient adopté une attitude nettement plus favorable envers la Haute Direction et envers la compagnie, alors que les nouveaux délégués syndicaux étaient devenus plus favorables au syndicat (toujours par comparaison avec le groupe contrôle). Par la suite, une baisse des affaires força la compagnie et le syndicat à retourner plusieurs de ces gens à leur ancien poste. L'enquête annuelle subséquente démontra que les anciens contremaîtres avaient alors retrouvé leurs attitudes antérieures, celles qu'ils avaient avant de s'associer étroitement au groupe "contremaîtres"; le même phénomène ne se produisit pas chez les anciens délégués syndicaux, dont le changement original d'attitude avait d'ailleurs été moins marqué que celui des contremaîtres. (Il convient cependant de noter ici que l'influence du groupe ne constitue pas la seule explication possible de ces résultats: la nature du travail ou le "rôle" a pu exercer une influence significative).

C. La famille. Bien que les valeurs et les attitudes transmises par la famille soient souvent mises à dure épreuve par les différents groupes auxquels nous nous attachons par la suite, l'influence de la famille demeure sans doute énorme, principalement à cause du quasi-monopole qu'elle exerce sur nous pendant l'enfance, c'est-à-dire au moment où nous formons les bases de notre personnalité. L'origine de plusieurs types de personnalité (e.g. la personnalité "autoritaire", la personnalité "dogmatique") a été retracée à la façon plus ou moins "sévère-punitive" et plus ou moins "logique-prévisible" dont l'enfant est élevé. L'enfant qui développe une personnalité autoritaire aura tendance plus tard à adopter des attitudes respectueuses et favorables envers les représentants de l'ordre et de l'autorité, ainsi qu'envers tous ceux qui font preuve de force, de pouvoir, de courage [16]. La personnalité dogmatique, quant à elle, prédispose à voir le monde en noir et blanc (i.e. sans nuances) et à adopter, par conséquent, des attitudes extrêmes (par exemple très à droite ou très à gauche) et inflexibles [17].

D. Les expériences personnelles. Toutes les attitudes ne peuvent évidemment pas s'expliquer uniquement par des influences sociales. Chaque individu vit une infinité d'expériences qui le mettent en contact avec divers

---

(15) LIEBERMAN, S. "The Effects of Changes in Roles on the Attitudes of Role Occupants". ***Human Relations***, 1956, 9, 385-402.

(16) ADORNO, T.W., FRENKEL-BRUNSWICK, E., LEVINSON, D.J. et SANFORD, R.N. ***The Authoritarian Personality***. New York: Harper, 1950.

(17) ROKEACH, B. ***The Open and Closed Mind***. New York: Basic Books, 1960.

"objects" ou aspects de son environnement. Lorsque ces objets sont associés de façon répétitive à des situations et à des conséquences agréables, l'individu développe à leur égard une attitude favorable. Il se met alors à rechercher ces objets, et la familiarité qui en résulte renforcit davantage l'attitude positive: on se sent bien avec ses vieilles pantoufles et ses vieux amis! Parmi toutes nos expériences d'adultes, celles qui sont reliées à l'emploi sont probablement les plus marquantes: dites-moi quel métier vous exercez, je vous dirai quelles sont vos attitudes sur une foule de sujets!

4.2.5 Les fonctions des attitudes

Selon Daniel Katz [18], les attitudes que l'être humain adopte vis-à-vis le monde qui l'entoure remplissent au moins quatre fonctions importantes:

A. Une fonction utilitaire. En nous poussant à favoriser et à rechercher ce que nous percevons comme utile à nos fins (e.g. un certain parti politique) ou à la satisfaction de nos besoins et désirs (e.g. un bon plat), nos attitudes nous aident à passer à travers la vie d'une façon aussi agréable que possible. Grâce à elles, nous pouvons rapidement classer plusieurs aspects de notre environnement dans les catégories "utile ou nuisible", "bon ou mauvais", sans avoir à expérimenter (ni même à réfléchir) dans chaque situation. Si je ne peux supporter ni les légumes ni la peinture moderne, je développe une attitude négative envers toute manifestation de ces "objets", laquelle attitude me pousse à les éviter automatiquement par la suite. C'est parce que l'argent est utile que la plupart des gens ont une attitude très favorable à son égard!

B. Une fonction de défense du moi. Certaines attitudes constituent un mécanisme de défense et nous permettent d'éviter de nous voir tels que nous sommes. Pour refouler ou oublier son complexe d'infériorité (ou son infériorité réelle!) un individu pourrait développer une attitude négative envers un groupe minoritaire quelconque et traiter ensuite ces gens de façon très hautaine et méprisante, pour se donner de l'importance. Dans ce cas-ci, l'attitude doit son existence beaucoup plus à une caractéristique de l'individu lui-même qu'à un attribut de l'objet (utile, bon, dangereux), comme c'était le cas plus haut. Un autre exemple de cette fonction des attitudes serait le cas d'un employé qui, ayant échoué plusieurs fois dans ses tentatives de devenir contremaître (ou chef syndical), finit par se convaincre que ces gens sont snobs (ou révolutionnaires) et développe une attitude défavorable à leur égard.

C. Une fonction d'expression du moi et des valeurs personnelles. Plusieurs attitudes nous permettent d'exprimer et de renforcer l'image favorable que nous avons de nous-mêmes et de nos valeurs. Quelqu'un qui se perçoit comme croyant ou conservateur ou travaillant ou sobre ou athlétique et qui en

---

(18) KATZ, D. "The Functional Approach To the Study of Attitudes", ***Public Opinion Quarterly,*** 1960, 24, 163-176.

est fier pourrait très bien adopter et manifester des attitudes très défavorables envers les athées, les libéraux, les paresseux, les alcooliques, les obèses. Si nous voulons continuer à croire que nos façons d'être et de voir le monde sont "meilleures" que celles des autres, nous sommes pratiquement obligés d'adopter une attitude de reproche et de rejet envers ceux qui sont exactement le contraire de ce que nous sommes.

D. Une fonction de connaissance du monde. L'information qui nous parvient continuellement est tellement riche et diversifiée qu'il est très utile de pouvoir l'intégrer rapidement à nos connaissances antérieures pour pouvoir passer à autre chose (même s'il faut pour cela "l'interpréter" un peu ou beaucoup). La possession tranquille d'une série d'attitudes toutes faites et bien ancrées sur divers sujets s'avère un outil très utile dans ce sens. Par exemple, une attitude très favorable au système capitaliste et très défavorable au système socialiste me permettrait d'interpréter, de classer et d'oublier rapidement des milliers de pièces d'information, souvent très ambiguës, qui me parviennent de partout concernant ces deux modèles. Si une information sur le système capitaliste est négative au point de ne pouvoir vraiment pas être interprétée favorablement, je la considérerai comme "l'exception qui prouve la règle": ceci m'évitera d'avoir à changer mon attitude favorable envers le capitalisme!

4.2.6 L'influence des attitudes sur le comportement

L'intérêt considérable porté aux attitudes provient en grande partie de ce qu'elles devraient normalement permettre de prédire les comportements des gens. Bien que cela soit généralement vrai, plusieurs études ont cependant démontré que la relation attitude → comportement est souvent moins forte que ce que l'on avait cru autrefois.

A. Deux études sur la relation attitude → comportement. La plus connue de ces études fut faite en 1934, alors qu'un chercheur américain accompagné d'un couple de Chinois se présenta à la porte de 251 restaurants ou hôtels pour y être nourri ou logé; un seul de ces établissements refusa de recevoir le groupe. Six mois plus tard, une lettre fut envoyée à tous ces commerces pour leur demander s'ils accepteraient de recevoir un couple de Chinois comme clients; sur 128 réponses reçues, 117 furent négatives! L'attitude défavorable de tous ces gens envers les Chinois n'avait donc pas influencé leur comportement [19]. Dans une autre étude du même genre faite 30 ans plus tard, on demanda à plusieurs étudiantes de l'Université du Wisconsin de remplir un questionnaire visant à mesurer leur attitude envers les Noirs.L'une des questions cherchait à savoir si elles accepteraient de poser comme modèles avec un Noir dans des photographies devant servir à des fins diverses: recherches psychologiques, journal étudiant, magazine régional, campagne nationale contre la ségrégation, etc. Un mois plus tard, une entreprise (fictive) prétendant se spécialiser dans la

---

(19) LA PIERE, R.T. "Attitudes Versus Action". ***Social Forces***, 1934, 13, 230-237.

création de tests psychologiques se présenta sur le campus et demanda à ces mêmes étudiantes si elles voulaient effectivement poser avec un Noir. Environ 50% des étudiantes qui, un mois auparavant, avaient indiqué leur acceptation de faire ce genre de photographie refusèrent de s'y prêter, c'est-à-dire d'agir conformément à leur attitude favorable [20].

B. Raisons des divergences entre attitude et comportement. Bien que plusieurs autres recherches aient permis de découvrir une forte relation entre les attitudes et les comportements, il faut donc reconnaître que cette relation n'existe pas toujours [21]. Parmi les raisons qui ont été avancées pour expliquer cette situation, il faut mentionner les suivantes:

1) Les attitudes portent très souvent sur des groupes ou des classes de gens dont on ne connaît que quelques traits généraux et ambigus, alors que les comportements concernent des individus spécifiques doués de caractéristiques précises qui diffèrent souvent de nos stéréotypes. Les restaurateurs dont il est question plus haut pouvaient bien dire qu'ils n'admettraient pas des Chinois, mais ils laissèrent entrer "ce" couple chinois en particulier qui était très propre et très bien vêtu, qui parlait un excellent anglais, qui était accompagné d'un Blanc, etc. Autrement dit, les restaurateurs étaient tenaillés par deux types d'attitudes: leur attitude négative envers les Chinois vs leur attitude positive envers les clients polis, bien habillés, etc.

2) Nos comportements dépendent non seulement de ce que nous aimerions faire (nos attitudes), mais aussi:

a) de ce que nous croyons qu'il "faut" faire dans pareilles circonstances (normes sociales internalisées);

b) de ce que nous faisons ordinairement dans cette situation (nos habitudes);

c) de ce que nous croyons pouvoir faire (nos capacités) et, finalement,

d) des conséquences que nous envisageons suite aux actes que nous pourrions poser.

Par exemple, les étudiantes qui refusèrent de se laisser photographier avec un Noir déclarèrent en entrevue qu'elles avaient eu peur des réactions de leur famille et de leurs amies. Elles avaient donc agi en fonction de certaines normes sociales et non en fonction de leurs attitudes personnelles. Les normes et sanctions imposées par la société sont certainement très importantes à cet égard: une étude faite dans trois villes américaines a démontré que les policiers

---

(20) LINN, L.S. "Verbal Attitudes and Overt Behavior: A Study of Racial Discrimination". ***Social Forces***, 1964/1965, 43, 353-364.

(21) Pour une excellente revue de la littérature sur ce sujet, voir en particulier: WICKER, A.W. "Attitudes versus Actions: The Relationship of Verbal and Overt Behavioral Responses to Attitude Objects". ***Journal of Social Issues***, 1969, 25, 41-78.

blancs, bien qu'ayant beaucoup de préjugés contre les Noirs, exerçaient peu de discrimination envers eux (à cause des règlements, pénalités, etc.); ce n'est qu'à l'occasion des émeutes (alors que toutes les normes habituelles tombent) qu'ils pouvaient s'en donner à coeur joie et agir "selon leur attitude"! L'alcool, la drogue, la colère, le support du groupe, l'anonymat sont d'autres facteurs qui aident souvent à faire tomber les normes sociales et à révéler les "vraies" attitudes.

4.2.7 Le changement des attitudes

Il existe plusieurs façons de changer les attitudes:

A. Modifier la composante cognitive, c'est-à-dire présenter au sujet une information nouvelle et différente concernant l'objet de l'attitude. Cela peut évidemment se faire de plusieurs façons: un discours, un livre, une campagne publicitaire à la télévision. On peut aussi présenter des Canadiens-français très riches, très instruits et très dynamiques à quelqu'un qui a une attitude négative envers les Canadiens-français, parce qu'il croit qu'ils sont tous pauvres, ignorants et paresseux. Ceux qui ont des attitudes souples et nuancées envers toutes sortes d'individus et de groupes sont ordinairement des gens qui ont beaucoup vécu, lu, etc.

B. Modifier la composante affective, en faisant en sorte que l'individu vive des expériences nouvelles et éprouve des sentiments différents lorsqu'il se trouve en présence de l'objet. Une seule expérience traumatisante (comme un viol) peut parfois modifier considérablement certaines attitudes en affectant fortement la composante affective ou émotionnelle.

C. Modifier la composante comportementale, en forçant les gens à agir à l'opposé de ce qu'ils seraient tentés de faire. Plusieurs auteurs (22) considèrent que ceci est la méthode la plus efficace de changer les attitudes. C'est également la méthode la plus populaire auprès des spécialistes en "dissonance cognitive". C'est en partie sur la base des recommandations de ces gens que le gouvernement américain a décidé d'imposer l'intégration raciale en 1964 par une série de mesures législatives: on force les Noirs et les Blancs à vivre ensemble, dans l'espoir qu'ils vont ainsi développer des attitudes positives les uns envers les autres, plutôt que de chercher à changer leurs attitudes dans l'espoir qu'ils se décideront ensuite à vivre ensemble!

Quelle que soit la composante que l'on cherche à atteindre, on voudra ordinairement le faire en communiquant avec des individus, en leur transmettant un message.

Comme certains éléments du processus de communication peuvent avoir un impact énorme sur le succès de la tentative de changement, il convient

---

(22) Par exemple, WALLACE, WOHLKING. "Attitudes Change, Behavior Change: The Role of the Training Department". ***California Management Review***, 1970, 13, 45-50.

de regarder ce processus et ses éléments d'un peu plus près. Il y a d'abord la "source" qui, par le moyen d'un "media" quelconque, transmet un "message" à un "auditoire"; pour que le message arrive à modifier l'attitude des membres de l'auditoire, il doit être "capté", "compris", "accepté" et "retenu". Voici un résumé de ce que nous savons de plus important sur deux de ces éléments: la source et le message.

1. ***La source.*** Les professeurs, les politiciens, les amis, les annonceurs de télévision, les journalistes sont tous des gens susceptibles de chercher à changer nos attitudes vis-à-vis une foule d'objets. Leur succès dépend en grande partie de certaines caractéristiques, non pas qu'ils possèdent, mais que nous leur attribuons: ici, comme dans bien d'autres situations, notre perception des autres est plus importante que ce qu'ils sont vraiment. Voici quelques-unes de ces caractéristiques:

a) **La compétence**, surtout lorsque la fonction de l'attitude qu'on veut changer en est une de connaissance et d'interprétation du monde qui nous entoure. Le conférencier qui présente une batterie de statistiques et de faits pertinents, nouveaux et intéressants, améliore certainement ses chances de changer les attitudes de son auditoire.

b) **Le pouvoir**, surtout lorsque l'attitude a une fonction utilitaire. Le patron qui est un maniaque de la propreté ou de l'exactitude réussira sans doute (à la longue) à transmettre ces attitudes à ses subalternes, surtout s'il exerce beaucoup d'influence sur les salaires, les promotions, les privilèges de toutes sortes.

c) **La ressemblance entre la source et l'auditoire**, surtout lorsque l'attitude a une fonction d'expression des valeurs personnelles. Plusieurs résultats de recherche démontrent que nous acceptons beaucoup mieux les messages de ceux que nous percevons comme "un copain", "un membre de l'équipe", "un gars de chez-nous". Si cet individu qui "nous comprend" et partage plusieurs de nos valeurs nous propose un certain virement dans nos attitudes, il y a de bonnes chances pour que nous le suivions. Ce n'est pas sans raison que les politiciens et les chefs syndicaux s'évertuent à répéter qu'ils "proviennent de la base", qu'ils sont "issus du peuple"!

d) **Le caractère aimable, attachant, sympathique de la source,** surtout s'il s'agit de changer des attitudes qui servent à la défense du moi. Il est important dans un tel cas que l'individu-cible sente qu'il peut faire confiance à la source et cela sera d'autant plus facile que celle-ci est perçue comme humaine, compréhensive, chaleureuse. Le conférencier qui se présente bien, qui respecte son auditoire, qui fait rire (et pleurer) les gens met toutes les chances de son côté.

2. ***Le message.*** En ce qui concerne le message, il faut distinguer deux choses: d'abord sa structure, ensuite son contenu.

a) **La structure du message.** De façon générale, ceci vise l'art de présenter, d'agencer, d'organiser un message, quel que soit son contenu spécifique. Plusieurs aspects de la structure ont fait l'objet d'études et on peut retenir les conclusions suivantes:

I- Lorsqu'une même personne présente "les deux côtés de la médaille" l'un à la suite de l'autre, les auditeurs ont tendance à être plus influencés par le premier argument que par le deuxième.

II- Lorsqu'on a deux messages à faire passer, un qui est agréable à l'auditoire et un autre qui ne l'est pas, il vaut mieux commencer par celui qui est agréable.

III- Lorsqu'on veut changer l'attitude d'un auditoire intelligent et éveillé, il vaut mieux présenter des arguments "contre" et des arguments "pour" la position qu'on suggère. Ce genre d'auditoire ne croit pas qu'une position qui est contraire à la leur puisse n'avoir que des avantages.

IV- Après avoir présenté plusieurs faits et arguments en faveur d'une position, il est plus avantageux de tirer une conclusion qui résume le tout que de ne pas le faire.

b) **Le contenu du message.** Il est difficile d'arriver à des conclusions assez précises, dans ce domaine, même si plusieurs sujets ont fait l'objet de recherches poussées:

I- Est-il préférable de "faire peur au monde" si on veut changer leurs attitudes? (par exemple, pour amener les gens à cesser de fumer, de gaspiller de l'énergie, de polluer l'environnement). La plupart des chercheurs répondent "oui" à cette question, preuves à l'appui. Certains croient, cependant, que si on essaie de faire "trop peur" (e.g. présenter des scènes horribles sur le cancer ou la pollution) les gens rejettent le message au complet: ils préfèrent oublier tout cela!

II- Le changement d'attitude obtenu est-il proportionnel à l'ampleur du changement proposé? Autrement dit, obtient-on plus en suggérant un changement énorme qu'un changement modéré? La réponse semble être "oui", sauf lorsque l'auditoire est émotionnellement impliqué, sûr de sa position et peu porté à faire confiance à l'orateur; dans ces trois cas, il vaut mieux y aller doucement!

4.3 CONCLUSION

A chaque jour, des centaines ou des milliers de personnes se présentent à la porte des organisations de ce pays pour offrir leurs services comme employés. En plus de leurs aptitudes, de leurs connaissances et de leurs habiletés (que l'employeur éventuel va tenter d'évaluer très soigneusement), ces personnes arrivent avec un bagage énorme de valeurs et d'attitudes, un bagage auquel l'agent de sélection ne prête souvent qu'une attention distraite. C'est peut-être beaucoup plus tard que l'entreprise s'apercevra que le nouvel employé ne veut rien savoir des ''valeurs de travail'' et qu'il entretient des ''attitudes négatives'' envers toute espèce d'autorité! En dehors de ces situations extrêmes, l'administrateur rencontrera continuellement des individus dont les valeurs et les attitudes affectent d'une manière plus ou moins positive ou négative le succès de l'organisation: un contremaître qui a une attitude autoritaire et méprisante envers les employés, un chef syndical qui ne partage pas du tout l'enthousiasme du Président pour l'efficacité et le profit, un directeur du personnel qui pense tellement aux ''valeurs humaines'' qu'il ne voit pas que l'organisation s'en va en faillite, un employé qui ne peut supporter les Italiens (ou les vieux, ou les gros, ou les diplômés universitaires, ou les femmes) de son département. Dans toutes ces situations, il sera utile de comprendre la nature et la dynamique des phénomènes étudiés ici.

SUJETS D'ÉTUDE ET DE DISCUSSION

1. Examinez attentivement et décrivez sur une feuille de papier vos propres attitudes vis-à-vis certains aspects du monde qui vous entoure: e.g. certaines organisations (comme l'Eglise catholique ou l'université à laquelle vous êtes inscrit), certaines institutions (comme le mariage ou le syndicalisme), certains individus ou groupes d'individus (comme un chef politique ou les chômeurs). Dans chaque cas, essayez de découvrir la ou les sources de votre attitude: une valeur profonde, une expérience personnelle avec "la chose", vos parents, vos amis, etc.

2. Certaines études semblent indiquer que les gens qui font un achat important (automobile, cuisinière, etc.) portent par la suite un intérêt considérable à la publicité qui vante les mérites de la marque qu'ils ont achetée. Expliquez ce phénomène à l'aide de la théorie de la dissonance cognitive.

3. Décrivez trois expériences que vous avez vécues et au cours desquelles vos comportements ont reflété exactement vos attitudes. Décrivez trois incidents où vos comportements cachaient vos véritables attitudes. Dans ce deuxième cas, expliquez pourquoi vous avez agi ainsi.

4. Rattachez quelques-unes de vos attitudes à chacune des quatre "fonctions des attitudes" décrites dans ce chapitre.

5. Comment pourriez-vous améliorer l'attitude de vos collègues de l'université ou du bureau envers:

   a) les étrangers avec qui ils étudient ou travaillent?

   b) les syndicats?

   c) les cadres supérieurs de l'organisation?

   d) les assistés sociaux?

   e) les handicapés?

   f) les Marxistes-Léninistes?

BIBLIOGRAPHIE SUPPLÉMENTAIRE

AJZEN, I. et FISHBEIN, M. "The Prediction of Behavioral Intentions in a Choice Situation". ***Journal of Experimental Social Psychology***, 1969, 5, 400-416.

BLOOD, M.R. "Work Values and Job Satisfaction". ***Journal of Applied Psychology***, 1969, 53, 456-459.

BEER, P.E. et LOCKE, E.A. ***Task Experience as a Source of Attitudes***. Homewood, Illinois: Dorsey, 1965.

BUCKHOUT, R. "Change in Heart Rate Accompanying Attitude Change". ***Journal of Personality and Social Psychology***, 1966, 4, 695-699.

CALDER, B.J. et ROSS, M. ***Attitudes: Theories and Issues***. Morristown, N.J.: General Learning Press, 1976.

COHEN, A.R. "Attitudinal Consequences of Induced Discrepancies Between Cognitions and Behavior". ***Public Opinion Quarterly***, 1960, 24, 297-318.

CONNOR, E.P. et BECKER, B.W. "Values and the Organization: Suggestions for Research". ***Academy of Management Journal***, 1975, 18, 550-561.

ENGLAND, G.W. et LEE, R. "The Relationship Between Managerial Values and Managerial Success in the United States, Japan, India and Australia". ***Journal of Applied Psychology***, 1974, 59, 411-419.

ENGLAND, G.W. "Personal Value Systems of Managers and Administrators". ***Proceedings of the Academy of Management***, 1974, 81-88.

FELDMAN, S. ***Cognitive Consistency***. New York: Academic Press, 1966.

FISHBEIN, M. (ed.). ***Readings in Attitude Theory and Measurement***. New York: Wiley, 1967.

GRISÉ, J. "Nouveaux Aspects de la Science du Comportement; 1 - Le domaine et son évolution". ***Commerce***. Décembre 1974, 30-36.

HENDERSON, E.H., et al. "Self-other Orientations of French and English Canadian Adolescents". ***Canadian Journal of Psychology***, 1970, 24, 142-152.

HERZBERG, F. "New Perspectives on the Will to Work". ***Management Review***, (Novembre 1974), 52 54.

MANKOFF, A.W. "Values - Not Attitudes - Are the Real Key to Motivation". ***Management Review***, (Décembre 1974), 23—29.

MAURER, J.G. "Work as Central Life Interest of Industrial Supervisors". ***Academy of Management Journal***, 1968, 11, 329-339.

McGUIRE, W.J. "The Nature of Attitudes and Attitude Change" dans G. Lindzey et E. Aronson (eds). ***The Hand book of Social Psychology***. Cambridge, Mass.: Addison-Wesley, 1969, 136-314.

MIRELS, H.L. et GARRETT, J.B. "The Protestant Ethic as a Personality Variable". ***Journal of Consulting and Clinical Psychology***, 1971, 36, 40-44.

NIGHTINGALE, D.V. et TOULOUSE, J.M. "Values, Structure, Process and Reactions/Adjustments: A Comparison of French - and English - Canadian Industrial Organizations". ***Revue canadienne des sciences du comportement***, 1977, 9, 37-48.

OSTROM, T.M. "The Relationship Between the Affective, Behavioral and Cognitive Components of Attitude". ***Journal of Experimental Social Psychology***, 1969, 5, 12-30.

PENNINGS, J.M. "Work-Value Systems of White-Collar Workers". ***Administrative Science Quarterly***, 1970, 15, 397-405.

SCHEIN, E.H. "The Chinese Indoctrination Program for Prisoners of War". ***Psychiatry***, 1956, 19, 149-172.

SCOTT, W.A. "Cognitive Complexity and Cognitive Balance". ***Sociometry***, 1963, 26, 66-74.

SIKULA, A.F. "Values and Value Systems: Relationship to Personal Goals". ***Personal Journal***, 1971, 50, 310-312.

STAW, B. "Attitudinal and Behavioral Consequences of Changing a Major Organizational Reward: A Natural Field Experiment". ***Journal of Personality and Social Psychology***, 1974, 29, 742-751.

TRIANDIS, H.C. et VASSILIOU, V. "Frequency of Contact and Stereotyping". ***Journal of Personality and Social Psychology***, 1967, 7, 316-328.

TRIANDIS, H.C. ***Attitude and Attitude Change***. New York: Wiley, 1971.

WEBER, M. ***The Protestant Ethic and the Spirit of Capitalism***. New York: Scribner, 1958.

CHAPITRE 5

LA MOTIVATION*

5.1 INTRODUCTION

5.1.1 La motivation: deux points de vue

Pour l'administrateur, un employé "motivé" est un employé qui désire réellement accomplir son travail de la meilleure façon possible et qui le démontre par ses efforts, sa collaboration, sa ponctualité, son dévouement, etc. Ce type de motivation comprend donc deux aspects: un aspect purement psychologique que nous ne pouvons pas observer directement (le désir, l'intention, la volonté de bien faire) et un aspect plus concret et plus facilement observable (l'effort sous toutes ses formes). **Pour le psychologue**, le mot motivation prend un sens beaucoup plus large puisqu'il se réfère à tous les comportements humains qui sont orientés vers un objectif et qui sont volontaires, c'est-à-dire qui ne sont pas purement automatiques comme certains réflexes du genou et de la pupille. De façon plus précise, les psychologues cherchent à expliquer pourquoi un individu fait quelque chose plutôt que de ne rien faire, pourquoi il fait A plutôt que B, pourquoi il met une grande intensité dans certains actes et très peu dans d'autres, pourquoi il poursuit ou cesse une activité quelconque. Bien que la motivation au travail constitue notre principal intérêt dans ce chapitre, nous devrons évidemment prêter attention au phénomène de la motivation en général, puisque la première n'est qu'un aspect spécifique de la seconde.

5.1.2 Le processus de la motivation

De façon très générale, le processus fondamental de la motivation est le suivant: à cause d'un besoin insatisfait (e.g. le besoin de nourriture), un individu ressent une certaine tension, un certain inconfort (la faim), ce qui le pousse à faire quelque chose (s'extirper de son fauteuil et se rendre jusqu'au réfrigérateur), en vue d'atteindre un certain objectif (engloutir un demi-jambon cuit) qui satisfait le besoin, diminue la tension et ramène l'individu à son point de départ (le fauteuil!), jusqu'à ce que le cycle recommence. Ce processus est illustré dans le tableau 1. Pour appliquer ceci au monde du travail, il suffirait de remplacer certains mots par d'autres dans l'exemple, i.e. écrire "besoin d'argent" au lieu de "besoin de nourriture", "fournir un rendement élevé" au lieu de "s'extirper de son fauteuil", "obtenir une augmentation de salaire" au lieu de "engloutir un demi-jambon". Dans les deux cas, le processus fondamental reste le même.

*Chapitre rédigé par Jean-Louis Bergeron.

TABLEAU 1: Le processus fondamental de la motivation

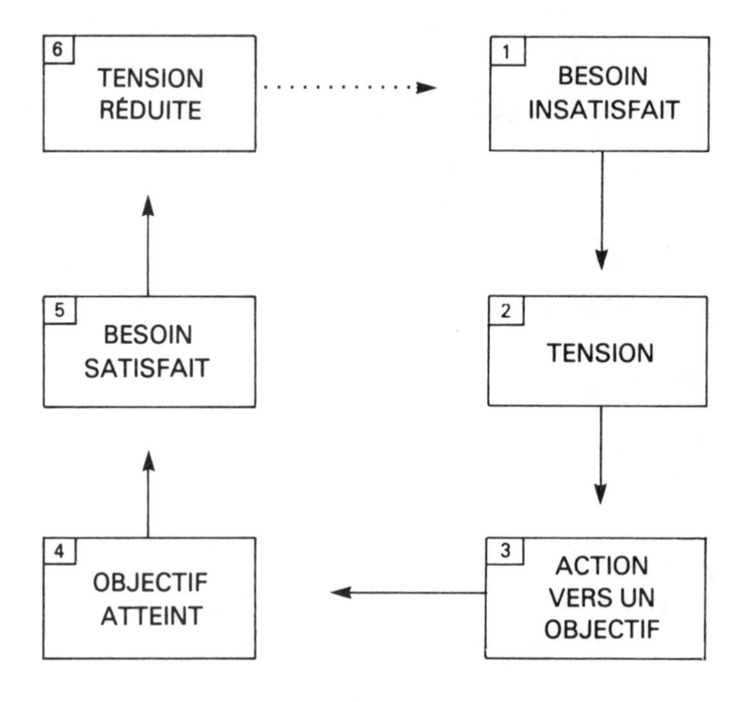

5.1.3 Les théories de la motivation

Les théories de la motivation peuvent être classées en deux groupes. Le premier groupe comprend plusieurs tentatives d'énumérer, de définir et de classifier les principales forces internes qui entraînent l'individu à agir; c'est ce que certains auteurs américains appellent "content theories", et que nous nommerons ici "théories des besoins de l'être humain". Dans un deuxième groupe, il faut inclure des théories qui visent à expliquer comment ces forces internes ou besoins interagissent avec l'environnement pour amener l'individu à faire une chose plutôt qu'une autre et à agir avec intensité plutôt qu'avec nonchalance. Le terme anglais "process theories", qui s'applique à ce deuxième groupe, sera traduit ici par "théories des processus de motivation". Dans ce chapitre, nous verrons deux théories du premier groupe et cinq du deuxième groupe.

5.2 THÉORIES DES BESOINS DE L'ÊTRE HUMAIN

Les forces internes qui poussent l'être humain à agir (appelées besoins, instincts, désirs, tendances, etc. selon les auteurs et les époques) ont fait l'objet d'un grand nombre de spéculations et de controverses depuis le début du siècle. Comme il ne saurait être question ici d'approfondir des problèmes aussi complexes que le nombre et la nature exacte des besoins, nous allons nous en tenir à quelques auteurs (et à quelques besoins) bien connus dans le domaine de la motivation au travail.

5.2.1 David McClelland

a) *Le besoin d'accomplissement: définition et mesure*

Professeur de psychologie à Harvard, cet auteur est surtout connu pour ses immenses travaux sur le besoin d'accomplissement et sur l'influence de ce besoin sur la prospérité économique des nations [1]. Le besoin d'accomplissement se définit comme une disposition permanente de la personnalité qui pousse l'individu à tendre vers la réussite et le dépassement dans des situations où le rendement peut être évalué en fonction de certains standards d'excellence. Pour démontrer l'existence de ce besoin, McClelland procéda de la façon suivante:

1. un groupe expérimental de jeunes Américains fut amené à croire qu'un certain test qu'il devait passer mesurait l'intelligence et le leadership, deux qualités hautement évaluées dans la culture américaine;
2. leur "besoin d'accomplissement" ayant été ainsi stimulé, les membres de ce groupe furent appelés par la suite à composer des petites histoires ou anecdotes suggérées par certaines images projetées sur un écran, pendant quelques secondes;
3. un groupe de contrôle dont le besoin d'accomplissement n'avait pas été stimulé fut lui aussi appelé à inventer des histoires à partir des mêmes images;
4. les anecdotes des deux groupes furent comparées et l'on découvrit que celles du groupe expérimental comprenaient beaucoup plus de références à l'effort, au risque calculé, aux défis que l'on relève, à des concurrents que l'on veut vaincre, à un niveau d'excellence que l'on veut atteindre, etc.

Le nombre d'item de ce genre qu'un individu insère dans l'histoire qu'il invente au sujet de ces images alors qu'il se trouve dans une situation normale (i.e. non stimulée) devait, par la suite, servir de mesure du besoin d'accomplissement dans la population en général.

b) *Caractéristiques associées à un haut besoin d'accomplissement*

Plusieurs dizaines d'études ont été faites pour comparer sur divers points ceux qui ont un besoin élevé d'accomplissement à ceux qui en ont peu. De façon générale, les premiers possèdent les caractéristiques ou démontrent les comportements suivants:

1. ils proviennent de la classe moyenne plutôt que des classes très riches ou très pauvres;

---

(1) McCLELLAND, D.C. ***The Achieving Society***. New York: The Free Press, 1961; "Business Drive and National Achievement". ***Harvard Business Review***, 1962, 40 (4), 99-112.

2. ils sont plus actifs (plus impliqués) que les autres dans les activités de leur collège et de leur communauté;

3. lorsqu'ils ont une tâche à accomplir, ils préfèrent s'associer à un expert plutôt qu'à un ami;

4. ils sont plus en mesure que d'autres de résister aux pressions sociales de leur entourage;

5. leur rendement est meilleur que celui des autres dans une tâche qui présente un défi et une chance de dépassement, mais il n'est pas meilleur que celui des autres dans une tâche routinière et sans difficulté;

6. ils préfèrent accomplir le travail eux-mêmes plutôt que de le déléguer aux autres;

7. ils aiment recevoir un feed-back précis sur leur rendement;

8. ils préfèrent une tâche qu'ils ont environ 50 chances sur 100 de réussir plutôt qu'une tâche trop facile ou trop difficile (parce que dans ces deux derniers cas la tâche ne constitue pas un test valable de leurs capacités);

9. ils se dirigent souvent vers le monde des affaires (surtout dans la petite et moyenne entreprise), car cet environnement est très propice à la satisfaction de leur besoin;

10. ils recherchent le succès non pas tellement pour les avantages matériels qu'il apporte que pour la satisfaction personnelle qu'ils ressentent à vaincre tous les obstacles (et tous les concurrents).

c) *Origine du besoin d'accomplissement*

Les sources ou les causes du besoin d'accomplissement ont également fait l'objet de nombreuses recherches (2). Les résultats actuels indiquent que l'influence des parents à cet égard est primordiale. Par contraste avec les autres parents, ceux dont les enfants ont un besoin d'accomplissement élevé (mesuré vers l'âge de 10 ans) possèdent les caractéristiques suivantes:

1. ils sont plus compétitifs et démontrent eux-mêmes un haut besoin d'accomplissement;

2. ils (mais surtout le père) entraînent l'enfant à faire preuve d'indépendance et d'initiative, à prendre ses propres décisions et à en subir les conséquences heureuses ou malheureuses;

---

(2) ROSEN, B.C. et D'ANDRADE, R. "The Psychosocial Origins of Achievement Motivation". ***Sociometry***, 1959, 22, 185-218; WINTERBOTTOM, M.R. "The Relation of Need for Achievement to Learning Experiences in Independence and Mastery" dans: J.W. Atkinson. (ed). ***Motives in Fantasy, Action, and Society***. Princeton, N.J.: Van Nostrand, 1958.

3. ils (mais surtout la mère) exigent que l'enfant réussisse mieux que les autres, qu'il se fixe et qu'il atteigne des objectifs réalisables mais exigeants;
4. ils prennent beaucoup d'intérêt à ce que fait l'enfant, l'encouragent et le supportent lorsqu'il en a besoin, le félicitent chaudement ou le blâment sans détour lorsqu'il le mérite;
5. ils sont convaincus que leur enfant est capable de très bien réussir dans divers domaines et lui communiquent cette confiance en soi.

Notons enfin (pour ceux qui n'auraient pas eu des parents comme cela!) que McClelland et ses collègues ont mis sur pied un programme intensif de formation pour augmenter le besoin d'accomplissement des dirigeants d'entreprise; ce programme a été donné à plusieurs reprises (notamment en Inde et au Mexique) avec des résultats positifs (3).

Les gens qui construisent des anecdotes à partir des images que leur montre McClelland peuvent démontrer jusqu'à quel point ils possèdent deux autres besoins: le besoin de pouvoir et le besoin d'affiliation.

d) ***Le besoin de pouvoir***

Le besoin de pouvoir, défini comme le désir d'influencer les autres, d'exercer un impact sur les gens et les événements, pourrait bien s'avérer crucial pour le succès dans la grande entreprise (en autant qu'il est discipliné et orienté vers le bien de l'organisation et non pas principalement vers celui de l'administrateur lui-même). Dans une étude récente (4), McClelland a trouvé que 73% des meilleurs administrateurs d'une grande entreprise avaient un besoin de pouvoir très élevé. Selon l'auteur, "ils s'intéressent non pas aux gens mais bien à la discipline et aux résultats; leurs subalternes ont un excellent moral, quoi qu'en dise McGregor". Ces "chercheurs de pouvoir" (efficaces et aimés) démontrent également les caractéristiques suivantes:

1. ils ont foi au système hiérarchique tel qu'il existe presque partout dans les entreprises capitalistes d'Amérique du Nord;
2. ils considèrent que l'entreprise est plus importante que ses membres;
3. ils aiment le travail et la discipline qu'il impose;
4. ils sont prêts à sacrifier leur intérêt personnel pour le bien de l'entreprise;
5. ils veulent être justes et donner une chance égale à tous (ce qui les amène à ne pas se laisser attendrir par les demandes et les plaintes de certains subalternes qui veulent un traitement de faveur);

---

(3) McCLELLAND, D.C. "Toward a Theory of Motive Acquisition". ***American Psychologist***, 1965, 20, 321-333.

(4) McCLELLAND, D.C. et BURNHAM, D.H. "Power is the Great Motivator". ***Harvard Business Review***, Mars-avril 1976, 100-110.

6. ils exercent leur pouvoir à l'intérieur d'un style ou sous une forme plus démocratique qu'autoritaire: ils cherchent à influencer les autres par la persuasion, l'exemple, l'enthousiasme et un sentiment de direction compétente plutôt que par des ordres directs ou des mesures disciplinaires.

e) ***Le besoin d'affiliation***

Le besoin d'affiliation se définit comme le désir d'établir, de maintenir ou de rétablir une relation affective positive avec une autre personne. C'est le mot amitié qui décrit le mieux une telle relation, quoi que par extension on puisse inclure le désir d'être aimé, accepté, pardonné, admiré par les autres. Devant une tâche à accomplir, les gens qui possèdent ce besoin à un niveau élevé préfèrent travailler avec un ami plutôt qu'avec un expert. Bien que McClelland lui-même n'ait pas effectué autant de travaux sur ce besoin que sur les deux premiers, plusieurs autres chercheurs ont démontré l'existence et l'importance primordiale de ce besoin chez l'être humain. Nous savons, par exemple, qu'il se manifeste de façon beaucoup plus marquée lorsque l'individu se trouve dans une situation de stress ou d'anxiété [5].

5.2.2 Abraham Maslow

Dans le domaine des sciences humaines appliquées à l'organisation, il y a une demi-douzaine de grandes "vedettes", des auteurs dont les noms sont connus par des dizaines de milliers d'administrateurs à travers le monde; Maslow est un de ceux-là. La théorie qui l'a rendu aussi célèbre comprend deux éléments distincts: une classification des besoins humains en cinq catégories et le principe d'une hiérarchie entre ces cinq catégories.

a) ***Classification des besoins humains***

Selon Maslow, les besoins fondamentaux de l'être humain peuvent être regroupés dans les catégories suivantes:

1. ***Les besoins physiologiques:*** avoir des relations sexuelles, manger, boire, dormir, respirer, faire de l'exercice, se reposer, se loger, se vêtir.
2. ***Les besoins de sécurité***: se sentir raisonnablement à l'abri des menaces et des dangers présents et futurs; vivre sans peur, dans un environnement protecteur, sûr, ordonné, structuré, stable, prévisible (et non pas menaçant, anarchique, insécure); avoir une philosophie ou une religion qui permet de donner un sens aux choses et aux événements.
3. ***Les besoins d'appartenance et d'amour:*** donner et recevoir de l'affection, de l'amitié, de l'amour; avoir des contacts intimes et enrichissants avec des amis, un conjoint, des parents, des enfants; faire partie intégrante de

---

(5) SCHACHTER, S. ***The Psychology of Allifiation***. Stanford, Californie: Stanford University Press, 1959.

groupes cohésifs et où on se sent accueilli à bras ouverts: un club, une équipe, des collègues de travail, un clan, une tribu, une "gang"; ne pas être seul, rejeté, étranger, oublié.

4. ***Les besoins d'estime:*** qui se divisent en deux blocs:
   I. **Estime de soi par soi:** le besoin de s'aimer soi-même, d'être fier de ce qu'on est et de ce qu'on fait; le besoin de se sentir fort, compétent, indépendant des autres, capable de faire face au monde et à la vie, capable de réussir ce qu'on entreprend.
   II. **Estime de soi par les autres:** le besoin d'être respecté et admiré par les autres; le besoin d'avoir un certain prestige, une bonne réputation, un statut social élevé; le besoin d'être félicité, apprécié, reconnu.

5. ***Les besoins d'actualisation***: utiliser et développer tout notre potentiel et tous nos talents; devenir tout ce qu'on est capable de devenir; mettre à contribution tous les éléments de notre personnalité: intelligence, imagination, aptitudes et habiletés diverses, capacités physiques et autres; croître, grandir, s'améliorer de toutes les façons possibles. Tous les besoins sont résumés dans le tableau 2, avec une indication très approximative de leur niveau de satisfaction dans le monde moderne, indication suggérée par Maslow lui-même (mais jamais vérifiée...).

TABLEAU 2: Hiérarchie des besoins selon Maslow et niveau "probable" de leur satisfaction dans le monde industrialisé

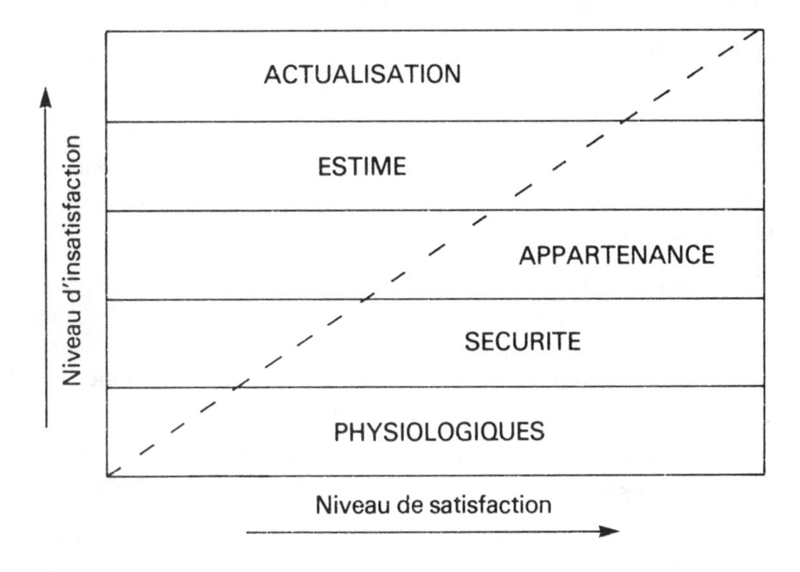

b) ***La hiérarchie des besoins***

La classification présentée ci-haut respecte l'ordre hiérarchique suggéré par Maslow, une hiérarchie qui va des besoins "inférieurs" (les plus concrets et terre-à-terre mais aussi les plus puissants et les plus prêts à se manifester) jusqu'aux besoins "supérieurs" (plus abstraits, moins prompts à se manifester). Ce principe d'une hiérarchie des besoins est un élément essentiel de la théorie de la motivation de Maslow, laquelle comprend les propositions suivantes:

1. L'être humain est "motivé" par le désir de satisfaire ses besoins: c'est ce qui le pousse à agir.
2. Un besoin satisfait ne constitue donc pas une source ou un facteur de motivation.
3. Lorsqu'un besoin (surtout l'un des trois premiers) est gravement insatisfait, il prend toute la place et fait oublier tous les autres: l'homme qui crève de faim ne "pense qu'à çà"!
4. L'individu dont tous les besoins seraient insatisfaits serait motivé d'abord (et uniquement) par les besoins inférieurs, selon l'ordre dans lequel ils apparaissent.
5. Il faut qu'un besoin inférieur soit relativement satisfait avant que le besoin qui est au-dessus de lui dans la hiérarchie ne devienne une force prépondérante et motivante.
6. La satifaction d'un besoin inférieur enlève donc un élément moteur ou motivateur, mais elle ouvre la voie à un autre besoin qui prend (automatiquement quoique graduellement) sa place comme source de motivation.

Voici quelques remarques supplémentaires (et parfois oubliées) au sujet de Maslow:

1. Il a reconnu la possibilité de nombreuses exceptions à la hiérarchie proposée. Il mentionne, par exemple, le cas de certains individus dont les besoins d'estime ou d'actualisation sont prépondérants même lorsque leurs besoins inférieurs ne sont pas satisfaits.
2. Il admet que "la vie (un milieu dur et sans amour, le chômage, un travail extrêmement monotone ou épuisant) peut "tuer" les besoins supérieurs de certains individus et les amener à ne rechercher que des satisfactions très primaires. Vivre dans la pauvreté et l'insécurité pendant des années pourrait également amener une "fixation" au niveau des besoins inférieurs.
3. Il considère que chez la plupart des gens, les besoins (surtout supérieurs) dont il parle existent de façon subconsciente plutôt que consciente.
4. Il ne prétend pas que sa hiérarchie s'applique à toutes les cultures, mais il croit tout de même que l'être humain possède plusieurs traits et besoins fondamentaux et identiques, cachés sous une foule de différences superficielles.
5. Ses derniers écrits suggèrent que le besoin d'actualisation, loin de disparaître ou de diminuer lorsqu'on le satisfait, peut au contraire augmenter dans la

proportion même où il est comblé: plus l'homme se réalise, plus il a envie de le faire!

6. Il s'est longuement attaché à décrire deux autres besoins, mais sans se décider à les inclure dans sa liste des besoins fondamentaux: I. Les besoins "cognitifs" (explorer, connaître, comprendre, expliquer le monde qui nous entoure); II. Les besoins "esthétiques" (vivre dans un monde de beauté, d'harmonie, d'ordre) (6).

c) *Recherches et critiques*

Si la théorie de Maslow a été reçue avec un tel enthousiasme, c'est uniquement à cause de sa logique apparente et de sa capacité de structurer et de simplifier un domaine extrêmement complexe, celui des besoins de l'être humain. Publiée pour la première fois en 1943, cette théorie n'a en effet été soumise à diverses tentatives de vérifications empiriques que vers la fin des années 60, alors qu'elle était déjà très connue à travers le monde et ce depuis une dizaine d'années! Une étude approfondie des recherches qui ont porté sur cette théorie nous force (malheureusement!) à admettre qu'elle n'est que très rarement supportée par les résultats (7). Aucune étude, par exemple, n'a pu confirmer que les besoins de l'être humain se classent vraiment en cinq catégories. En fait, les recherches semblent plutôt favorables à une classification en deux catégories (les besoins "inférieurs": physiologiques, sécurité, appartenance et les besoins "supérieurs": estime et actualisation) ou en trois classes (les besoins reliés à "l'existence": physiologiques et sécurité, les besoins reliés aux "relations": appartenance et estime, les besoins reliés à la "croissance": actualisation (8)). Il n'est pas possible non plus de trouver des résultats de recherche qui démontrent la réalité de la hiérarchie suggérée par Maslow, i.e. qui prouvent que la satisfaction d'un besoin inférieur est suffisante et nécessaire à l'activation d'un besoin supérieur et que les besoins apparaissent dans l'ordre indiqué par Maslow. Notons, cependant, que cette absence de résultats favorables à Maslow ne suffit pas à prouver la non-validité de sa théorie; en fait, il s'agit d'une théorie qui ne peut pratiquement pas être "testée", surtout à cause de l'ambiguïté qui entoure ses concepts et ses propositions. Elle demeure malgré tout un magnifique "édifice" qui présente une vue possible de l'être humain et qui a amené des milliers d'administrateurs à réfléchir sur l'importance des besoins sur la motivation.

---

(6) MASLOW, A.H. ***Motivation and Personality***. New York: Harper, 1970.

(7) HALL, D.T. et NOUGAIM, K.E. "An Examination of Maslow's Need Hierarchy in an Organizational Setting". ***Organizational Behavior and Human Performance***, 1968, 3, 12-35; WAHBA, M.A. et BRIDWELL, L.G. "Maslow Reconsidered: a Review of Research on the Need Hierarchy Theory". ***Organizational Behavior and Human Performance***, 1976, 15, 212-240.

(8) ALDERFER, C.P. "An Empirical Test of a New Theory of Human Needs". ***Organizational Behavior and Human Performance***, 1969, 4, 142-175; ***Existence, Relatedness, and Growth***. New York: The Free Press, 1972.

Parmi les autres "besoins" qui ont été identifiés ou suggérés par divers auteurs, mais que nous ne ferons que nommer ici, il faut noter: le besoin d'activité ou de stimulation (9), le besoin de compétence ou de contrôle de son environnement (10), le besoin d'autonomie ou de manoeuvre (11). La liste pourrait s'allonger...

5.3 THEORIES DES PROCESSUS DE MOTIVATION

Sans nier l'importance des besoins et autres forces internes, les théories qui suivent s'attachent davantage à la situation dans laquelle l'individu se trouve et à l'interdépendance entre les besoins et divers aspects de l'environnement. Elles cherchent à répondre à des questions comme celles-ci:

1. S'il est vrai que les êtres humains partagent un certain nombre de besoins et donc d'objectifs (e.g. manger ou se réaliser), comment se fait-il qu'ils se comportent de façon aussi différente dans la recherche de ces objectifs (pour manger: travailler vs voler, vs mendier; pour se réaliser: faire de la céramique vs construire un yatch, vs écrire un livre)?
2. Pourquoi certaines activités sont-elles accomplies avec vigueur, enthousiasme et "motivation", alors que d'autres sont faites avec mollesse et indifférence?

5.3.1 La théorie du renforcement

a) *Principe de base*

Cette théorie, utilisée aussi souvent pour expliquer les phénomènes de l'apprentissage que ceux de la motivation, découle d'une tradition de recherche presque centenaire et est appuyée par des millions d'observations faites en laboratoire... sur des animaux (12). Son principe de base apparaît extrêmement simple: tout comportement qui est suivi par une conséquence heureuse aura tendance à être répété. Le comportement est donc perçu comme une fonction de

---

(9) SCOTT, W.E. "Activation Theory and Task Design". ***Organisational Behavior and Human Performance***, 1966, 1, 3-30.

(10) WHITE, R.W. "Motivation Reconsidered: The Concept of Competence". ***Phychological Review***, 1959, 66, 297-333.

(11) HARRELL, T. et ALPERT, B. "The Need for Autonomy Among Managers". ***Academy of Management Review***, 1979, 4, 259-267.

(12) SKINNER, B.F. ***Science and Human Behavior***. New York: MacMillan, 1953; BANDURA, A. ***Principles of Behavior Modification***. New York: Holt, Rinehart et Winston, 1969; KAZDIN, A.E. ***Behavior Modification in Applied Settings***. Homewood, Illinois: The Dorsey Press, 1975; LUTHANS, F. et KREITNER, R. ***Organizational Behavior Modification***. Glenview, Illinois: Scott, Foresman, 1975.

ses conséquences, ce qui implique que nous pouvons le contrôler en manipulant celles-ci. L'illustration classique de cette loi est la suivante: un animal affamé placé dans une cage explore celle-ci dans tous les sens et, ce faisant, accomplit un très grand nombre de gestes divers; au hasard de ses pérégrinations, il en vient à poser la patte sur un levier qui ouvre une trappe et laisse tomber une certaine quantité de nourriture; lorsque, plus tard, l'animal sera à nouveau placé dans la même cage, il aura tendance à répéter, avec de moins en moins d'hésitation ou de tâtonnements, le geste qui a été récompensé dans le passé; à la longue, ce geste deviendra automatique et tous les autres gestes possibles auront pratiquement disparu de son répertoire: dès qu'il sera placé dans la cage, il se dirigera à toute vitesse vers le levier et actionnera celui-ci. Cet exemple nous aide à bien comprendre les trois principaux éléments de la théorie: un stimulus (la cage), une réponse (le fait de peser sur un levier), un renforcement (la nourriture).

En dépit de son apparente simplicité, la théorie du renforcement comporte un grand nombre de points qui demandent à être explicités davantage.

b) ***Création d'un lien stimulus → comportement***

La conséquence du comportement crée un lien "automatique" entre le stimulus et le comportement et non pas un lien "rationnel" entre le comportement et la conséquence. C'est parce qu'il est placé dans la cage (stimulus) que l'animal décrit plus haut est porté à peser sur le levier (réponse); sa motivation ne vient donc pas de ce qu'il raisonne et se dit "si je pèse sur le levier (comportement), je vais avoir de la nourriture (conséquence)". De la même façon, un bébé de trois mois que sa mère va cajoler dans son lit à chaque fois qu'il pleure finit par pleurer dès qu'il est placé dans son lit; ce n'est pas parce qu'il réfléchit, pense aux conséquences de ses gestes et associe "pleurer maintenant" avec "maman-cajoleries plus tard", mais bien parce qu'il associe "lit" (stimulus) avec "pleurer" (réponse), une association qui a été créée et renforcie par les cajoleries (renforcement) que la mère lui prodiguait à chaque fois qu'il pleurait dans son lit.

c) ***Moyens d'affecter le comportement***

On reconnaît généralement quatre façons d'affecter les conséquences d'un comportement pour influencer sa fréquence et/ou son intensité:

1. le renforcement positif, i.e. le fait d'accorder une récompense à la suite du comportement désiré (et, ce qui est aussi important, de ne jamais accorder cette récompense lorsque le comportement désiré ne s'est pas produit);

2. le renforcement négatif, i.e. le fait de faire cesser une condition désagréable en récompense à un comportement que l'on veut encourager, par exemple: cesser d'exercer une surveillance constante, étroite et humiliante sur un employé dès que celui-ci manifeste un peu plus de compétence ou de bonne volonté;

3. la punition, i.e. le fait de faire suivre par une conséquence désagréable un comportement que l'on veut éliminer; notons ici que cette conséquence désagréable peut être la cessation d'une chose agréable, e.g. couper l'allocation hebdomadaire d'un adolescent lorsqu'il se montre impoli envers ses parents;

4. l'extinction, i.e. le fait d'ignorer complètement un comportement non désiré, c'est-à-dire de ne le faire suivre ni d'une conséquence heureuse ni d'une conséquence malheureuse, par exemple: ne porter aucune attention à un élève qui "fait le fou" en classe, jusqu'à ce qu'il se lasse et cesse de lui-même.

d) ***Note sur les punitions et les récompenses***

Bien que la punition soit souvent le premier moyen de contrôle qui nous vienne à l'esprit lorsque nous voulons influencer un comportement, cette méthode est rarement recommandée, pour plusieurs raisons:

1. elle crée souvent de l'antagonisme et de la rancune envers celui qui punit;

2. elle amène l'abandon de certains comportements négatifs, mais ne favorise pas nécessairement l'adoption de comportements positifs;

3. elle peut parfois renforcer le comportement que l'on veut éliminer, e.g. lorsqu'un enfant aime à être puni parce que cela attire l'attention de sa maîtresse sur lui et en fait une sorte de héros auprès de ses camarades;

4. elle exige un système fermé, i.e. un environnement (école, famille, entreprise) dont les individus ne peuvent pas s'échapper facilement.

La méthode la plus fortement recommandée est le renforcement positif ou l'octroi de récompenses. Bien que les auteurs soient loin d'être d'accord sur ce que l'on doit entendre généralement par "récompense", plusieurs divisent celles-ci en deux catégories:

1. les récompenses primaires ou non conditionnées, i.e. celles qui satisfont un besoin naturel et inné: la nourriture, l'eau, la chaleur, etc.;

2. les récompenses secondaires ou conditionnées, i.e. celles qui sont désirées parce que dans notre expérience elles ont souvent été associées aux récompenses primaires: l'argent, les promotions, les félicitations, etc. Plus récemment, d'autres ont suggéré la classification suivante: sont des récompenses les "choses" qui:

   i) satisfont, directement ou indirectement, un besoin vital et primaire de l'organisme (e.g. la nourriture, l'argent);

   ii) permettent de diminuer un état de tension dans l'organisme (e.g. un jeu calme, une cigarette, une période de repos);

   iii) permettent de stimuler le système nerveux (e.g. un jeu violent, une activité intense à la suite d'une période d'inaction, un travail varié et complexe).

e) ***Les divers modes de renforcement positif***

Des milliers d'expériences de laboratoire ont porté sur les programmes de renforcement positif, i.e. sur la façon idéale de récompenser un comportement désiré. Ces programmes se divisent d'abord en deux grandes catégories:

1. le renforcement continu: chaque manifestation du comportement désiré est suivie d'une récompense;
2. le renforcement partiel: seulement certaines manifestations du comportement désiré sont récompensées. Le renforcement partiel, quant à lui, se présente sous diverses formes:
   i) renforcement à intervalle fixe: on renforce à chaque fois qu'une période précise de temps s'est écoulée (e.g. le paiement d'un salaire de $300.00 à tous les vendredis);
   ii) renforcement à intervalle variable: le temps écoulé entre deux renforcements peut varier beaucoup autour d'une certaine moyenne (e.g. le patron fait une tournée d'usine par semaine, en moyenne, mais il peut venir deux jours de suite ou être deux semaines sans venir);
   iii) renforcement à ratio fixe: le renforcement a lieu dès qu'un nombre précis et invariable de manifestations du comportement a été atteint (e.g. le joueur de hockey reçoit un boni à chaque fois qu'il compte 25 buts);
   iv) renforcement à ratio variable: la récompense est donnée après un certain nombre de manifestations du comportement, mais ce nombre varie entre chaque renforcement, autour d'une moyenne (e.g. le joueur qui place des pièces de monnaie dans une machine à sous).

L'évaluation de l'efficacité de ces méthodes dépend évidemment des objectifs visés. Le renforcement continu est idéal pour créer très rapidement l'habitude d'un certain comportement, mais le comportement ainsi enseigné s'éteint tout aussi vite lorsque l'on cesse de le récompenser. Pour maintenir pendant longtemps un comportement désiré, la méthode de renforcement à ratio variable n'a pas d'égale, comme peuvent en témoigner les milliers de touristes qui ont perdu une petite fortune dans les "one-armed bandits" de Las Vegas!

f) ***Application en milieu de travail***

L'application consciente de cette théorie au monde du travail ne s'est pas faite sans opposition, même si dans les faits les principaux moyens de motivation qu'elle suggère (récompenser ce que l'on aime, punir ou ignorer ce que l'on déteste) sont utilisés sans arrêt depuis que certains êtres humains essaient d'en influencer d'autres. La cause majeure de cette réticence tient aux faits que:

1. la théorie découle de recherches faites presqu'exclusivement avec des animaux et
2. l'être humain aime mieux percevoir ses semblables (et lui-même par consé-

quent) comme rationnels et maîtres d'eux-mêmes que comme "conditionnés" par leur environnement.

Il n'est donc pas surprenant que les premières applications de cette théorie aient eu lieu (avec un succès considérable d'ailleurs) dans des institutions pour malades mentaux et dans des écoles pour enfants déficients, ces êtres humains étant sans doute perçus comme plus près des animaux que l'adulte moyen normal!

C'est d'abord par le biais de l'enseignement programmé et des diverses "machines à apprendre" que le renforcement a fait son apparition dans l'entreprise industrielle: ces méthodes, livres ou machines, "récompensent" l'étudiant à chaque fois qu'il donne une bonne réponse. Elles sont utilisées, dans plusieurs centaines d'organisations, pour la formation des employés et même des cadres. Depuis quelques années, d'autres entreprises sont allées beaucoup plus loin dans la mise en application des principes du renforcement. L'exemple le plus fameux est celui de la compagnie Emery Air Freight, aux Etats-Unis, qui prétend avoir épargné trois millions de dollars en trois ans grâce à un accroissement de productivité résultant du renforcement positif (13). Cette réussite mérite qu'on fournisse d'autres détails:

1. l'entreprise a identifié pas moins de 150 récompenses dont disposent les cadres pour motiver leurs employés (e.g. félicitations sincères à la suite d'un travail bien fait);
2. le renforcement est appliqué aussitôt que possible après que le comportement désiré a été émis;
3. les renforcements sont très fréquents au début (on félicite ceux qui le méritent deux fois par semaine), mais deviennent plus rares et moins prévisibles par la suite;
4. l'on ne renforce que certains comportements bien spécifiques que l'on a identifiés comme importants pour le succès de l'entreprise;
5. un système élaboré de rétroaction permet à l'employé d'évaluer constamment son rendement;
6. ceci permet à l'employé de se renforcer lui-même, s'il le mérite, par un sentiment de compétence, de fierté et de satisfaction pour un travail bien fait;
7. les employés ne sont pratiquement jamais punis: on se contente ordinairement d'ignorer les comportements que l'on veut éliminer.

Notons, en terminant, que ces résultats et plusieurs autres n'ont malheureusement pas mis fin à la controverse qui entoure cette théorie et son application, et que les protagonistes continuent à s'écrire abondamment dans plusieurs revues spécialisées.

---

(13) "At Emery Air Freight: Positive Reinforcement Boosts Performance". ***Organizational Dynamics***, 1973, 1, 41-50.

5.3.2 La théorie des deux-facteurs

Cette théorie doit son origine à Frédérick Herzberg, un autre auteur américain très bien connu dans presque tous les pays industrialisés (14). Nous verrons brièvement sa méthode de recherche, ses résultats, sa théorie, quelques critiques.

a) ***Méthode de recherche***

A l'origine, on demanda à 200 ingénieurs et comptables de plusieurs entreprises des environs de Pittsburgh de raconter des incidents ou des événements qu'ils avaient vécus à l'usine ou au bureau et qui avaient augmenté ou diminué considérablement leur satisfaction au travail. Par la même occasion, on demandait à chaque répondant d'indiquer quel effet ce niveau exceptionnellement élevé ou faible de satisfaction avait eu sur son rendement, sur ses relations avec d'autres et sur son bien-être personnel. Au cours des quelques années qui suivirent cette première étude, la même méthode fut utilisée auprès d'environ 2,000 personnes dans une vingtaine de recherches différentes.

b) ***Résultats***

En examinant et en classant les réponses obtenues, Herzberg s'aperçut que certains éléments ou facteurs mentionnés dans les incidents étaient presque toujours associés à de la satisfaction et presque jamais à de l'insatisfaction. Ces facteurs étaient les suivants: la réalisation ou l'accomplissement d'une chose difficile; la considération ou la reconnaissance reçue des autres à la suite d'un effort ou d'un succès; le travail lui-même; la responsabilité associée au poste qu'on détient; l'avancement vers un poste supérieur; la croissance personnelle. D'autres facteurs, par contre, étaient presque toujours associés à de l'insatisfaction et presque jamais à de la satisfaction: les politiques et procédures de l'organisation; la supervision reçue; le salaire; les relations avec le patron et les collègues; les conditions de travail. En somme, lorsque les répondants mentionnaient l'un des facteurs énumérés dans la première liste (e.g. le travail lui-même), c'était ordinairement pour s'en féliciter et pour expliquer comment ce facteur avait contribué à leur satisfaction et à leur motivation; lorsqu'ils mentionnaient un facteur tiré de la deuxième liste (e.g. le salaire), c'était presque toujours pour s'en plaindre et pour expliquer l'effet négatif que ce facteur avait eu sur leur niveau de satisfaction et de motivation.

c) ***Théorie***

Ces découvertes devaient amener Hertzberg à formuler les propositions suivantes: a) l'inverse de "insatisfaction" n'est pas "satisfaction" (et vice-versa),

---

(14) HERZBERG, F., MAUSNER, B. et SNYDERMAN, B. ***The Motivation to Work***. New York: Wiley, 1959; HERZBERG, F, ***Work and the Nature of Man***. New York: The Mentor Executive Library, 1966; HERZBERG, F. "Une fois de plus: comment motiver vos employés". ***Harvard Business Review***, Janvier-février 1968, 53-62.

mais bien une sorte de point neutre qu'on pourrait appeler simplement "absence d'insatisfaction et de satisfaction"; b) les facteurs qui causent la satisfaction ne sont pas les mêmes que ceux qui causent l'insatisfaction (pas plus, dit Herzberg, que les facteurs qui permettent de bien voir sont identiques à ceux qui permettent de bien entendre...); c) les premiers (appelés facteurs de motivation ou facteurs-moteurs) sont reliés surtout au "contenu" de la tâche: le travail lui-même, les réalisations qu'il permet et qui apportent fierté et reconnaissance, les responsabilités qu'il comporte, etc.; d) les seconds (appelés facteurs d'hygiène ou de maintenance) sont reliés surtout au "contexte" dans lequel s'accomplit la tâche: la supervision reçue, les conditions de travail, les collègues, etc.; e) lorsque le "contexte" est adéquat ou convenable, les employés cessent tout simplement de s'en plaindre: ils ne sont ni insatisfaits ni satisfaits (c'est la raison pour laquelle les facteurs reliés au contexte sont appelés "facteurs d'hygiène": ils ne donnent pas la satisfaction mais empêchent l'insatisfaction, tout comme l'hygiène personnelle et publique ne donne pas la santé mais empêche d'être malade); f) si on veut que les employés passent de la simple neutralité ou absence d'insatisfaction à un niveau élevé de satisfaction et de motivation, il faut, dès que le contexte est adéquat, mettre l'accent sur le contenu des tâches et donc sur les facteurs de motivation. Plusieurs de ces propositions sont illustrées au tableau 3.

TABLEAU 3: Résumé de la théorie des deux facteurs

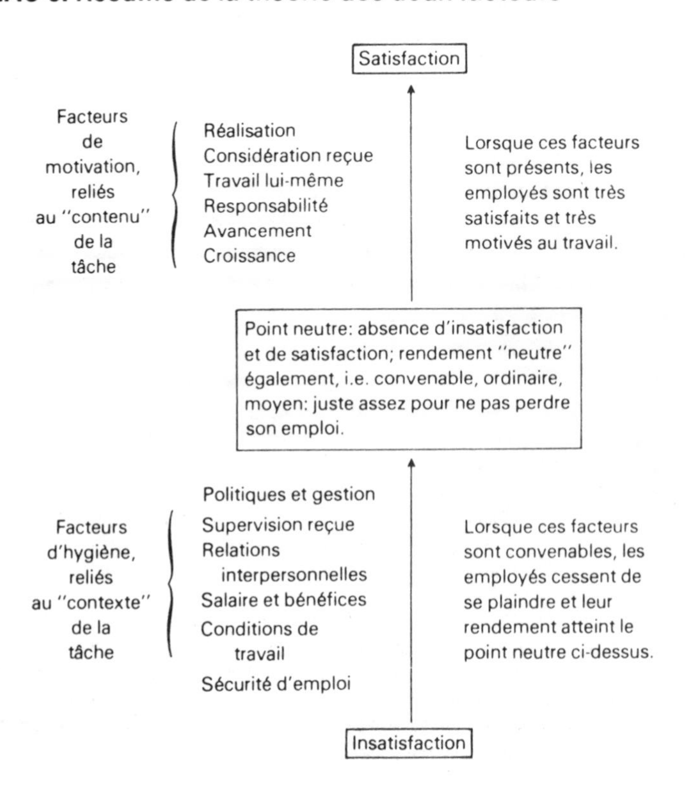

Voici quelques remarques supplémentaires au sujet de cette théorie:

1. Selon Herzberg, tous les besoins de l'être humain peuvent être classés en deux groupes: le besoin d'éviter la souffrance sous toutes ses formes (faim, froid, insécurité, etc.) et le besoin de se réaliser, de croître psychologiquement. Les facteurs du contexte permettent de satisfaire le premier besoin mais ne peuvent absolument pas satisfaire le deuxième besoin, qui lui exige l'accomplissement d'une activité qui favorise l'utilisation et le développement des aptitudes, talents, habiletés, etc.

2. Herzberg refuse d'appeler "motivé" un employé qui travaille fort pour améliorer son "contexte": avoir un meilleur salaire, obtenir une promotion, éviter une mesure disciplinaire, etc. Dans de tels cas, il dira que l'employé est "mû" ou contrôlé de l'extérieur. Il réserve donc le terme "motivation" aux situations où l'individu "possède sa propre génératrice", i.e. travaille fort parce qu'il est emballé, enthousiasmé par l'activité elle-même. Cet enthousiasme ne peut venir que d'une activité qui permet à l'individu de satisfaire son besoin psychologique de croissance personnelle.

3. Herzberg reconnaît l'existence de cas exceptionnels qui ne cadrent pas avec sa théorie. Il parle, par exemple, des "chercheurs d'hygiène", des gens dont le besoin de croissance ou d'actualisation n'est pas suffisamment développé et qui ne reçoivent leur satisfaction et même leur motivation que des facteurs reliés au contexte. Ce sont, dit-il, de perpétuels insatisfaits (qui frisent la névrose), car ils cherchent leur bonheur là où il ne peut pas se trouver; de plus, les améliorations apportées au contexte n'ont ordinairement que des effets de très courte durée (quelques mois après une augmentation de salaire, l'insatisfaction recommence à se faire sentir...).

4. Comme d'autres auteurs (e.g. Alderfer, cité antérieurement), Herzberg suppose qu'un contenu de tâche qui est déficient (travail routinier et simpliste) amène les employés à porter une attention accrue au contexte et à se montrer beaucoup plus exigeants quant aux salaires, conditions de travail, etc. Cette hypothèse a beaucoup de "bon sens", mais il ne semble pas qu'elle ait été testée de façon scientifique.

d) ***Critiques***

Les auteurs qui critiquent Herzberg sont très nombreux, et les points qu'ils soulèvent portent à réfléchir [15]. Pour ne pas entrer inutilement dans cette controverse interminable, seulement deux de ces points seront mentionnés ici:

1. ***La méthode de recherche***. Pratiquement tous les auteurs qui répètent les recherches de Herzberg en utilisant la même méthode que lui (deman-

---

(15) Voir par exemple: VROOM, V.H. "Some Observations Regarding Herzberg's Two-factor Theory". Conférence présentée lors d'un symposium sur la motivation organisé par l'American Psychological Association et tenu à Chicago en 1966; HOUSE, R.J. et WIGDOR, L.A. "Herzberg's Dual-factor Theory of Job Satisfaction and Motivation: A Review of the Evidence and a Criticism". ***Personal Psychology***, 1967, 20, 369-389; Anonyme. "Does your Job Bore you or Does Professor Herzberg?" ***The Economist***, 6 juin 1970, 66.

der aux gens de raconter des incidents qu'ils ont vécus dans le passé) obtiennent à peu près les mêmes résultats. Ce qui est "embêtant", c'est que l'on obtient souvent des résultats différents dès que la méthode de recherche n'est plus la même. Ceci a amené certains critiques à expliquer les résultats de Herzberg de la façon suivante. Lorsqu'on demande aux gens de penser à une situation où ils ont été très satisfaits et aux événements qui ont amené cette situation, ils ont tendance à s'approprier la causalité ou la paternité de la situation: "j'ai" travaillé très fort, "j'ai" obtenu beaucoup de succès dans l'exercice de "mes" responsabilités, "j'ai" été félicité, etc. (facteurs: travail lui-même, réalisation, responsabilité, considération reçue). Par contre, lorsqu'ils décrivent des situations où ils étaient malheureux, ils s'empressent de blâmer le contexte: les politiques de l'organisation, le patron, les collègues, etc.

2. ***La relation satisfaction-motivation.*** Herzberg suppose, parce que les répondants le lui ont dit, qu'un sentiment de grande satisfaction est nécessairement accompagné d'un niveau élevé de motivation: "tel événement m'a rendu très satisfait et pendant les deux mois qui ont suivi, j'ai travaillé très fort..." Le fait est, cependant, que des centaines de recherches ont démontré que la relation satisfaction-motivation est loin d'être aussi simple et aussi automatique que plusieurs le croyaient. Il semble de plus en plus évident que la motivation et la satisfaction sont deux phénomènes très différents qui demandent deux théories différentes.

   Quelles que soient ses faiblesses sur le plan théorique, il faut reconnaître que Herzberg, par ses écrits et ses conférences, a eu un impact considérable sur la gestion des ressources humaines, en Amérique du Nord et en Europe. Des centaines de programmes "d'enrichissement des tâches" ont été mis sur pied (pas toujours avec succès, cependant...) par des administrateurs qui avaient été exposés à ses idées.

5.3.3 La théorie de l'équité

a) ***Le principe de base***

Selon cette théorie [16], tout individu qui est impliqué dans un échange avec une autre personne, ou avec une organisation (comme c'est le cas pour quelqu'un qui travaille dans une entreprise), se fait une idée assez précise de l'équité ou de la justice de ce qu'il retire de cet échange. Pour arriver à cette évaluation, il compare périodiquement le ratio de ce qu'il reçoit sur ce qu'il contribue d'une part, avec le ratio de ce que d'autres reçoivent par rapport à ce qu'ils con-

---

(16) ADAMS, J.S. "Inequity in Social Exchange". Dans: L. Berkowitz, (ed). ***Advances in Experimental Social Psychology***. New York: Academic Press, 1965, vol. 2, 267-300; GOODMAN, P.S. et FRIEDMAN, A. "An Examination of Adams' Theory of Inequity". ***Administrative Science Quarterly***, 1971, 16, 271-288; CARRELL, M.R. et DITTRICH, J.E. "Equity Theory: The Recent Literature, Methodological Considerations, and New Directions". ***Academy of Management Review***, 1978, 3, 202-210.

tribuent, d'autre part. Plus succinctement, ce processus de comparaison peut s'exprimer de la façon suivante:

$$\frac{\text{mes gains}}{\text{mes contributions}} = \frac{\text{ses gains}}{\text{ses contributions}}$$

Lorsque l'individu perçoit une inégalité dans la comparaison des ratios décrits ci-dessus, il est porté à prendre diverses mesures pour rétablir l'équilibre entre les deux termes de l'équation. La perception d'une telle inégalité crée donc un sentiment d'inéquité qui pousse à l'action, ce qui explique pourquoi nous classons cette théorie parmi les théories de la motivation. Dans une entreprise, la comparaison dont il est question peut se faire entre l'individu et son employeur ou bien entre l'individu et un ou plusieurs autres employés. Le salaire, les bénéfices marginaux, le prestige du poste occupé sont des gains typiques; la compétence apportée au travail, les longues heures, l'effort physique ou mental représentent des contributions évidentes.

La théorie de l'équité a donné naissance à plusieurs autres propositions intéressantes (et généralement vérifées) e.g.:

1. l'inéquité crée un état de tension dans l'organisme;
2. plus le sentiment d'inéquité est grand, plus l'individu est motivé à faire quelque chose pour le réduire;
3. l'inéquité résulte ordinairement d'une comparaison avec un autre et non pas d'une simple comparaison entre nos gains et nos contributions;
4. le sentiment d'inéquité est plus vif lorsque la comparaison nous défavorise que lorsqu'elle nous favorise;
5. on peut réduire l'inéquité par un simple processus mental (e.g. se convaincre que nos contributions et/ou les gains de l'autre ne sont pas si extraordinaires après tout, ou encore décider de se comparer avec quelqu'un d'autre), ou bien en modifiant réellement les gains et/ou les contributions;
6. les membres d'une équipe qui se partagent une récompense le font normalement en fonction d'une norme d'équité, i.e. selon la contribution de chacun au succès de l'équipe.

b) ***Equité et rémunération***

C'est à l'occasion d'expériences de laboratoire faites dans le domaine de la rémunération que la théorie de l'équité a donné lieu aux hypothèses et aux découvertes les plus surprenantes. C'est ainsi que l'on a prédit et trouvé que dans un système de paiement à la pièce, des personnes qu'on arrive à convaincre qu'elles sont trop payées produisent moins de pièces, mais augmentent la qualité de celles-ci: elles rétablissent ainsi l'équité en réduisant leurs gains et en augmentant leurs contributions. La situation contraire se produit évidemment lorsque les individus se considèrent sous-payés: ils rétablissent alors l'équité en produisant un grand nombre de pièces de qualité à peine acceptable. Quelques chercheurs ont également découvert que des employés payés à l'heure et convaincus d'être trop payés augmentent leur rendement pour rétablir l'équité, alors que ceux qui sont sous-payés diminuent leur rendement pour atteindre le même objectif; ces études sont cependant moins nombreuses et plus sujettes à caution que celles dont les sujets étaient payés à la pièce. Il n'en demeure pas moins certain que dans un bon nombre de cas, un sentiment d'inéquité semble avoir vraiment motivé des gens à faire quelque chose pour rétablir une balance équitable dans une situation d'échange.

c) ***Faiblesses de la théorie***

En dépit des promesses qu'elle réserve pour l'avenir, il faut bien reconnaître que la théorie de l'équité présente plusieurs points faibles à ce stade-ci:

1. elle ne s'attaque qu'à une petite partie des comportements humains, ceux qui résultent d'un échange de gains et de contributions;

2. elle peut nous aider à expliquer un comportement après qu'il a eu lieu, mais elle permet rarement de prédire ce qu'un individu placé dans une situation réelle va faire en réaction à une inéquité, car ses options sont trop nombreuses: il peut ré-évaluer mentalement ses gains et ses contributions, ou ceux de "l'autre"; il peut décider de se comparer avec quelqu'un qui lui ressemble davantage; il peut prendre des "journées de maladie" (payées), demander un transfert ou encore quitter l'entreprise, etc.;

3. elle ne nous permet pas d'identifier ceux qui dans une situation précise vont avoir un sentiment d'inéquité, et ce pour deux raisons: premièrement, nous ne savons pas quels éléments de la situation chaque individu va considérer et additionner pour établir ses gains et ses contributions: le droit de participer aux décisions entre-t-il dans les gains... ou dans les contributions? qu'en est-il pour un travail "complexe mais emballant"? ; deuxièmement, nous ne savons pas avec qui chaque individu va choisir de se comparer: un patron? des subalternes? un collègue dans la même entreprise? quelqu'un qui fait un travail semblable dans une autre entreprise? un confrère de classe qui "a réussi" (17)?

---

(17) Une étude réalisée aux Etats-Unis auprès d'administrateurs scolaires a permis de découvrir que ceux-ci utilisaient prioritairement les points de comparaison suivants pour déterminer l'équité de leur salaire: 1° le salaire d'administrateurs occupant des postes identiques dans un autre district scolaire; 2° celui d'administrateurs occupant des postes connexes mais différents dans un autre district; 3° celui de leurs supérieurs hiérarchiques; 4° celui des professeurs de leur district; 5° celui de leurs collègues occupant le même poste qu'eux dans leur district. Ceci est une liste de priorités "moyennes", car l'importance attachée à chaque point de comparaison variait beaucoup d'un individu à l'autre. Voir: BERGERON, J.L. "Designing a Job Evaluation Plan for School Administrators: A Case Study". ***Working Paper No. 79-1.*** Faculté d'Administration, Université de Sherbrooke.

4. il est bien possible que le fait de se croire trop bien payé crée un état de tension qui nous amène à travailler plus fort... dans une expérience de laboratoire, mais il est permis de croire qu'un tel sentiment et un tel effort seraient de très courte durée dans la vie réelle: l'employé moyen arrive facilement à se convaincre qu'il mérite tous ses "gains", et bien davantage!

Quoi qu'il en soit, la théorie de l'équité attire notre attention sur un point crucial, à savoir qu'une "récompense" ne prend toute sa valeur que si elle est perçue comme un gain proportionnel à nos contributions, eu égard aux gains et aux contributions des autres.

5.3.4 La théorie des objectifs

a) *Le principe de base*

Ed Locke, le créateur et le plus ardent propagandiste de cette théorie (18), considère que les objectifs conscients auxquels adhère l'individu sont la cause majeure et immédiate de la plupart de ses comportements. Il met donc l'accent sur le caractère rationnel de l'être humain, sur sa capacité à se choisir un but parmi d'autres et sur l'influence prépondérante que ce but exerce ensuite sur les comportements. Motiver un employé, c'est essentiellement l'amener à se fixer ou du moins à accepter un objectif de rendement élevé; une fois que cet objectif est bien ancré chez l'individu, le rendement supérieur qu'il requiert ou implique suit presque automatiquement. Il n'y a donc pas de rendement élevé (ou de grande motivation), s'il n'y a pas d'abord eu un objectif élevé; le mot objectif étant défini ici comme "ce que l'individu désire atteindre consciemment".

De ce lien quasi inévitable qu'il pose entre l'objectif (accepté) et le comportement, Locke déduit plusieurs propositions, y compris celles-ci:

1. plus les objectifs sont élevés, plus le rendement (la motivation) sera élevé;
2. toutes les récompenses que l'on promet pour un rendement élevé n'ont d'effet que parce qu'elles amènent l'employé à se fixer des objectifs plus élevés que ce qu'il ferait autrement;
3. les objectifs clairs et précis auront beaucoup plus d'impact sur le rendement que les exhortations du genre: "faites de votre mieux";
4. si la DPO (Direction par Objectifs) améliore le rendement, c'est simplement parce qu'elle augmente la clarté et "l'acceptabilité" des objectifs;
5. les directives et les instructions qui émanent de la gérance n'ont d'effet que si elles sont acceptées par les subalternes et traduites sous forme d'objectifs précis;
6. le feed-back (ou l'information précise donnée à un individu sur le résultat de ses efforts antérieurs) n'augmente le rendement futur que s'il amène l'individu à hausser ses objectifs.

---

(18) "Toward a Theory of Task Motivation and Incentives". ***Organizational Behavior and Human Performance***, 1968, 3, 157-189.

b) ***Quelques résultats de recherche***

Dès 1968 (l'année du "lancement" de sa théorie), Locke pouvait citer une vingtaine d'études démontrant que les gens produisent plus et réussissent mieux lorsqu'ils travaillent avec des objectifs élevés qu'avec des objectifs faciles, même si le taux "d'atteinte des objectifs" est évidemment plus élevé dans le second cas. Par la suite, d'autres recherches [19] devaient cependant indiquer que la relation entre la difficulté des objectifs et la motivation de l'individu est curvilinéaire et prend la forme d'un U inversé: lorsque la difficulté dépasse un certain niveau "raisonnable", l'individu se décourage et devient de moins en moins motivé. Il faut, cependant, tenir compte ici du niveau de "besoin d'accomplissement" de l'individu: ceux qui sont forts sur cette variable se découragent beaucoup moins vite que les autres devant un objectif apparemment très difficile.

L'importance d'avoir des objectifs précis et très spécifiques a également été démontrée par un grand nombre de recherches. Locke attribue d'ailleurs les dépassements extraordinaires que l'on observe régulièrement en athlétisme au fait que les individus et les groupes cherchent non pas à "faire de leur mieux", mais bien à atteindre un but très précis (e.g. courir le mille en 3 minutes et 55 secondes). Finalement, d'autres études ont démontré que:

1. les objectifs doivent être acceptés pour avoir un effet motivateur;
2. la participation à l'élaboration des objectifs favorise souvent leur acceptation;
3. les gens ont tendance à hausser leurs objectifs à la suite d'un succès et à les baisser à la suite d'un échec;
4. le feed-back ou information concernant le rendement antérieur est plus efficace (motive plus) lorsqu'il provient de la tâche elle-même que d'un agent extérieur comme le patron;
5. c'est surtout chez ceux qui ont un grand "besoin d'accomplissement" que l'on retrouve le désir d'avoir des objectifs élevés et précis et d'obtenir un feed-back exact.

La recherche de Latham et Baldes [20] démontre bien que cette théorie peut avoir des applications très concrètes dans l'entreprise. Cette étude fut faite

---

(19) Pour un excellent résumé des recherches concernant l'importance des objectifs, les attributs qu'ils doivent posséder pour être efficaces, leur rôle précis dans le processus de motivation, voir: STEERS, R.M. et PORTER, L.W. "The Role of Task-Goal Attributes in Employee Performance". ***Psychological Bulletin***, 1974, 81, 434-452, et: LATHAM, G.P. et YUKL, G.A. "A Review of Research on the Application of Goal Setting in Organizations". ***Academy of Management Journal***, 1975, 18, 824-845.

(20) "The Practical Significance of Locke's Theory of Goal Setting". ***Journal of Applied Psychology***, 1975, 60, 122-124.

auprès de 36 chauffeurs de camions qui transportaient du bois de pulpe, en Oklahoma. Employés syndiqués (et payés à l'heure) d'une grande compagnie forestière, ces chauffeurs avaient pris l'habitude de ne remplir leur camion qu'à faible pourcentage (environ 60%) du poids légal permis sur les routes, ce qui diminuait évidemment l'efficacité de cette opération. Après mûre réflexion, la compagnie décida de fixer (unilatéralement) un objectif difficile mais réalisable: chaque camion devrait à l'avenir contenir 94% du poids légal. Cet objectif précis fut communiqué aux chauffeurs, en remplacement de la consigne antérieure qui disait simplement "faites de votre mieux". On avisa également les chauffeurs qu'il s'agissait de tenter une expérience nouvelle, qu'on ne leur demanderait pas de faire plus de voyages que par le passé, qu'ils ne seraient pas punis si leur rendement, après avoir augmenté initialement, ne se maintenait pas toujours à ce haut niveau. On ne leur fit aucune promesse de rémunération supérieure et on ne leur donna aucun entraînement spécial. Comme il n'était pas possible d'avoir un groupe-contrôle, on utilisa un devis de recherche quasi-expérimental qui consiste à mesurer plusieurs fois avant d'introduire le changement (l'objectif précis) et plusieurs fois après.

TABLEAU 4: Pourcentage du poids légal atteint par 36 chauffeurs sous deux types d'objectifs

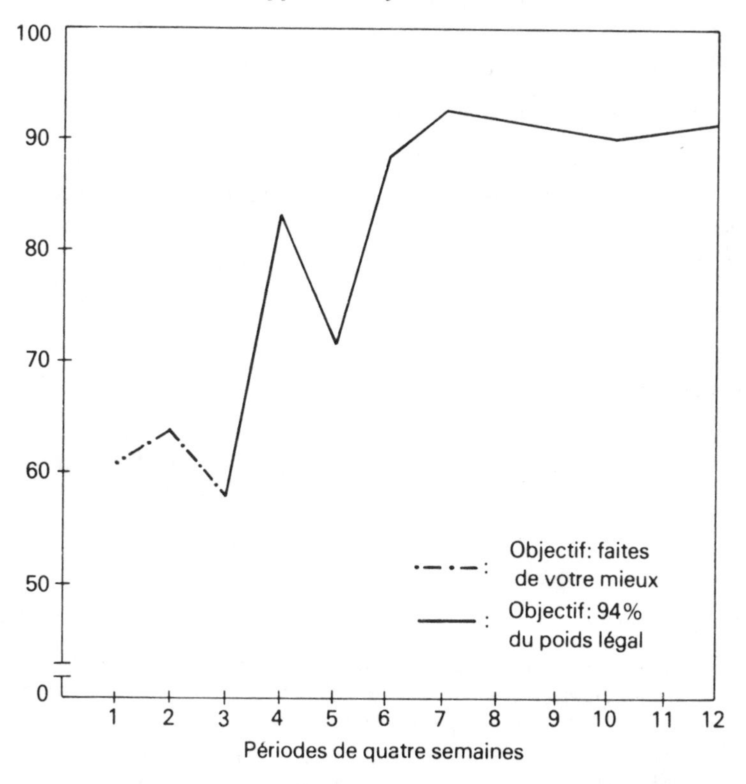

Source: Latham, G.P. et Baldes, J.J., "The Practical Significance of Locke's Theory of Goal Setting". ***Journal of Applied Psychology***, 1975, 60, 122-124.

Les résultats, rapportés au tableau 4, furent remarquables. Dès le premier mois, les chauffeurs atteignirent 80% du poids légal. Ils baissèrent ensuite à 70% pour voir si l'entreprise tiendrait sa promesse de ne pas les obliger à maintenir les résultats supérieurs obtenus initialement. Comme l'entreprise ne prenait aucune mesure disciplinaire ou autre, ils décidèrent de lui faire confiance et atteignirent 90% dès le troisième mois, un rendement qui fut maintenu, et souvent dépassé, au cours des mois qui suivirent. La compagnie calcula, par la suite, que pour transporter le surplus dont se chargeaient maintenant ses chauffeurs "motivés", elle aurait dû acheter pour $250,000 de nouveaux camions!

5.3.5 La théorie de l'expectance*

a) *Le principe de base*

Tout comme la théorie du renforcement, la théorie de l'expectance considère que le comportement humain s'explique par ses conséquences; elle implique cependant un choix rationnel et réfléchi entre plusieurs moyens disponibles pour atteindre des objectifs préférés. On suppose ici que l'être humain (au lieu d'adopter automatiquement un comportement qui dans une situation semblable a été suivi de conséquences heureuses dans le passé) va réfléchir aux alternatives possibles et prendre une décision fondée sur les trois considérations suivantes:

1. ses chances de réussir ce qu'il veut entreprendre;
2. les conséquences d'une telle réussite;
3. la valeur anticipée ou la "désirabilité" de ces conséquences. C'est ainsi qu'un étudiant confronté à la décision de s'inscrire ou non à un cours difficile pourrait se demander:
   i) suis-je capable de réussir ce cours si j'essaie vraiment?
   ii) si je le réussis, qu'est-ce que cela va m'apporter?
   iii) est-ce que ces conséquences sont suffisamment désirables pour que ça vaille la peine de faire un tel effort?

Des réponses positives à ces trois questions impliqueraient que l'étudiant est véritablement "motivé" à s'inscrire au cours et qu'il va effectivement le faire. Une seule réponse négative suffirait à causer une absence de motivation.

Bien que plusieurs théories cognitives de ce genre aient été proposées depuis les années trente (21), c'est surtout avec la version de Vroom (22) que l'on a

---

* Plutôt que d'utiliser constamment une périphrase pour rendre le sens du terme anglais "expectancy", nous créons ici le mot "expectance" qui sera utilisé jusqu'à la fin du chapitre. Nous torturerons également la langue française en utilisant les mots "instrumentalité" et "valence".

(21) TOLMAN, E.C. ***Purposive Behavior in Animals and Men***. New York: Century Company, 1932; LEWIN, K.A. ***A Dynamic Theory of Personality***. New York: McGraw-Hill, 1935.

(22) VROOM, V.H. ***Work and Motivation***. New York: Wiley, 1964.

commencé à appliquer de façon systématique ce modèle de motivation au monde du travail. Dans sa version la plus courante, la théorie de l'expectance se présente actuellement de la façon suivante:

$$M = E\left(\sum_{j=1}^{n} I_{ij} \times V_j\right), \text{ où}$$

M: motivation au travail

E: expectance, ou le fait de croire qu'un effort va permettre d'atteindre un bon rendement

I: instrumentalité, ou le fait de croire qu'un bon rendement va apporter un certain nombre de conséquences

V: valence, ou la valeur que l'on attache aux conséquences.

Concrètement, cette formule implique que pour arriver à choisir le niveau d'effort ou de motivation dont il va faire preuve, l'employé se livre (consciemment ou non) aux exercices suivants:

1. il évalue la force de la relation entre effort et rendement (e.g. si j'essaie vraiment, je suis certain de pouvoir faire du très bon travail);
2. il évalue la probabilité qu'un bon rendement lui permette d'obtenir chacune de plusieurs récompenses possibles (e.g. si mon rendement est très bon, j'aurai d'excellentes chances d'être promu à un poste supérieur);
3. il porte un jugement personnel sur la "désirabilité" de chacune des récompenses anticipées (e.g. je désire ardemment être promu à un poste supérieur).

Notons ici que les étapes (2) et (3) doivent évidemment être reprises autant de fois que l'employé perçoit de récompenses distinctes au rendement: augmentation de salaire, prestige, liberté de manoeuvre, possibilité de travailler sur la meilleure machine, etc. Le niveau théorique de motivation d'un employé se calcule ensuite en chiffrant les trois étapes et en faisant les opérations mathématiques prévues dans la formule ci-haut.

b) ***Remarques supplémentaires***

Voici quelques remarques supplémentaires concernant cette théorie:

1) Il est évident que pour refléter correctement la réalité, le modèle devrait tenir compte aussi bien des conséquences négatives que des conséquences positives d'un bon rendement. Ceci permettrait d'insérer dans la théorie des raisonnements comme celui-ci, par exemple: si je fais les efforts nécessaires, je vais obtenir un très bon rendement et par conséquent une promotion que je désire beaucoup, mais je vais aussi devoir vivre dans un climat de stress et même travailler chez moi le soir, ce que je déteste énormément; par conséquent, je ne ferai pas les efforts nécessaires (je ne serai pas motivé...). En fait, il faudrait

considérer la motivation comme le résultat d'une opération de pesage au cours de laquelle l'individu place tous les avantages d'un certain comportement sur un des plateaux d'une balance (chacun avec sa désirabilité et avec la probabilité qu'il a de se produire) et tous les inconvénients sur l'autre plateau. Pratiquement toutes les versions de la théorie permettent effectivement d'attribuer une valeur négative à l'instrumentalité et à la valence, mais seuls quelques chercheurs ont ajouté cette complication à leur modèle et les résultats n'ont pas été meilleurs que lorsque l'on s'en tient aux seules conséquences positives du rendement.

2) Presque tous les auteurs sont maintenant d'accord pour reconnaître que les conséquences positives du rendement peuvent être de deux types: extrinsèques et intrinsèques. Les récompenses extrinsèques sont celles que "l'environnement" (la société, l'entreprise, le patron, les collègues, les subalternes) accorde à ceux qui font preuve d'un haut rendement: un salaire élevé, une bonne réputation, des bénéfices marginaux substantiels, des promotions rapides, etc. Les récompenses intrinsèques, par contre, sont celles qui découlent soit de l'accomplissement du travail lui-même, soit de certains sentiments qui surgissent lorsque le travail est terminé: la chance d'utiliser et de développer certains talents ou connaissances, le sentiment d'avoir accompli quelque chose de difficile qui en valait la peine, une impression de compétence et de valeur personnelle, etc. Notons cependant que les psychologues et autres experts sont loin de s'entendre parfaitement sur la définition exacte des termes "extrinsèques" et "intrinsèques" et sur la classification de toutes les récompenses possibles entre ces deux grandes catégories [23].

3) Puisque, selon cette théorie, les employés seront d'autant plus motivés qu'ils seront "forts" sur les éléments expectance, instrumentalité et valence, quelques auteurs se sont efforcés de déterminer les facteurs qui favorisent la présence et la croissance de ces éléments [24]. Il est certain, par exemple, que des traits personnels comme la compétence, l'estime de soi et "l'internalité" (le fait de croire que ce qui nous arrive dépend principalement de nous-mêmes et non de forces externes plus ou moins incontrôlables) exercent une influence positive considérable sur l'expectance. La nature du travail accompli (pour les récompenses intrinsèques) et les politiques et procédures de l'organisation (pour les récompenses extrinsèques) jouent un rôle majeur dans la détermination de l'instrumentalité. La valence, quant à elle, dépend essentiellement du nombre et de la force des besoins que la récompense peut satisfaire.

---

(23) Voir par exemple: DYER, L. et PARKER, D.F. "Classifying Outcomes in Work Motivation Research: An Examination of the Intrinsic-Extrinsic Dichotomy". ***Journal of Applied Psychology***, 1975, 60, 455-458; BROEDLING, L.A. "The Uses of the Intrinsic-Extrinsic Distinction in Explaining Motivation and Organizational Behavior". ***Academy of Management Review***, 1977, 2, 267-276.

(24) Entre autres, LAWLER, E.E. ***Motivation in Work Organizations***. Monterey, Californie: Brooks/Cole Publishing Company, 1973.

4) Comme bien d'autres théories, celle-ci a donné lieu à plusieurs centaines de recherches... et de critiques. La grande majorité des recherches ont consisté à mesurer la motivation théorique d'une centaine d'employés (selon l'équation rapportée plus haut) et à mettre les résultats ainsi obtenus en corrélation avec la motivation "réelle" (i.e. telle que décrite ou évaluée par le patron et/ou les collègues) ou la productivité de ces mêmes employés. Les coefficients de corrélation ainsi mesurés ont varié considérablement selon les études, mais la moyenne se situe autour de .30, ce qui confère une certaine validité minimale à la théorie [25]. Quant aux critiques, elles portent sur un nombre considérable de points divers, e.g.:

i) la théorie suppose que les êtres humains ne sont motivés que par l'hédonisme, c'est-à-dire la recherche du plaisir et de l'intérêt personnel;

ii) il est difficile de croire que l'être humain ordinaire se livre à toute la gymnastique intellectuelle décrite par la théorie pour choisir entre les nombreuses alternatives qui se présentent à lui.

Il va sans dire que les supporteurs de la théorie trouvent réponse à toutes les objections... et que la controverse n'est pas prête de s'éteindre!

5.4 CONCLUSION

Il se passe peu de jours au cours desquels nous n'essayons pas de "motiver" quelqu'un d'autre, c'est-à-dire d'amener une autre personne à faire ce que nous voulons qu'elle fasse et de l'amener à le faire bien et vite. La plainte du contremaître ou du chef de département qui dit "mes employés ne veulent pas travailler" n'est pas substantiellement différente de celles que nous entendons en dehors de l'usine et du bureau: "mon garçon ne veut pas faire ses devoirs"; "ma fille ne veut pas pratiquer son violon"; "mon mari ne veut pas m'emmener danser"; "mon copain ne veut pas jouer avec moi"; "mon collègue ne veut pas m'aider à recueillir des fonds pour cette campagne de charité". Pour comprendre et pour vaincre ces résistances, il faut une bonne dose de "psychologie de la motivation", qu'elle soit acquise par l'étude ou par l'expérience des êtres humains. Les théories présentées ici devraient favoriser l'acquisition de cette connaissance. Si les théories sont nombreuses et souvent contradictoires, c'est que le sujet est le plus complexe et le plus difficile qu'il soit possible d'étudier: nous-mêmes!

---

(25) MITCHELL, T.R. "Expectancy Models of Job Satisfaction, Occupational Preference and Effort: A Theoretical, Methodological and Empirical Appraisal". ***Psychological Bulletin*** ,1974, 81, 1053-1077.

SUJETS D'ÉTUDE ET DE DISCUSSION

1. Parmi les théories présentées ici, celle de l'expectance est la seule qui semble capable d'intégrer des éléments essentiels de toutes les autres. Expliquez comment certains aspects des théories de Maslow, McClelland, Herzberg, Adams et Locke peuvent s'insérer dans la théorie de l'expectance.

2. Examinez vos principales activités depuis 24 heures et faites la liste des "besoins de l'être humain" que chaque activité visait à satisfaire.

3. Le gérant d'un grand magasin de commerce au détail (e.g. succursale de Eaton, Sears, Pascal, etc.) trouve que ses employés ne sont pas assez motivés. Quels conseils recevra-t-il s'il s'adresse à: 1° un spécialiste du renforcement positif? 2° un spécialiste de la théorie des deux facteurs? 3° un spécialiste de la théorie des objectifs? 4° un spécialiste de la théorie de l'expectance?

4. Expliquez les différentes conceptions de l'être humain qui sont à la base des théories du renforcement et de l'expectance.

5. Pourquoi croyez-vous que Maslow et Herzberg sont devenus aussi populaires auprès de milliers d'administrateurs à travers le monde?

BIBLIOGRAPHIE SUPPLÉMENTAIRE

BAUD, F. ***Motivation et comportements individuels dans l'entreprise***. Paris: Entreprise Moderne d'édition, 1972.

BOERI, D. ***Le nouveau travail manuel: Enrichissement des tâches et groupes autonomes***. Paris: Les Editions d'organisation, 1977.

CAMPBELL, J.P., et PRITCHARD, R.D. "Motivation Theory in Industrial and Organizational Psychology" dans DUNNETTE, M.D. (ed). ***Handbook of Industrial and Organizational Psychology***. Chicago: Rand McNally, 1976, 84-95.

CHUNG, K.H. ***Motivation Theories and Practices***. Columbus, Ohio: Grid inc., 1977.

DECI, E.L. ***Intrinsic Motivation***. New York: Plenum Press, 1975.

DUNNETTE, M.D., CAMPBELL, J.P. et HAKEL, M.D. "Factors Contributing to Job Satisfaction and Job Dissatisfaction in Six Occupational Groups". ***Organizational Behavior and Human Performance***, 1967, 2, 143-147.

GRAND'MAISON, J. ***Des milieux de travail à réinventer***. Montréal: Les Presses de l'Université de Montréal, 1975.

GYLLENHAMMAR, P.G. "How Volvo adapts Work to People". ***Harvard Business Review***, Juillet-août 1977, 102-113.

HACKMAN, J.R. et OLDHAM, G.R. "Motivation trought the Design of Work: Test of a theory". ***Organizational Behavior and Human Performance***, 1976, 16, 250-279.

HAMNER, W.C. "How to ruin Motivation with Pay". ***Compensation Review***, Été 1975, 8-19.

HAMNER, W.C. et HAMNER, E.P. "Behavior Modification on the Bottom Line". ***Organizational Dynamics***, Printemps 1976, vol. 4, no. 4, 8-21.

HAMNER, W.C., ROSS, J. et STAW, B.M. "Motivation in Organizations: The need for a new Direction" dans ORGAN, D.W. (ed). ***The Applied Psychology of Work Behavior***. Dallas: Business Publications, 1978.

HERZBERG, F. ***Le travail et la nature de l'homme***. Paris: Entreprise Moderne d'édition, 1975.

HULIN, C.L. et BLOOD, M.R. "Job Enlargement, Individual Differences, and Worker Responses". ***Psychological Bulletin***, 1968, 69, 41-55.

KORMAN, A.K. ***The Psychology of Motivation***. Englewood Cliffs, N.J.: Prentice-Hall, 1974.

LEFEBVRE, H. "La motivation des travailleurs". ***Travail et méthode***, mai 1974, 49-57.

LEVINSON, H. ***Les motivations de l'homme au travail***. Paris: Les éditions d'Organisation, 1974.

LOCKE, E.A. "The Myths of Behavior Mod in Organizations". ***Academy of Management Review***, 1977, 2, 543-553.

LOCKE, E.A. "Personal Attitudes and Motivations" dans: ROSENWEIG, M.R. et PORTER, L.W. (eds). ***Annual Review of Psychology***, 1975, 26, 457-480.

MYERS, M.S. "Vos employés motivés, qui sont-ils?". ***Harvard Business Review***, Janvier-février 1964.

PAUL, W.J. et ROBERTSON, K. ***L'enrichissement du travail***. Paris: Entreprise Moderne d'édition, 1974.

POSTEL, G. "La motivation du personnel". ***Management - France***. Paris: 1970, 39-41.

PRITCHARD, R.D., CAMPBELL, K.M. et CAMPBELL, D.T. "The Effect of Extrinsic Financial Rewards on Intrinsic Motivation". ***Journal of Applied Psychology***, 1977, 62, 9-15.

SALANCIK, G.R. et PFEFFER, J. "An Examination of Need Satisfaction Models of Job Attitudes". ***Administrative Science Quarterly***, 1977, 22, 427-456.

STAW, B.M. "Motivation in Organizations: Toward Synthesis and Redirection" dans: STAW, B.M. et SALANCIK, G.R. (eds). ***New Directions in Organizational Behavior***. Chicago: St-Clair Press, 1977.

STEERS, R.M. et PORTER, L.W. (eds). ***Motivation and Work Behavior***. New York: McGraw-Hill. 1979.

TOULOUSE, J.M. et POUPART, R. "La jungle des théories de la motivation au travail". ***Gestion***, novembre 1976, 54-59.

CHAPITRE 6

LA COMMUNICATION *

6.1 INTRODUCTION

Il est une boutade qui a longtemps circulé dans le milieu des spécialistes en développement des organisations et qu'on peut, grosso modo, résumer de la façon suivante. Quelle que soit l'organisation où vous avez l'intention d'intervenir, quelles que soient l'ampleur et la qualité des données que vous avez recueillies, quelle que soit la formule que vous avez utilisée pour obtenir ces mêmes données, vous pouvez toujours les présenter de la façon suivante: "Après une analyse exhaustive de votre organisation, nous avons diagnostiqué les problèmes suivants: manque de planification, mauvaises communications et beaucoup se plaignent d'une inadéquation entre l'autorité et les responsabilités, c'est-à-dire qu'ils souhaitent avoir plus d'autorité afin de mieux faire face aux responsabilités qu'ils ont". A coup sûr, votre diagnostic sera bien accepté et vous passerez pour quelqu'un qui a fait un excellent boulot et qui connaît très bien l'organisation.

Par-delà les implications d'une telle remarque sur tout le mouvement du développement des organisations et des consultants, l'utilisation de concepts aussi généraux, mystérieux et attrayants que ceux de planification, communication, autorité, responsabilité, est très révélateur. Il n'est pas surprenant que le mot "communication" apparaisse dans cette liste. C'est un concept constamment utilisé dans la littérature portant sur les organisations et la gestion, à tel point que l'on en vient à ne plus savoir exactement ce qu'il signifie.

La démarche proposée dans ce chapitre est simple. Tout d'abord, nous démontrerons rapidement l'importance que les communications peuvent avoir dans la vie d'une organisation et dans le rôle du manager. Suivra une définition du concept de communication et une explication de l'angle sous lequel il sera étudié dans ce chapitre. Par la suite, différents aspects de la communication seront traités (le processus, les types de communication, les difficultés ou barrières susceptibles de se présenter). Différentes considérations sur certains éléments primordiaux tels la rétroaction (feed-back) et les rôles et attitudes de

* Chapitre rédigé par Jocelyn Jacques.

l'émetteur suivront cette section. Enfin, le chapitre se terminera par un rappel des principaux aspects sur lesquels il est bon de se concentrer si l'on veut améliorer cet important aspect de toute relation interpersonnelle.

6.2 L'IMPORTANCE DE LA COMMUNICATION

Même si a priori toute personne vivant dans une organisation admet facilement le principe de l'importance de la communication, il n'en demeure pas moins qu'un rappel rapide du rôle fondamental de celle-ci, dans l'organisation, peut s'avérer très utile.

Tout d'abord, les travaux de H. Mintzberg (1), qui a observé des managers à l'oeuvre, nous démontrent hors de tout doute le rôle fondamental des communications dans la vie de nos organisations. En effet, le manager typique peut être vu comme consacrant 90% de son temps aux communications et interrelations. C. Barnard, l'un des grands auteurs classiques dans le domaine du management, l'avait d'ailleurs indiqué de façon très claire et on ne peut plus explicite lorsqu'il a dit: "La fonction première de tout cadre est de développer et de maintenir un réseau de communication" (2). A bien y penser, cette importance est quasi évidente. Sans communication, aucune organisation ne peut exister étant donné que toute organisation est avant tout un système d'interactions structurées et que toute interaction présuppose une forme quelconque de communication.

Il est encore plus facile, à l'observation de la pratique, de voir que les communications imprègnent le rôle tout entier du manager (3). Celui-ci se doit, en effet, de fournir de l'information, quelle que soit la façon utilisée pour le faire. Il lui appartient en plus de commander, de donner des ordres, afin de préciser qui va faire quoi, où et quand. Même s'il adopte un style plus participatif et plus ouvert, il lui appartient encore d'influencer et de persuader; ce sont là des tâches pour lesquelles les communications jouent un rôle vital. Comment peut-on exercer un certain leadership sans communiquer d'une façon ou d'une autre? Dans le même sens, comment peut-on faciliter la motivation du personnel, évaluer des personnes, exercer des fonctions d'intégration sans communiquer? Toute cette question de l'importance des communications dans la vie de l'organisation a d'ailleurs été bien présentée par les éditeurs d'un journal professionnel lorsqu'ils ont dit: "le principal problème de tout manager peut se résumer en un mot... communication" (4).

---

(1) MINTZBERG, H. ***The Nature of Managerial Work***. Harper and Row, 1973.

(2) BARNARD, C., SANFORD, A.C., cité dans ***Human Relations: Theory and Practice***. Charles E. Merrill Publishing Company, 1973, 236.

(3) REITZ, J.H. ***Behavior in Organizations***. Richard, D. Irwin Inc., 1977, 353-354.

(4) Personnel Journal. "The Number One Problem". XL (April 1966), 237.

6.3 DÉFINITIONS ET CONCEPTS DE BASE

Un concept aussi largement utilisé que la communication peut être défini de plusieurs façons, dépendant de l'aspect que l'on désire souligner. Nous n'échapperons pas à cette façon de procéder et privilégierons dans notre définition la dimension interpersonnelle de la communication. Même en s'attachant à cet aspect particulier d'un échange entre deux ou plusieurs personnes, il est encore possible d'aborder le phénomène de la communication sous différents angles. C'est ainsi que **l'aspect cognitif** peut dominer. Le terme "communications" fait alors référence à l'emploi de mots, de lettres ou de symboles, etc., dans le but d'en arriver à une information commune ou partagée au sujet d'un objet, d'un fait, d'une idée, etc. [5] [6]. Ce point de vue se centre sur le partage d'une information entre au moins deux personnes [7]; cette information pouvant se rapporter tant à des attitudes ou à des sentiments qu'à des faits. L'information, dans ce contexte, est quelque chose qui est possédé par un individu et qui est transmis à une autre personne par l'intermédiaire de mots ou d'autres symboles. Et tel que Reitz l'indique, si le tout a été transmis et reçu adéquatement, le receveur possède alors la même information que l'émetteur. Il y a eu communication.

Cette définition est parfaitement correcte et, à la limite, elle pourrait être acceptable même sous l'angle interpersonnel. Plusieurs spécialistes en sciences du comportement s'en contentent, et il n'est pas de notre intention d'amorcer un débat avec eux. Plutôt que sur cette dimension fortement cognitive, nous jugeons cependant préférable d'insister sur le **sens opérationnel** que l'on doit retrouver dans la communication. Ce sens opérationnel prend une importance particulière lorsque les communications sont étudiées dans le contexte des organisations. Les communications deviennent dans ce contexte un comportement verbal ou symbolique par lequel un émetteur veut atteindre un résultat, exercer un effet sur le receveur [8]. Dans ce processus, tout ce qui interfère entre l'émetteur et ce qu'il vise s'appelle un bruit.

Cette définition opérationnelle de la communication nous semble préférable pour plusieurs raisons. Tout d'abord, elle n'exclut pas l'aspect systématique que l'on retrouve dans toute communication. Par aspect systématique, on entend généralement les éléments du processus (l'émetteur, le canal et le récepteur étant les plus importants) entre lesquels doit s'établir un lien. Deuxièmement, lorsque les mots résultat ou effet y sont introduits, on spécifie que la

---

(5) KELLY, J. ***Organizational Behavior***. Richard D. Irwin Inc., 1974, 587.

(6) REITZ, J.H. ***op. cit.***, 341.

(7) KELLY, J. ***op. cit***., 586.

(8) SKINNER, B.F. ***About Behaviorism***. Chap. 6, Alfred A. Knopf, New York: 1974.

communication n'est pas faite au hasard. L'émetteur doit désirer atteindre quelque chose sans quoi un aspect important est absent. Finalement, lorsque l'objet réel de la communication, le récepteur, est introduit explicitement dans la définition, ceci permet de bien camper le sens qui sera donné à ce concept tout au long de ce chapitre. Communiquer, en effet, implique au moins deux personnes, et une véritable communication signifie qu'il y a eu non seulement transfert et compréhension, mais également acceptation de la part du récepteur. Le seul moyen de vérifier si ces conditions existent est la rétroaction (feed-back) *. On utilise l'expression "communication à deux sens" pour décrire ce type de communication où il y a rétroaction. Lorsqu'il n'y a pas possibilité pour le récepteur d'intervenir directement dans le processus de la communication, l'expression "communication à un sens" est alors utilisée. Dans un tel contexte, il n'y a pas possibilité de savoir si le message a bel et bien été compris. Il s'agit alors d'un demi-processus, particulièrement lorsque le message porte sur des questions interpersonnelles ou des comportements humains.

La communication à un sens n'est donc qu'un simple transfert d'information. Plusieurs éléments-clés de la définition retenue en sont absents.C'est d'ailleurs pour cette raison qu'il est difficile de parler véritablement de communication. Que le lecteur ne se méprenne pas cependant. Il n'est pas dit ici que toute communication doit être à deux sens. Beaucoup d'exagération, de mauvaise compréhension, pour ne pas dire de mythes, entourent d'ailleurs ce concept de la communication à deux sens.

Cet aspect sera traité plus en détail lorsque nous parlerons des erreurs les plus communes concernant le processus de communication. Il est tout simplement dit ici que du point de vue interpersonnel, une communication implique qu'une personne essaie de provoquer une réaction chez le récepteur. Seule la rétroaction peut dire à l'émetteur si le récepteur a compris son point de vue ou son idée. Ceci implique qu'après un tel processus, ni l'émetteur, ni le récepteur ne sont exactement dans la même position ou dans le même état qu'au point de départ. Il y a eu échange, influence mutuelle, ... communication. A la limite, ceci peut tout simplement vouloir dire que l'émetteur a plus d'information sur la façon de voir du récepteur; mais même dans ce cas, il y aura eu un progrès par rapport à la situation qui prévalait avant que le processus ne s'amorce. Communiquer, c'est établir un pont entre deux personnes, et ce pont est axé sur la compréhension et l'acceptation.

6.4 LE PROCESSUS

Souscrivant au vieil adage selon lequel "Une image vaut souvent mille

---

* Etant donné que l'expression "feed-back" est beaucoup mieux connue que son équivalent français "rétroaction", les deux mots seront utilisés indifféremment dans ce texte.

mots", nous présentons un schéma qui illustre les principaux éléments constitutifs du processus général de la communication. Une mise en garde s'impose cependant: il s'agit d'une représentation mécanique pour ne pas dire statique du processus. Il est impossible de représenter visuellement toutes les complexités et les variantes qui interviennent lorsque deux individus communiquent. Cependant, si une telle représentation ne fait pas complètement justice à l'aspect dynamique et profondément humain inhérent à toute communication interpersonnelle, elle comporte au moins l'avantage de bien situer les composantes ainsi que les étapes du processus.

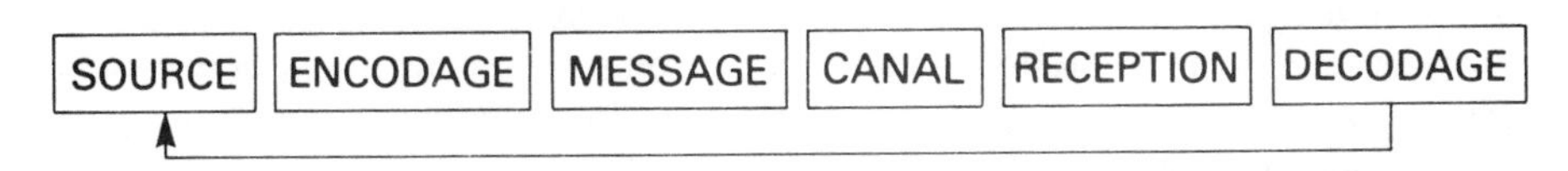

RETROACTION (FEED-BACK)

Afin de mieux cerner le sens de chacune de ces étapes, quelques mots d'explication s'imposent ainsi qu'une indication rapide des principales difficultés susceptibles de se présenter à chacune de ces étapes (9).

Tout d'abord, la source se situe évidemment au niveau de l'émetteur. C'est l'idée, le fait à communiquer ou encore le contenu de la communication. Il importe ici de préciser ce que l'on a à communiquer, et cet aspect est même crucial pour le déroulement optimal du processus. Trop souvent des personnes s'engagent dans un tel processus sans trop savoir ce qu'ils désirent exprimer.

La deuxième est communément appelée encodage. C'est l'organisation de l'idée ou du fait en une série de symboles, de signes ou de mots. Différentes variables sont susceptibles d'avoir une influence lorsque l'encodage se fait; les principales concernent l'habileté, les attitudes, la connaissance et l'appartenance socio-culturelle de l'émetteur. Voilà autant de facteurs qui font qu'un émetteur organisera son idée différemment, ou choisira des symboles différents d'un autre émetteur.

Le message, c'est le moyen physique observable grâce auquel la source ou l'émetteur exprime l'information. En d'autres termes, c'est le produit physique qui résulte de l'encodage. Ce n'est pas uniquement l'idée (contenu), ni uniquement le code (contenant), c'est le contenu enveloppé dans son contenant. Si je veux transmettre une idée (source), je peux choisir de le faire à l'aide de mots, de couleurs, de gestes, de notes de musique (encodage). Le message est mon idée encodée, c'est-à-dire ma phrase, mon tableau, ma mélodie... (10). Il est dès

---

(9) ROBBINS, S.P. ***Organizational Behavior-Concepts and Controversies***. Prentice-Hall, wood Cliffs, New Jersey: 1978, 220-222.

(10) BERLO, D.K. ***The Process of Communication***. New York: Holt, Rinehart and Winston, 1960, 30-32

lors facile de comprendre que le message est affecté par le code, ou l'ensemble des symboles retenus, par le contenu du message lui-même et par les décisions prises au niveau du choix et de l'agencement du code et du contenu. On doit porter une grande attention à ces trois aspects, car ils peuvent être des causes de distorsion [11]. Pour sa part, le canal, c'est le moyen par lequel le message est transmis; c'est le média grâce auquel le message voyage *. Là encore, des précautions s'imposent, car pour toute communication plusieurs canaux sont ordinairement disponibles. Il s'agit de choisir celui qui est le plus approprié en fonction de l'objectif poursuivi, du moment, de la situation, du receveur, etc.

Avec la réception et le décodage, le récepteur — l'objet du message — entre en jeu. La phase du décodage est vitale car c'est à cette étape que la communication prend un sens. Les symboles doivent être traduits de façon telle que le récepteur puisse comprendre. Si la compréhension est mauvaise, toute la communication aura été inutile. Et dans cette phase du décodage, les facteurs qui ont joué lors de l'encodage, soit l'habileté, les attitudes, la connaissance et le système socio-culturel, sont susceptibles d'intervenir à nouveau. L'état psychologique et l'état émotionnel du receveur exercent également une grande influence, et nous aurons d'ailleurs l'occasion de revenir sur cet aspect vital au cours de ce chapitre. Pour l'instant, il importe de rappeler que malgré ces difficultés le récepteur doit donner au message le même sens que lui a donné l'émetteur sans quoi le processus est brisé.

Quelque chose d'autre devra se produire si l'on désire éviter de se trouver dans un cercle vicieux. Ce quelque chose est possible grâce à la boucle de rétroaction. C'est le moyen par lequel l'émetteur peut vérifier jusqu'à quel point il a eu du succès, c'est-à-dire jusqu'à quel point il a atteint ce qu'il poursuivait lorsqu'il a amorcé le processus. La rétroaction permet de vérifier s'il y a eu compréhension, et donc s'il y a eu communication dans le sens où nous avons défini ce terme et ce processus.

6.5 LES BARRIÈRES OU OBSTACLES À LA COMMUNICATION

A ce stade-ci de l'examen du concept de communication et de ce qu'il implique lorsqu'on l'aborde principalement sous l'angle des relations humaines, le lecteur en est sans doute venu à la conclusion qu'il n'est pas facile de communiquer. Un tel verdict n'est pas surprenant et constitue même un acquis important pour quiconque désire et est susceptible d'améliorer sa façon de commu-

---

(11) ROBBINS, S.P. ***op. cit.***, 221.

* Si j'ai choisi d'exprimer mon idée à l'aide de mots, je peux encore choisir un des canaux suivants: le mémo, la transmission orale de personne à personne, l'intercom, la télévision, la lettre officielle...

niquer. Trop de managers se font malheureusement une idée simpliste de la communication et adoptent des façons de faire qui deviennent rapidement routinières, automatiques et inefficaces. Dans ce contexte, il est bon de porter une attention particulière aux principales barrières qui peuvent se présenter dans un processus de communication afin, d'une part, de les avoir bien présentes à l'esprit et, d'autre part, de se développer personnellement des moyens pour y faire face. Ces barrières peuvent se présenter au niveau de l'émetteur, du canal choisi et du récepteur. Cette façon de les classifier est simple, mais elle a l'avantage de montrer tous les pièges dans lesquels l'émetteur et/ou le récepteur risquent de tomber. De plus, il est bon de rappeler une fois de plus que dans un processus de communication, tout émetteur peut devenir récepteur et vice-versa. Ceci est particulièrement vrai dans le cas d'un manager.

6.5.1 Les principales barrières au niveau de l'émetteur

La plus importante des barrières du côté de l'émetteur réside sans aucun doute dans l'attitude ou l'état d'esprit dans lequel le processus s'amorce. Si une personne est fâchée, arrogante ou sur la défensive, il sera très difficile pour le récepteur d'écouter réellement. Dans de telles circonstances, ce qui arrive la plupart du temps, c'est que les émotions de l'émetteur entraînent, provoquent des émotions aussi fortes chez le récepteur, ce qui conduit rapidement à un blocage du processus. Donc, du côté de l'émetteur, la première barrière possible est reliée à son attitude, au climat dans lequel la communication s'amorce [12]. Nous aurons d'ailleurs l'occasion de revenir sur cet aspect crucial de la communication, dans un paragraphe ultérieur.

Qu'il s'agisse de communication orale ou écrite, le sens des mots, le vocabulaire choisi peut constituer une barrière fondamentale. Une personne a tendance à utiliser le vocabulaire qui lui est familier sans se préoccuper du récepteur, sans se demander si celui-ci aura de la difficulté à le comprendre. Tout le langage constitue en fait une façon particulière de structurer et d'organiser la réalité [13]. Or, dans nos sociétés et nos organisations, les argots abondent, ceci étant dû en partie au grand nombre de domaines de formation et de spécialisation. Qu'on le veuille ou non, les mots n'ont pas le même sens pour tous, et certains peuvent avoir pour d'aucuns une connotation émotive très forte. Il importe donc de se rappeler le conseil des experts en linguistique qui recommandent de modifier son langage selon les situations.

Pour l'émetteur, la troisième barrière possible se situe au niveau d'un manque possible de sensibilité vis-à-vis du récepteur. Une trop grande influence

---

(12) COHEN, A.R., FINK, S.L., GADON, H. et WILLITS, R.D. ***Effective Behavior in Organizations***. Richard D. Irwin Inc., 1976, 171-173.

(13) KELLY, J. ***op. cit.***, 594.

de nos valeurs, de nos préjugés et de notre expérience peuvent bloquer toute communication réelle. Pour éviter cette barrière, il importe d'essayer de se mettre dans la peau du récepteur, d'essayer d'imaginer ce que le message veut dire pour lui au moment où il lui parvient (empathie). Cette simple précaution peut nous amener à modifier le message, à utiliser un autre canal ou à choisir un autre moment.

Finalement tout émetteur doit éviter ce que les experts qualifient de message mixte [14]. Le ton utilisé, les expressions faciales et les mouvements du corps, sont autant de codes qui s'ajoutent au message que l'on transmet. Si les messages verbaux et non verbaux se renforcent, s'ils sont consistants, le récepteur peut suivre et comprendre beaucoup plus facilement le message. Dans le cas contraire, cependant, tout devient beaucoup plus complexe et aléatoire. Cette incongruence peut facilement se transformer en une barrière de premier ordre.

6.5.2 Les principales barrières du côté du récepteur

La première et sans doute la plus importante de ces barrières concerne le sens de l'écoute. Comme Gordon [15] l'a si bien démontré (il en fait d'ailleurs l'un des éléments fondamentaux de son approche), peu de gens savent réellement écouter. La mention de cet aspect peut sembler inutile dans un livre comme celui-ci, mais il suffit d'observer ce qui se passe autour de nous pour se convaincre du contraire. Les réunions auxquelles nous nous devons tous d'assister constituent souvent de bons exemples. En effet, il n'est pas rare de voir plusieurs personnes parler en même temps, s'interrompre mutuellement et finir les phrases des autres. On en vient rapidement à ne plus savoir sur quel sujet exact s'est amorcée la communication. Voilà autant d'indices d'un manque sérieux au niveau de l'écoute [16]. D'autres aspects plus subtils mais non moins importants du même problème se manifestent par exemple par le fait qu'au lieu de réellement laisser l'émetteur énoncer son idée avec toutes ses nuances et ses particularités, on prépare sa propre réponse. Dans de telles situations, il devient difficile de se concentrer sur ce que l'autre dit et souvent l'on n'entendra que ses mots sans comprendre ses idées.

La deuxième barrière dont le récepteur est susceptible d'être la victime se rapporte aux phénomènes de la perception. Nous avons tendance à ne recevoir et à n'entendre que ce que l'on espère entendre. Toute information dissonante, c'est-à-dire qui ne correspond pas à nos attentes, a tendance à être rejetée; et un message risque toujours d'être interprété à partir de nos préjugés, de notre

---

(14) COHEN, A.R. et A.L. ***op. cit.***, 173.

(15) GORDON, T. ***Leader Effectiveness Training***. Nyden Books, 1977.

(16) CARNEGIE, Dale and Associates, ***Managing Through People***, revised Edition, New York: Simon and Schuster, 188-189.

expérience, de notre formation, etc. Si, par exemple, le récepteur a un préjugé négatif vis-à-vis de l'émetteur, il a de bonnes chances de rejeter, même inconsciemment, ce que ce dernier désire lui communiquer. Dans le cas contraire, c'est-à-dire dans les situations où l'émetteur jouit d'un préjugé favorable, le récepteur a tendance à accepter de façon non critique tout ce que le premier lui communique (effet de Halo). Ces barrières liées à la perception constituent un problème majeur susceptible d'affecter de nombreuses situations où un échange réel entre deux interlocuteurs devrait intervenir. Même dans les cas pour lesquels la mécanique de base est la même, cette barrière à la communication peut se manifester de différentes façons. Dans certains cas, on parlera de distorsion par omission, ou par addition (fondamentalement, il y a distorsion lorsque le message est interprété selon ce que nous avons cru voir, entendre ou sentir). Dans d'autres cas, il est possible de confondre ce que l'on observe avec les conclusions que l'on en tire. Des phénomènes d'inférence ont alors pris place. Finalement, il est possible de sauter aux conclusions. Par exemple, c'est l'allure physique de l'émetteur ou le contexte qui nous influence réellement et non pas le message lui-même.

Du côté du récepteur, on observe un dernier type de barrière qui se situe au niveau de l'ignorance des indices non verbaux, ou du contexte dans lequel se situe la communication. Si, d'une part, l'émetteur doit être conscient de l'existence de tels phénomènes, le récepteur se doit également d'être attentif à de telles manifestations. Il partage une lourde part de responsabilité dans cet effort de compréhension mutuelle en étant aux aguets des différents signes ou indices qui peuvent nuancer ou compléter toute communication. Il se doit également de tenir compte de ce qui n'est pas dit et, s'il y a doute ou dissonance, tenter de vérifier sa compréhension auprès de l'émetteur. Etre disponible, voilà la caractéristique fondamentale de tout bon récepteur.

6.5.3. Les barrières reliées au canal

Même si elles sont moins nombreuses, moins spectaculaires et en principe moins connues, les barrières reliées au canal choisi doivent également retenir l'attention de celui qui veut améliorer ses chances de bien communiquer.

La plupart de ces difficultés sont reliées au choix du canal. Malheureusement, beaucoup de gestionnaires ont développé la fâcheuse habitude de souvent communiquer de la même façon, c'est-à-dire en utilisant presqu'invariablement le même canal. Pour certains, c'est le mémo, pour d'autres le téléphone, et ce, quel que soit le message à véhiculer, l'objectif poursuivi ou encore les rôles ou fonctions exercées par le récepteur. Une telle façon de procéder va à l'encontre d'un argument logique bien élémentaire qui dit que, selon les circonstances, l'on se doit d'utiliser des canaux ou des moyens différents. Et pourtant qui n'a pas développé de quasi-automatismes dans sa façon de communiquer?

Une deuxième manifestation du même genre de difficulté concerne le nombre de niveaux à travers lesquels la communication doit passer; ou encore, dans le cas d'une communication orale, le nombre de personnes qui doivent être impliquées successivement. Dans le cas où le message doit passer par plusieurs bureaux et/ou personnes, il arrive souvent que le canal choisi ne soit pas approprié. Nous connaissons tous le jeu de société qui consiste à émettre une information quelconque et à faire en sorte qu'elle soit transmise d'une personne à une autre jusqu'à ce qu'elle revienne au point de départ. Règle générale, les personnes s'esclaffent lorsque l'information telle qu'entendue et comprise par la dernière personne de la chaîne est confrontée au message initial. Très souvent, en effet, le squelette de l'information demeure mais il y a une insistance disproportionnée sur les détails, et l'idée principale a été sérieusement déformée et interprétée [17].

Sans en être conscients, beaucoup de managers se livrent au même jeu et les conséquences qui en résultent sont parfois très graves. Une faible dose de prudence et d'imagination suffirait pour minimiser de telles difficultés.

6.6 LE MESSAGE TROP CHARGÉ

Lorsqu'on aborde l'étude des organisations sous l'angle des communications, différents paradoxes sont susceptibles d'apparaître. L'un des plus fascinants concerne la masse d'information qui y circule. Le volume d'information est souvent phénoménal, et l'observateur de l'extérieur a souvent tendance à conclure qu'il y a trop d'information. Et pourtant la plupart des membres de cette même organisation se plaignent d'un manque de communication et souscriraient sans hésitation au diagnostic que nous faisions au début de ce chapitre. Que se passe-t-il en fait dans de telles situations?

6.6.1 Distribution de l'information

Une des causes de ce type de problème réside habituellement dans la façon avec laquelle l'information est distribuée. Il n'est pas rare en effet de voir que l'information, quelque abondante, complexe et importante qu'elle soit, soit donnée sous forme intensive et rapide. C'est le cas des réunions où l'on retrouve 20 à 30 points à l'ordre du jour. C'est le cas du mémo qui, distribué dans la même forme à la majorité du personnel, contient une foule d'éléments tout aussi importants les uns que les autres. Ou encore, c'est la réunion annuelle, ou même bi-annuelle, où les cadres et la direction supérieure se réunissent deux ou trois jours dans un endroit isolé pour évaluer la situation actuelle et faire part à tous les intéressés des nouvelles politiques et orientations qui vont affecter toute l'organisation.

---

(17) KELLY, J. ***op. cit.***, 592-593.

6.6.2 Surcharge du message

Ce type de situation est susceptible de donner naissance à un phénomène bien connu dans le monde des organisations, soit le message trop chargé (18). Dans un tel contexte, le responsable de la réunion, le rédacteur du mémo ou la direction supérieure en général a tendance à oublier un principe fondamental en communication, soit celui de considérer le message du point de vue du récepteur. Cette simple précaution servirait pourtant à faire prendre conscience que, dans de telles circonstances, le récepteur ne peut pas tout prendre et encore moins tout comprendre. Les recherches qui ont été faites sur cette erreur fréquente en communications sont très révélatrices. Face à un message trop chargé, le récepteur développe et adopte une série d'attitudes tout aussi nuisibles à la communication les unes que les autres.

La première de ces attitudes consiste à négliger une partie de l'information. Vu qu'il ne peut pas tout absorber, le récepteur ignorera une partie du message ou tout simplement il l'oubliera. Un autre réflexe du récepteur (l'expression mécanisme de défense pourrait même être utilisée) consiste à généraliser, à se faire une idée globale du message, en négligeant les particularités ou les détails. Il va de soi que ces mêmes particularités et les détails nuancent souvent fortement le message principal et contribuent à lui donner son sens. Une autre pratique, tout aussi dangereuse mais si difficile à éviter pour le récepteur dans de telles circonstances, consiste à filtrer, à tamiser l'information. Le résultat net de cette opération est que souvent le récepteur ne retiendra que ce avec quoi il est familier ou, pis encore, que ce qui renforce ce qu'il croit ou ce qu'il pense. Un même message peut donc donner lieu à une foule d'interprétations; et il n'est pas rare que suite à de telles communications intensives, on voit s'installer la confusion et même la frustration. Enfin, d'autres attitudes reliées à la réception d'un message trop chargé consistent à éviter délibérément certaines informations, à faire des erreurs, ou encore à mettre le message de côté jusqu'à ce qu'on ait le temps nécessaire pour le déchiffrer (délais, files d'attente). Or, il arrive souvent que, pressé par les activités journalières et une foule d'autres prétextes, le récepteur l'oublie.

6.7 COMMUNICATION ET CLIMAT

Une autre variable trop souvent négligée par les managers concerne le climat dans lequel la communication prend place. De nombreuses recherches ont démontré (19) que si la communication se fait dans un climat menaçant, ou de

---

(18) HUSE, E. et BOWDITCH, J.L. ***Behavior in Organizations: a Systems Approach to Managing***. Addison-Wesley Publishing Co., 1973, 97-98.

(19) Voir entre autres GIBB, J.R. "Defensive Communication" ***Journal of Communication***, 11, 3, (1971), 141-148

méfiance, plusieurs éléments importants ne sont même pas reçus. Le récepteur est alors trop préoccupé à se défendre, à préparer sa répartie ou tout simplement à sauver son image. Il ne peut tout simplement pas se maintenir dans un état d'esprit propre à un échange véritable. Il est à noter que ceci va rapidement affecter l'émetteur à son tour et que l'on risque de tomber dans un véritable cercle vicieux. Un climat de support et de confiance aura l'effet contraire; Carl Rogers a même basé une partie importante de sa théorie sur cette disponibilité, cette ouverture vers l'autre que l'on doit avoir dans toute communication. Rogers nous incite à lutter contre la tendance que l'on a de vouloir évaluer l'autre dans une communication.

Mais ce qui est encore plus important pour le manager, c'est de se rappeler ou de se convaincre que beaucoup de communications menaçantes peuvent être radicalement transformées et devenir orientées vers le support, ou au moins devenir non axées sur la définition d'un verdict ou d'un jugement. Quelques exemples et mises en situation s'imposent ici afin de mieux démontrer les possibilités qui s'offrent au manager.

Dans les organisations, beaucoup de situations où l'on se doit de contrôler quelqu'un peuvent en fait être très menaçantes pour le ou les individus concernés. Or, dans de nombreux cas, le "contrôle" peut être rendu moins menaçant si on en fait une sorte de problème à résoudre, tout en évitant de donner l'impression qu'on a une solution toute faite ou qu'on veut imposer une méthode. Dans de telles circonstances, le récepteur est alors plus libre, plus ouvert, plus susceptible de regarder objectivement la situation et donc d'apporter une meilleure contribution. Dans le même ordre d'idées, on aura avantage, dans beaucoup de communications, à se centrer sur la description de faits plutôt qu'à porter des jugements. Une autre pratique adoptée par plusieurs managers, et qui est susceptible de créer un climat de méfiance, consiste à donner l'impression d'être réellement supérieur, de tout savoir ou encore d'employer des stratagèmes très sophistiqués. Peu de personnes aiment se sentir inférieures. Peu sont intéressées à jouer volontairement le rôle de cobaye; elles se trouvent alors dans une situation où elles auront tendance à se défendre, à ne plus écouter le message pour lui-même et à entrer en compétition avec l'émetteur afin de lui prouver que bien pris est celui qui voulait prendre. Du point de vue du concept fondamental de communication qu'est l'empathie sur lequel nous avons déjà fait quelques remarques, il est bon de se rappeler qu'un climat de support est souvent basé sur l'intérêt et le respect que l'on manifeste vis-à-vis de l'interlocuteur. Ce dernier désire généralement être perçu comme quelqu'un qui a de la valeur, des qualités, et qui vaut la peine qu'on s'y intéresse. Finalement, sur le plan des communications interpersonnelles, toute attitude de certitude absolue peut s'avérer néfaste. Il est souvent préférable de laisser une place pour le doute et d'expérimenter. Trop de managers tombent dans le piège du dogmatisme et d'un manque total d'ouverture. À moyen et long terme, une telle attitude devient très agaçante et incite les interlocuteurs à se défendre en attendant une bonne occasion de passer à l'attaque à leur tour. Le manager doit donc se préoccuper du climat dans lequel il engage la communication et faire en sorte de décharger l'atmosphère le plus possible afin de permettre au récepteur d'être véritablement dans un contexte qui favorise l'écoute.

6.8 LA NOTION DE RÉTROACTION (FEED-BACK): UN EXAMEN PLUS APPROFONDI

Dans la littérature portant sur les comportements dans les organisations, les mots communication et rétroaction sont intimement associés à un point tel que, pour plusieurs, l'un ne va pas sans l'autre. Certes, il n'est pas dans notre intention de minimiser l'importance de la rétroaction dans le processus de communication. À la limite, tel que nous l'avons indiqué au début de ce chapitre, il ne peut pas y avoir de communication véritable s'il n'y a pas eu d'échange entre les deux parties. C'est là l'idéal. C'est de plus une situation normale et même inévitable du strict point de vue des relations humaines. Il ne faut pas en conclure pour autant que toute transmission d'information dans une organisation nécessite la mise en place d'un processus de rétroaction. Parfois, la communication à un sens s'impose ou est de mise [20]. Il est d'ailleurs intéressant de comparer les avantages et inconvénients respectifs de ces deux façons de communiquer. Cependant, nous ne prétendons nullement être exhaustif ni conclure définitivement le débat sur ce sujet qui fera sans doute l'objet de vives discussions pendant encore de nombreuses années.

6.8.1 Avantages et inconvénients des deux modes de communication

Comme il est facile de le concevoir, la communication à un sens est plus rapide et elle est plus facile pour l'émetteur. De nombreuses recherches montrent qu'elle est très appropriée pour la transmission d'informations simples et routinières et qu'elle contribue à une grande centralisation du pouvoir. Sans vouloir être cyniques, nous pouvons également ajouter que l'utilisation de ce mode de communication permet que les erreurs soient rarement mises en évidence; certains malins se plaisent même à ajouter qu'un amateur peut facilement être à la tête d'une organisation où prévaut ce genre de communication. Par contre, la communication à un sens exige qu'on accorde plus d'attention au code choisi, car elle doit comporter des qualités de logique et une certaine séquence.

En ce qui concerne la communication à deux sens, les remarques suivantes s'imposent. Tout d'abord, comme dans ce contexte les réactions du récepteur sont non seulement permises mais facilitées et encouragées, la communication à deux sens est en général plus longue, plus désordonnée et exige moins de préparation au niveau du code et de la stratégie car il est possible

---

(20) Voir entre autres HUSE, E. et BOWDITCH, J.L. ***op. cit.*** 100.

de l'adapter en cours de route. Elle est plus appropriée lorsqu'il y a lieu de transmettre des informations nouvelles et complexes et, contrairement à la communication à un sens, les faiblesses ou erreurs de l'émetteur sont dans ce cas repérées très rapidement. Elle ouvre cependant la porte à la contestation du pouvoir, ce qui oblige l'émetteur à être compétent et capable de s'adapter rapidement. C'est dire que si l'on se place du côté de l'émetteur, la communication à deux sens est beaucoup plus difficile et insécurisante. Du côté du récepteur cependant, la communication à deux sens a un effet positif; elle lui permet d'être plus sûr de lui-même, ce qui l'incite souvent à attaquer l'émetteur et à mettre sa compétence en doute.

Cette association beaucoup trop généralisée entre communication et rétroaction nécessite une autre série de remarques ou réserves qui porteront cette fois sur les difficultés reliées au fait de donner ou de recevoir du feedback. Cela est loin d'être une tâche facile quoi qu'en disent certains auteurs ou pseudo-spécialistes des sciences du comportement qui, pour différentes raisons, minimisent cette dure réalité. Afin de mieux visualiser et imaginer les principales difficultés susceptibles de se produire au niveau de l'émission et de la réception d'un "feedback", il est bon de se rappeler les composantes de base de l'écoute active telles que formulées par Gordon (21). Pour ce faire, imaginons la situation suivante: un étudiant vient rencontrer son professeur pour lui faire part d'un certain malaise qu'il ressent tant face au contenu et aux objectifs du cours qu'à la pédagogie utilisée. S'il veut réagir de façon à maximiser l'utilisation possible du "feedback", le professeur devra se rappeler les règles élémentaires suivantes. *

6.8.2 Caractéristiques d'un bon feed-back

Tout d'abord, il se devra de montrer de l'empathie, c'est-à-dire un intérêt réel et soutenu vis-à-vis les remarques exprimées par l'étudiant. A la limite, faire preuve d'empathie, c'est se projeter dans le processus psychologique de l'interlocuteur; c'est anticiper les actions et les réponses de celui-ci vis-à-vis de nos propres actions et réponses (22). Cet état d'esprit devra être présent tout au long de l'entretien et se manifester de différentes façons selon l'évolution de l'échange. Cette attitude empathique permettra au professeur de réagir au moment approprié: ne pas interrompre l'étudiant, lui laisser le temps de s'exprimer. Le feed-back doit également être centré sur ce qui est dit; sur des observations plutôt que sur une interprétation des motifs de l'émetteur, ou

---

* Il est à noter que notre point de départ est arbitraire. Au cours de la conversation, l'étudiant devra à son tour utiliser certains des mêmes principes suite aux réactions du professeur. Par définition, la rétroaction ne se fait pas à sens unique. C'est un va et vient continuel.

(21) GORDON, T. ***op. cit.***, chapitres 4 et 5.

(22) KELLY, J. ***op. cit.***, 599.

encore sur des inférences. Il doit être centré sur la valeur, l'utilité qu'il peut avoir pour le récepteur plutôt que sur l'effet bénéfique qu'il peut avoir sur l'émetteur (soulagement, défoulement, vengeance, etc.). Dans le cas du feed-back, on oublie fréquemment, même si c'est là un aspect vital, qu'il doit être le plus neutre possible, c'est-à-dire susciter l'exploration d'alternatives plutôt que d'orienter vers des solutions toutes faites; dans le même sens, ce même feed-back doit viser l'information, favoriser le partage d'idées plutôt que véhiculer une fonction de juge ou de conseil. Finalement, tout bon feed-back possède également les caractéristiques suivantes: il est centré sur le comportement plutôt que sur la personne (jugement) et il est relié à des points ou aspects spécifiques de la situation actuelle (ici et maintenant) plutôt que sur des généralités ou des comportements abstraits et/ou passés [23]. Cette énumération rapide des principales caractéristiques d'un bon feed-back démontre combien il peut être difficile à réaliser. Devenir un bon "rétroacteur" exige beaucoup de temps, de courage, de détermination, mais surtout une croyance absolue en la valeur d'un bon feed-back. Que dire de la compréhension et du respect de soi et des autres qui sont également des éléments indispensables!

La communication à deux sens est donc très exigeante même lorsqu'on se place dans la perspective des sciences du comportement. C'est le type idéal de communication. Il ne saurait d'ailleurs y avoir échange dans le sens pur du terme si les éléments que nous avons rapidement énumérés plus haut ne sont pas présents. Mais dire que toute communication doit être à deux sens, c'est manquer de réalisme. Tel qu'indiqué, les deux façons de communiquer ont des avantages et des inconvénients. Chacune est appropriée dans certaines circonstances et ne l'est pas dans d'autres. Ici comme ailleurs, le dogmatisme, aussi attrayant soit-il à première vue, devient rapidement dangereux. Il appartient au manager de faire une réflexion honnête sur le sujet et de se montrer souple dans la façon avec laquelle il aborde le phénomène complexe de la communication.

6.9 MANAGER, COMMUNICATION ET ORGANISATION

Comme nous l'avons dit, en introduction, les communications jouent un rôle-clé dans le fonctionnement des organisations et dans les phénomènes de gestion en général. Il importe d'ailleurs ici de préciser quelque peu le rôle du manager vis-à-vis des communications et de voir jusqu'à quel point ce rôle est important.

En effet, à quelque niveau qu'il soit, le manager doit se préoccuper de

---

(23) LEHNER, G. "Aids for giving and receiving feedback". ***Interpersonal Communications.*** Workbook, 1974

communication, et il a même une double responsabilité à cet égard [24]. D'une part, il doit communiquer le mieux possible avec les autres; d'autre part, il est également responsable du maintien d'une bonne communication parmi tout son personnel. Le premier point se rapporte au fait que si un manager a une excellente idée, il risque fort de n'exercer aucun impact réel si cette idée n'est pas actualisée par la communication. Le second aspect de la responsabilité attribuée au manager en matière de communication rappelle que dans toute organisation le climat général devient rapidement pourri si la communication est mauvaise. En effet, tel que l'indique Davis, le climat organisationnel semble relié à l'aptitude à communiquer des managers, particulièrement ceux qui gravitent autour des niveaux supérieurs. À cet égard, tel qu'il a été suggéré dans ce chapitre, tout manager doit se rappeler que la communication ne consiste pas seulement à émettre mais également à recevoir. Malheureusement, lorsque certains cadres parlent à leurs subordonnés, ils démontrent une faible propension à l'écoute qui est pourtant fondamentale dans tout processus de communication. Si le manager ne fait qu'émettre sans se préoccuper du récepteur et de sa réaction au message reçu, il se contente de transmettre de l'information (communication à un sens). Cette façon de faire a peu de chances de développer des attitudes positives dans une organisation ou encore de montrer que l'on a confiance dans la capacité des membres de l'organisation. Les résultats nets de cette façon de procéder sont tout à l'opposé, et si seulement la communication à un sens est utilisée, la frustration et ses conséquences directes inévitables telles une baisse de la motivation, un absentéisme plus élevé, des sabotages, etc., vont rapidement se manifester. Des recherches très intéressantes ont d'ailleurs démontré cette conséquence de la communication à un sens [25].

6.10 SYNTHÈSE ET CONCLUSION

Toute communication entre deux personnes est un phénomène très complexe. Elle implique un échange, une évolution; et plusieurs phénomènes sont susceptibles d'intervenir au cours du processus. Il y a d'abord le contenu de ce qui est discuté ou communiqué; deuxièmement, les sentiments ou attitudes vis-à-vis de la matière discutée ou communiquée entrent également en ligne de compte. Finalement, les sentiments que les personnes ont l'une envers l'autre jouent également un rôle primordial. Les obstacles à éviter sont nombreux et ils se situent tant au niveau de l'émetteur, du récepteur que du canal choisi. Parmi ces difficultés, certaines sont plus fréquentes et plus généralisées dans nos organisations. À ce titre, la pratique du message trop chargé et la négligence du

---

(24) DAVIS, K. ***Human Behavior at Work: Organizational Behavior***. Fifth Edition, McGraw-Hill Book Compagny, 1977, 378.

(25) HANEY, W.V. "A Comparative Study of Unilateral and Bilateral Communication". ***Academy of Management Journal***, June 1964, 128-136.

climat dans lequel se fait la communication ont été mentionnées. Malgré cette complexité et malgré toutes les difficultés qui nécessiteraient un examen sérieux et sans cesse renouvelé de la part de celui qui veut communiquer adéquatement, beaucoup d'individus ont tendance à se développer des règles simplistes et universelles afin de mieux s'y retrouver dans ce labyrinthe. Ces règles prennent originairement la forme suivante: a) toute communication doit être brève; b) toute communication doit être à deux sens, etc. Les dangers d'une telle façon de procéder ont été soulevés et l'on a également esquissé les composantes générales de l'état d'esprit dans lequel une communication doit s'effectuer si l'on veut en maximiser les chances de réussite. Il ne faut pas oublier, en effet, qu'une communication est rarement faite au hasard. L'émetteur vise ou poursuit quelque chose.

Malgré toutes ces nuances, ces avertissements et ces éléments qui peuvent paraître décourageants, le lecteur ne doit pas oublier que le vaste sujet des communications interpersonnelles n'a été qu'abordé ici. Il eut été impensable de vouloir être exhaustif car les communications sont au centre de nombreux phénomènes organisationnels et interpersonnels. Certains penseurs ont d'ailleurs déjà suggéré que l'ensemble des phénomènes reliés à ce que l'on surnomme communément les relations humaines, tournent la plupart du temps autour de deux concepts: la perception et les communications. Tout individu qui veut réellement améliorer ses habiletés dans le domaine de la communication doit donc considérer les éléments qui ont été présentés ici comme des paramètres de base qui doivent constamment être revisés, adaptés et complétés. Ce serait se leurrer profondément que de réagir autrement. Et, afin de faciliter cette réflexion et cette mise à jour continue, il est sans doute de mise de terminer le chapitre en faisant un rappel le plus clair et le plus simple possible des principaux points que doit surveiller quiconque veut améliorer son aptitude à communiquer.

Tout d'abord, il est toujours préférable de préciser l'objectif de la communication au départ, de clarifier ce que l'on veut dire. Trop d'individus commencent à parler ou à écrire sans trop savoir exactement ce qu'est leur objectif. Il importe de réfléchir avant de communiquer. Deuxièmement, tout bon communicateur n'antagonise pas le récepteur. Il fait preuve d'empathie, il sonde la réceptivité et il se soucie de considérer le message ou l'objectif du point de vue du récepteur. Le choix du moment, de la forme et du moyen (canal) sont également importants. Comme nous l'avons déjà dit, l'être humain a malheureusement tendance à préférer certaines façons de communiquer et à toujours utiliser les mêmes. Une telle façon de faire est inefficace et même dangereuse. Il importe d'être flexible et imaginatif lorsqu'on communique. Même dans le cas de la communication à un sens, il est bon, après un certain temps, de vérifier la compréhension du message. Par des sessions de feed-back, par des questions aux individus visés, il importe de s'assurer de la réception et surtout de la compréhension de ce qui a été communiqué. À cet égard, on prend trop souvent pour acquise la compréhension immédiate et parfaite. Finalement, il importe de se rappeler de ne pas surcharger le message, soit en poursuivant plusieurs objectifs en même temps, soit en fournissant inutilement un trop grand nombre de détails. C'est là une source fréquente de frustration et de tension dans nos organisations ainsi qu'une des causes directes du paradoxe auquel il a été fait allusion. L'information qui circule est souvent volumineuse mais, en même temps, les plaintes vis-à-vis du manque de communication fusent de toutes parts.

SUJETS D'ÉTUDE ET DE DISCUSSION

1. Résumez en vos propres mots les principales composantes du processus de communication. Selon vous, laquelle est la plus importante et pourquoi? Laquelle est la plus difficile?

2. Que peut-on faire pour améliorer son habileté à communiquer?

3. Une communication parfaite est-elle possible? Pourquoi?

4. Quelle barrière à la communication est la plus importante selon vous? Laquelle est la plus fréquente? Pourquoi?

5. Pouvez-vous donner quelques exemples de messages "mixtes"? Quel genre de problèmes peuvent-ils occasionner?

6. Si dans un groupe on établit la règle que chaque personne doit répéter le message ou les intentions de l'émetteur qui l'a précédé avant de pouvoir parler à son tour, que vise-t-on par cette règle? Quel effet cela peut-il avoir?

7. Un message trop chargé, c'est quoi? Pouvez-vous donner quelques exemples? Quelles sont les conséquences possibles d'un tel message?

8. Dans votre entourage, quelles sont les personnes avec lesquelles vous communiquez le plus régulièrement? Comment expliquez-vous ce comportement?

9. Parmi les différentes raisons qui font qu'il est difficile de donner ou de recevoir du feed-back, quelle est la plus importante selon vous et pourquoi?

BIBLIOGRAPHIE SUPPLÉMENTAIRE

ARDOINE, J. ***Communications et relations humaines***. Paris: Ed. Institut d'administration des Entreprises de l'Université de Bordeaux, 1966.

BERLO, D.K. ***The Process of Communication***. New York: Horl, Rinehart and Winston, 1960.

BETHEL, L., ATWATER, F.S., GEORGES, S.E. et STACKMAN, H.A. ***Industrial Organization and Management***. Fourth ed. McGraw-Hill Book, New York: 1962, ch. 3.

BROWN, D.S. "Decision Making" dans ***Looking into Leadership***. Leadership ressources Ind., Washington D.C., 1966.

DAVIS, K. "Management Communication and the Grapevine". ***Harvard Business Review***, 31, Sept-oct. 1953, 44-49.

DAVIS, K. ***The Dynamics of Organizational Behavior***. New York: McGraw-Hill, 1967.

FAST, J. ***Body Language***. Philadelphie: Lippincott, M. Evans, 1970.

FOLTZ, R. "Communication: not an Art, a Necessity". ***Personnel 49***, 3, May-June 1972, 60-64.

GOETZINGER, D. et VALENTINE, M. "Problems in Executive Interpersonal Communication". ***Personnel Administration***, XXVII, March-April, 1964.

GOSSELIN, R. "Pouvons-nous encore nous parler?". ***L'hôpital d'aujourd'hui***. Montréal: Mars 1967.

HOGUE, J.P. "La communication". ***Commerce.*** Montréal: janvier 1965.

HOGUE, J.P. "Réflexions sur la communication". ***Commerce.*** Février 1967.

LEAVITT, H.J. et MUELLER, R.A. "Some Effects of Feedback on Communication". ***Human Relations***, 4, 1951.

LESIKAR, R.G. ***Business Communication: Theory and Practice***. Homewood, Ill: Richard D. Irwin Inc., 1968.

LONGENECKER, J.G. ***Principles of Management and Organizational Behavior***. Columbus Ohio: Charles E. Merrill Books Incl, 1964.

PIGORS, P. ***Effective Communication in Industry***. New York: National Association of Manufacturers of the U.S.A., 1949.

PORTER, G.W. "Non Verbal Communication". ***Training and Development Journal***, vol. 23, N. 6-7-8.

REDDING, W.C. et SANBORN G.A. "Communication in Business: an Overview" in: ***Business and Industrial Communication: A Source Book***. Evanston, Ill.: Harper and Row Publishers, 1964.

ROGERS, C.R. et ROETHLISBERGER, F.J., "Barriers and Gateways to Communication". ***Harvard Business Review***, vol. 30, N. 4, July-August 1952.

ROETHLISBERGER, J.F. "The Administrator's skill in Communication". ***Harvard Business Review***, Nov-Dec. 1953, vol. 31.

SIMON, P. ***Le Ressourcement humain.*** Les éditions Agence D'Arc, 4è ed., 1975.

SOTTLER, W.M. "Talking ourselves into Communication Crises". ***Michigan Business Review***, July, 1957.

CHAPITRE 7

LE GROUPE:

SA NATURE*

7.1 INTRODUCTION

La culture nord-américaine privilégie si fortement l'individu que de nombreux managers aiment à penser et à voir les organisations comme étant essentiellement une collection d'individus, même s'ils savent par expérience que la réalité est tout autre. Une telle façon de voir semble provenir en partie d'un souhait ou d'un désir. Le manager aime à penser aux organisations en termes d'individus, parce qu'elles seraient plus faciles à comprendre et à faire fonctionner si tel était le cas. Les praticiens ne sont d'ailleurs pas les seuls à avoir été victimes de ce biais. Pendant longtemps, les théoriciens n'ont pas reconnu ni compris l'existence des groupes et n'ont pas accepté de s'y attarder. Il a fallu attendre les travaux de Mayo pour que soient reconnues officiellement l'importance et l'inévitabilité de la présence des groupes dans les organisations. Ce n'est qu'à partir de ce moment que les théoriciens commencèrent à reconnaître officiellement que le comportement des individus dans une organisation est affecté non seulement par des relations telles que prévues par l'organigramme ou les politiques et les procédures, mais également par toute une série de relations informelles [1].

Nous nous attacherons, dans cette section, à expliquer la façon dont l'appartenance à un groupe affecte le comportement d'un individu. Dans un premier temps, nous nous attarderons plus spécifiquement à la notion de groupe, à ses composantes, aux raisons qui motivent l'apparition des groupes, aux différents types de groupe, etc. Dans un deuxième temps, nous identifierons les principes de base du fonctionnement d'un groupe. Des éléments-clés, tels les normes, les statuts, les rôles seront examinés. On fera ensuite une énumération rapide des facteurs qui favorisent l'apparition des groupes ainsi que leur

---

* Chapitre rédigé par Jocelyn Jacques.

(1) HUSE, E.F. et BOWDITCH. J.L. ***Behavior in Organization: A Systems Approach to Managing.*** Addison Wesley Publishing Co., 1973, 110-111.

cohésion (chap. 8). Finalement, dans une troisième partie, les relations intergroupes seront rapidement examinées: qu'est-ce qui favorise la coopération entre les groupes? quelles sont les sources des conflits intergroupes, et à quels phénomènes donnent-ils naissance (chap. 9)?

7.2 LE GROUPE: DÉFINITION GÉNÉRALE

Une série de conditions doivent être présentes pour que deux ou plusieurs personnes puissent être identifiées comme faisant partie d'un groupe. Il est évident que 5 ou 7 personnes qui attendent patiemment en ligne l'arrivée de l'autobus ne constituent pas un groupe. Par contre, si certains événements se produisent (par exemple, ces mêmes personnes s'entendent pour discipliner un individu qui vient d'arriver et qui s'installe au premier rang), ces mêmes personnes peuvent rapidement constituer un groupe.

Même s'il est très simple, l'exemple qui vient d'être présenté peut néanmoins servir à expliciter les composantes de base d'un groupe, le mot groupe étant entendu ici dans son sens psycho-social. Tout d'abord, un groupe est composé de deux personnes ou plus qui ont nécessairement quelque chose en commun, notamment des objectifs. Ces objectifs peuvent être plus ou moins bien définis ou compris mais il est fondamental qu'ils existent. L'exemple classique du groupe est celui des "gangs" d'adolescents. Il est intéressant de remarquer que dans ces groupes, il n'est pas rare qu'un ou plusieurs des membres ne soient même pas conscients qu'une des véritables raisons d'être du groupe est de se protéger des parents (2).

Pour qu'il y ait groupe, il faut que les membres interagissent, qu'il y ait interdépendance et collaboration dans la visée de l'objectif. Contrairement à une conception largement véhiculée, en particulier dans des films où les membres de groupes sont quasi continuellement ensemble, il n'est pas nécessaire que tous soient toujours présents pour constituer un groupe. Au moins occasionnellement, cependant, les membres doivent se voir, se rencontrer et se parler.

Nous mentionnons une dernière condition qui en fait est sans doute la plus importante; elle est en tout cas essentielle. Pour qu'on puisse dire qu'il y a groupe, il faut que chaque membre se perçoive comme un élément d'un groupe. C'est ce qui différencie le groupe du simple agrégat de personnes. Et si cette condition existe, les autres conditions décrites plus haut ont de fortes chances d'être également présentes. Quelqu'un qui s'identifie comme étant membre d'un groupe n'aura aucune difficulté à interagir avec les autres membres de son groupe en vue d'atteindre les objectifs communs. Si au niveau des objectifs (objectifs non avoués) et des interactions entre les membres (elles peuvent être limitées), beaucoup de flexibilité et d'exceptions sont acceptables, par contre, pour ce qui est de cette dernière condition, la marge de manoeuvre est très

---

(2) HUSE, E.F. et BOWDITCH, J.L. ***Behavior in Organizations: A Systems Approach to Managing***. (2nd ed.). Addison Wesley Publishing Col, 1977, 160.

limitée. Si cet éveil psychologique, si ce sentiment d'appartenance n'existe pas, il est très difficile de soutenir que nous sommes en présence d'un groupe.

7.3 LES TYPES DE GROUPES

Contrairement à ce que font plusieurs auteurs, il n'est pas dans notre intention d'attacher une importance indue au problème très complexe de la classification des groupes. Deux raisons principales nous incitent à adopter cette ligne de conduite. Tout d'abord, il n'y a absolument aucun accord entre les spécialistes sur la façon idéale de classer les groupes. En second lieu, nous sommes d'avis qu'un groupe ne peut pas être exactement semblable à un autre groupe, même si superficiellement les deux semblent très similaires. Dans ce contexte, nous nous contenterons donc d'esquisser les grandes façons de classifier les groupes dans le but de montrer leur grande diversité et leur quasi-omniprésence et nous ne tenterons pas d'établir quelque typologie englobante que ce soit.

7.3.1 Groupes formel et informel

L'une des façons les plus simples et les plus utiles de classifier les groupes est de considérer leur degré de formalisme ou encore la force de leur structure interne. En ce sens, on parlera de groupe formel et de groupe informel (3). Un groupe formel est un groupe créé intentionnellement ou délibérément (pour s'acquitter d'une tâche spécifique par exemple). On y retrouve généralement une structure d'autorité, un système de statuts et une série de rôles bien définis, largement développés et durables dans le temps. À l'inverse, un groupe informel est celui qui se crée naturellement à partir d'interactions, de préférences ou de besoins des individus. Les membres y adhèrent volontairement. Ils n'y sont pas nommés comme dans le cas des groupes formels. C'est tellement vrai que souvent l'on constate qu'il se crée des groupes informels à l'intérieur des groupes formels. Même si l'on retrouve dans les groupes informels, comme dans les groupes formels, des rôles, une structure d'autorité et un système de statuts, ces éléments ne sont pas vraiment de même nature dans les deux cas. Tout d'abord, il faut noter que dans les groupes informels, ces phénomènes sont spontanés, naturels et non pas forcés. Deuxièmement, ils y sont beaucoup moins bien définis, plus souples et moins élaborés que dans le cas de groupes formels. Par ailleurs, il ne faut pas exagérer ces différences. Même si elles sont réelles, et même si la différenciation en termes de groupes formels et de groupes informels est très utile parce qu'évocatrice de caractéristiques importantes, il faut se rappeler qu'il ne s'agit essentiellement que d'une question de degré (4). Même à partir de ces critères généraux, on ne peut classifier à coup sûr les

---

(3) SANFORD, A.C. ***Human Relations: Theory and Practice***. Merril, C.E. Publishing Co., 1973, 85.

(4) Loc. cit.

groupes en "formels" ou "informels", car la plupart des groupes comportent des aspects qui les font appartenir à ces deux types. On ne peut parler que de tendance et de couleur dominante.

Il existe plusieurs sortes de groupes formels. Les comités, les conseils d'administration, les équipes de gestion, les départements, les groupes de travail, etc., constituent autant d'exemples de groupes formels. On rencontre également différents types de groupes informels auxquels on réfère généralement par le terme "clique". On parlera de clique horizontale, de clique verticale et de clique mixte [5]. Une clique horizontale est composée de membres de même niveau et de même statut à l'intérieur d'une même organisation et oeuvrant dans le même secteur. Une clique verticale est très différente en ce sens qu'elle comprend des personnes de niveaux différents dans la structure hiérarchique et à l'intérieur de la même direction ou du même service. Certains besoins tels la sécurité ou des valeurs communes compensent pour la différence au niveau du statut et font en sorte que des supérieurs et des subordonnés puissent se retrouver dans la même clique. Pour sa part, une clique mixte est composée de personnes ayant des statuts différents et provenant de différentes parties de l'organisation. Les cliques de ce type se développent généralement pour minimiser la lourdeur administrative et pour court-circuiter les processus normaux dans des buts de protection et d'accroissement du pouvoir personnel. Il n'est dès lors pas surprenant qu'on rencontre plus fréquemment des cliques dans nos grosses organisations où l'administration est parfois très lourde, et les processus trop nombreux.

7.3.2 Groupe de tâche et groupe de formation

Certains préfèrent classifier les groupes selon les objectifs poursuivis. Suivant cette approche, on peut avoir tout d'abord un groupe de tâche (task force). C'est le genre de groupes où les membres se préoccupent exclusivement de la tâche à accomplir. Le groupe dit de formation (T. group) est très différent car c'est alors le fonctionnement du groupe comme tel qui est le centre des préoccupations des membres. Finalement, ici encore, on retrouve des groupes mixtes, c'est-à-dire des groupes où l'on insiste tant sur la réalisation de la tâche à accomplir que sur les phénomènes psychologiques susceptibles de se présenter dans le cadre de leur fonctionnement. Il est facile de voir que cette façon de classifier les groupes a l'avantage de mieux décrire les groupes touchés.

7.3.3 Groupes primaire et secondaire

Pour différentes raisons, d'autres spécialistes préfèrent classifier les groupes selon la nature des relations qui existent entre les individus et le groupe [6]. Selon cette façon de voir, on aura des groupes primaires et des groupes

---

(5) REITZ, J.H. ***Behavior in Organizations***. Homewood, Ill.: Richard D. Irwinn, 1977, 292.

(6) HICKS, H.G. ***The Management of Organization***. (2nd ed.). New York: McGraw-Hill Book Co., 1972.

secondaires. Un groupe primaire est un groupe dans lequel les membres sont impliqués totalement et émotionnellement. Dans les situations où les relations entre le groupe et ses membres sont contractuelles, l'expression groupe secondaire est utilisée. Ce type de classification nous informe sur la nature des groupes et le degré d'implication de leurs membres.

7.3.4 Groupes fermés et ouverts

La catégorisation des groupes en termes de groupes fermés et groupes ouverts peut également être valable. En raison du fait que les groupes ouverts sont très mouvants au niveau de leur membership, ils sont peu orientés vers le futur ou le long terme; le présent importe beaucoup plus. C'est tout le contraire dans un groupe fermé, car la stabilité du membership incite les membres à planifier à long terme. Généralement, un groupe ouvert est plus créateur et plus ouvert aux nouvelles idées en raison de l'arrivée constante de nouveaux membres. Un groupe fermé est beaucoup plus traditionnel et peu porté à changer ses habitudes.

Ces quelques façons de classifier les groupes ne sont pas mutuellement exclusives, loin de là. Tout groupe peut être classifié selon chacune des approches suggérées. Tout dépend de la caractéristique du groupe sur laquelle nous désirons insister. Même si nous parlerons surtout des groupes informels dans ce volume, le lecteur est invité à se souvenir des autres catégorisations possibles afin d'être en possession d'une terminologie beaucoup plus précise et plus complète.

7.4 POURQUOI DES GROUPES? QUELQUES RAISONS FONDAMENTALES

Tout manager d'expérience ou tout individu ayant vécu pendant un bon moment dans des organisations d'importance sait que la création de groupes est quasi inévitable. Tel qu'indiqué dans l'introduction, même si malheureusement la culture et la forme de la plupart de nos organisations incitent à penser et à agir en termes d'individus plutôt qu'en termes de groupes, la réalité est très différente. Il doit donc y avoir des raisons fondamentales qui font que des groupes se créent, se démantèlent et se recréent à un rythme et avec une force déconcertants. Une mise en garde importante est cependant nécessaire avant de débuter l'énumération des principaux besoins qui peuvent être satisfaits par un groupe. Aucun groupe ne peut satisfaire tous les besoins d'une personne (7). C'est d'ailleurs l'une des raisons qui fait que toute personne a tendance à appartenir à plus d'un groupe et à modifier son appartenance selon les circonstances. En général, un individu maintiendra son appartenance à un groupe tant et aussi longtemps que les besoins que le groupe satisfait seront plus importants que les inconvénients qui peuvent être reliés à cette appartenance.

---

(7) HUSE, E.F. et BOWDITCH. (2nd ed.). ***op. cit.*** p. 167.

7.4.1 Besoin d'affiliation

La première raison fondamentale d'appartenir à un groupe est d'ordre social. Il importe peu de savoir si c'est là un besoin naturel ou s'il a été appris au cours des siècles; il n'en demeure pas moins que l'être humain est grégaire. Il a besoin d'interagir avec ses semblables et il apprécie la présence des autres. Ce besoin d'affiliation tient aussi du fait que la plupart des êtres humains désirent être acceptés par les autres et désirent également accepter les autres [8]. Tous les groupes ne réussissent pas à satisfaire ce besoin, mais tout groupe a le potentiel de le faire.

7.4.2 Besoin d'identification

Le deuxième besoin fondamental auquel un groupe peut répondre est celui d'identification. L'être humain typique ne se contente pas d'avoir des amis. Il désire appartenir, pouvoir s'identifier à quelque chose et répondre plus facilement à l'éternelle question: qui suis-je? Ce besoin se manifeste d'ailleurs par la tendance qu'a tout individu à se percevoir comme membre d'un petit groupe plutôt que comme membre d'une grosse organisation, cette dernière ne pouvant pas lui fournir ce sentiment d'appartenance [9].

7.4.3 Besoin de sécurité

La sécurité est également un besoin important susceptible d'être satisfait par un groupe. Dans toute organisation, de nombreuses situations menaçantes pour l'individu sont susceptibles de se présenter. Lorsque de telles tensions apparaissent, il devient important de pouvoir s'appuyer sur quelqu'un qui nous est sympathique et qui est susceptible d'avoir vécu des problèmes similaires aux nôtres. Le groupe est donc très utile pour aider l'individu à résoudre une foule d'incertitudes. Dans le même sens, face à la solution d'un problème complexe, un individu est susceptible de demander de l'aide à l'un de ses collègues plutôt que de s'adresser à un supérieur immédiat. On est encore en présence d'un groupe créé pour des raisons de sécurité lorsqu'il a pour fonction de protéger ses membres contre des pressions extérieures ou encore contre l'autorité. En effet, les cas de résistances manifestés par des groupes vis-à-vis de nouvelles demandes de la part de la direction sont très nombreux et très bien documentés dans la littérature. Qu'elles soient exprimées en termes de plus grande production, d'heures supplémentaires ou de plus grande qualité du produit, il arrive souvent que ces demandes soient effectivement menaçantes pour l'individu et que seul le groupe auquel il appartient a la force nécessaire pour lui permettre de s'en sortir.

---

(8) SANFORD, A.C. ***op. cit.*** p. 88

(9) SAYLER, L.R. ET STRAUSS, G. ***Personnel: The Human Problems of Management***. (third ed.). Prentice-Hall, Englewood Cliff, N.J.: 1967, 71.

7.4.4 Besoins d'estime et de pouvoir

Un groupe peut également permettre à ses membres de satisfaire leurs besoins d'estime et de pouvoir [10]. Un individu peu considéré dans une organisation, affecté à une tâche routinière et non valorisante, peut compenser ce sentiment de non-importance à l'intérieur du groupe dont il fait partie. En effet, vu que les relations entre les membres d'un groupe sont beaucoup plus intenses et fréquentes, elles fournissent souvent à quelqu'un l'opportunité de se mettre en valeur. Il n'est pas rare de voir des individus jouir de la plus haute estime de leurs collègues alors que formellement, organisationnellement, rien ne nous permettrait de prédire une telle situation. La satisfaction d'un besoin de pouvoir est très liée à cet aspect, d'ailleurs. Là encore, le groupe peut jouer un rôle-clé vis-à vis certains individus, car le fonctionnement de telles mini-organisations permet à plusieurs d'exercer du pouvoir sur d'autres.

7.4.5 Besoin de coopération

La dernière raison fondamentale de l'apparition de groupes dans les organisations concerne tout simplement l'atteinte de résultats. Il arrive souvent que le groupe soit le seul moyen par lequel on puisse accomplir une tâche quelconque, ou que la coopération facilite de beaucoup les choses. Face aux nombreux problèmes complexes auxquels les organisations doivent faire face de nos jours, la mise en commun d'information, de connaissance, d'expérience ou d'équipement est fréquemment nécessaire. Voilà une autre raison qui fait que des individus ont tendance à se joindre à un groupe.

7.5 CERTAINES RAISONS QUI TIENNENT À LA NATURE DU GROUPE

En fait, dans la section précédente, l'ensemble des raisons énumérées expliquent en grande partie pourquoi les individus, en général, désirent faire partie d'un groupe. Il est à noter que ceci est particulièrement vrai à l'intérieur des grandes organisations. Il importe également de s'arrêter à un autre aspect de la même question, à savoir: pourquoi un individu donné désire devenir membre de tel groupe plutôt que de tel autre? Quelles raisons ou quels facteurs influencent son choix? Il va de soi que dans un tel contexte les raisons sont beaucoup moins générales et universelles, mais il importe quand même d'avoir une bonne idée de ces facteurs si l'on veut mieux saisir toute la complexité et la profondeur des comportements organisationnels, en général, et des phénomènes de groupe, en particulier.

7.5.1 Similitudes au niveau des attitudes et de l'expérience

---

(10) REITZ, J.H. ***op. cit.*** p. 298.

Le premier facteur qui exerce une grande "force d'attraction" chez l'individu est relié à la similitude qu'il dénote entre les attitudes des membres du groupe et les siennes propres. Se joindre à des individus qui partagent un bon nombre de ses valeurs ou attitudes peut être très sécurisant pour une personne. Ceci lui permet de renforcer ses croyances et de mieux défendre son moi spécialement dans une société qui est de plus en plus pluraliste. D'ailleurs, des recherches démontrent que souvent ces similitudes transcendent des différences socio-économiques majeures, telle la race par exemple (11).

Dans le même ordre d'idée, une grande similitude au niveau de la provenance, des expériences de travail ou autres, du sexe, de l'âge, de l'éducation, etc., est un facteur explicatif important au niveau de la composition d'un groupe. S'il désire favoriser l'éclosion de groupes forts, le manager averti accordera une grande importance à ces aspects. Au niveau de la composition des groupes, il semble que le vieux dicton "qui se ressemble s'assemble" soit des plus appropriés.

7.5.2 Personnalités compatibles

La densité des relations interpersonnelles de même que leur durée sont également fortement influencées par la compatibilité au niveau des personnalités. Il est à remarquer que l'on parle de compatibilité et non de personnalités similaires, opposées ou complémentaires. Ces trois qualificatifs peuvent s'appliquer, car les recherches démontrent que ce qui semble importer le plus à ce niveau c'est le fait qu'une personne est attirée par d'autres personnes dont les personnalités confirment l'image qu'elle se fait d'elle-même. À cet égard, ce sont le renforcement et les attentes qui prédominent. Par exemple, une personne qui se perçoit comme ayant besoin d'être dominée sera attirée par des personnes qui ont des personnalités dominantes (12).

7.5.3 Possibilités d'interaction

Finalement, toutes ces raisons ne joueront pas si les personnes n'ont pas la chance d'interagir. Certains gouvernements ont très bien compris cette règle fondamentale et ils accordent une importance toute particulière à la liberté des allées et venues des citoyens. Il est évident que des personnes qui ne peuvent ni se voir ni se parler ne seront pas attirées les unes vers les autres. Cette constatation simpliste a cependant beaucoup de conséquences au niveau du fonctionnement d'une organisation. En effet, lorsqu'on aménage physiquement les lieux du travail ou que l'on dessine un organigramme, il importe de se rappeler que ce faisant l'on crée les éléments de base qui plus tard aboutiront à la formation de

---

(11) BYRNE, D. et WONG, T.J. "Racial Prejudice, Interpersonal Attraction and Assumed Dissimilitary of Attitudes". ***Journal of Abnormal and Social Psychology***, Vol. 65, 1962, 246-253.

(12) SECORD, P.F. et BACKMAN, C.W. "Interpersonal Congruency, Perceived Similarity and Friendship". ***Sociometry***, Vol. 27, 1964, 115-127.

groupes informels ou de cliques. Comme les personnes qui vivent ou travaillent ensemble ont beaucoup plus de chances d'entrer en interaction, étant donné cette proximité physique, les possibilités sont grandes qu'ils se lient d'amitié et qu'ils viennent à former un groupe. Différentes recherches révèlent d'intéressantes hypothèses et conclusions sur cet important aspect de la vie des organisations [13]. On insiste, à tour de rôle, sur la disposition des bureaux, sur l'architecture générale de la bâtisse, etc.; tous ces éléments peuvent contribuer ou nuire à la formation de groupes informels et ce, quel que soit le groupe formel auquel les individus appartiennent.

7.6 SOURCES DE LA FORCE D'UN GROUPE

Dans la littérature classique sur le fonctionnement des organisations, il est usuel de rencontrer de nombreux exemples où des politiques, des procédures, des normes de rendement s'avèrent inopérationnelles en raison de la présence de groupes informels. Pour différentes raisons, ces "organisations dans l'organisation" s'objectent, définissent elles-mêmes certaines façons de faire, et les membres de ces groupes s'y conforment même si les dirigeants essaient par tous les moyens de briser cette ligne d'autorité non formelle et pour le moins embêtante. Pour ceux qui sont peu familiers avec cet aspect (l'influence d'un groupe sur le comportement de ses membres et même de leurs perceptions), ou encore pour ceux qui n'y croient pas ou peu, qu'il suffise de mentionner ici l'expérience S.E. Asch [14].

Une des expériences classiques de Asch a consisté à former différents groupes de huit (8) étudiants de niveau collégial et à les soumettre à l'expérience suivante: on montrait une ligne d'une longueur déterminée à chaque participant et on lui demandait, par la suite, de choisir parmi trois autres lignes de longueur inégale celle qui était de la même longueur que la première. Il n'y a rien d'extraordinaire là-dedans, direz-vous, et de plus c'est très facile. Mais voici où le tout se complique. Les responsables de l'expérience demandaient à sept (7) membres de chaque groupe de donner la même mauvaise réponse et de plus on leur demandait de parler en premier. Laissé complètement libre, le huitième membre de chaque groupe était cependant confronté au dilemme suivant. Parlant le dernier, ou bien il disait exactement ce qu'il pensait, ou bien il donnait la même réponse que les autres afin de ne pas paraître déviant par rapport au groupe. Dans environ un tiers (1/3) des cas, le huitième participant préféra suivre la tendance telle qu'exprimée par ceux qui le précédaient, à savoir donner une fausse réponse. Il importe ici de se rappeler face à ce résultat surprenant que nous sommes en présence d'une évidence (lignes de longueur différente) et que de plus ces groupes sont très faibles par rapport à ceux qui existent habituelle-

---

(13) REITZ, J.H. ***op. cit.*** p. 300

(14) ASCH, S.E. "Effects of Group Pressure upon the Modification and Distorsion of Judgments" in: ***Groups, Leadership and Men***. Harold Guetzhow ed., New York: Russel and Russel Publishers, 1963, 177-190.

ment dans les organisations (rapidement constitué, peu d'interaction, sentiment d'appartenance peu développé). Si de tels groupes peuvent amener un individu à se comporter de cette façon une fois sur trois, il est facile d'imaginer la pression qu'un véritable groupe peut exercer sur ses membres. Mais, au juste, quels sont les éléments qui expliquent l'origine de cette pression.

L'un des pionniers des nombreuses recherches faites sur les groupes, Georges C. Homans [15], a développé un modèle qui aide grandement à expliquer les phénomènes de groupe qui causent tant de maux de tête à plusieurs managers. Homans considère le groupe comme un système social et selon lui, il y a trois (3) éléments de base dans tout système social.

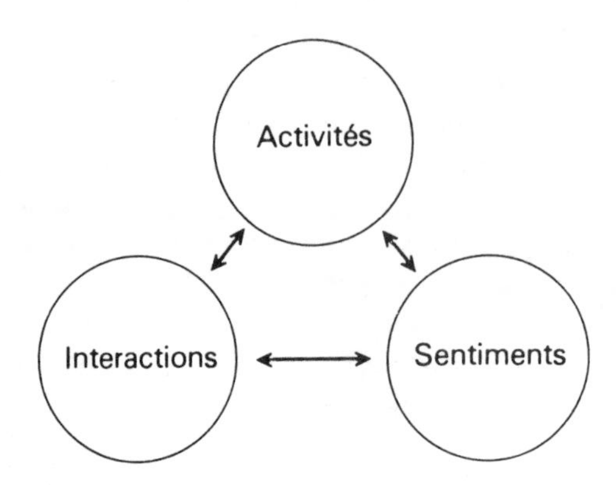

Les activités sont en fait les tâches que les membres du groupe accomplissent. Les interactions sont les échanges que les membres du groupe adoptent ou doivent adopter pour remplir leurs tâches. Finalement, par sentiments, Homans entend l'ensemble des valeurs et attitudes qui se développent à l'intérieur des groupes et entre leurs membres. En principe, ces trois concepts sont indépendants et distincts. Dans un groupe, cependant, et tel qu'indiqué par les flèches dans le schéma explicatif, ils sont interdépendants et ils se renforcent mutuellement. Un changement dans une des composantes va nécessairement entraîner un changement dans les deux autres. Mais voyons de façon plus opérationnelle comment ce modèle peut nous être utile.

Par définition, certaines tâches doivent être effectuées dans une organisation sans quoi elle va rapidement cesser d'exister. Ces tâches amènent un certain nombre de personnes à travailler ensemble, donc à interagir. Comme les personnes interagissent dans le cadre de leur travail, elles développent également des sentiments mutuels. Plus le nombre d'interactions se multiplie, plus ces sentiments vont devenir positifs. Et plus ces sentiments sont positifs, plus les personnes vont avoir tendance à provoquer des interactions entre elles. Ces trois variables se renforcent donc mutuellement et, dans le déroulement de ce processus, les membres du groupe ont de plus en plus tendance à adopter des

---

(15) HOMANS, G.C. ***The Human Group***. New York: Harcourt, Brace and World Inc., 1950.

valeurs et des attitudes (sentiments) qui se ressemblent. C'est alors que les normes de groupes commencent à apparaître et l'on en vient à avoir des attentes vis-à-vis du comportement des membres du groupe, selon les situations qui se présentent. S'il ne se conforme pas à ces façons de faire ou de penser jugées normales par le groupe, l'individu peut s'attendre à être pénalisé d'une façon ou d'une autre.

Notre façon d'aborder l'étude des phénomènes de groupes dans les organisations est surtout guidée par l'idée maîtresse suivante: qu'on le veuille ou non, des groupes informels ou psychologiques vont apparaître à un moment ou l'autre de la vie d'une organisation. Il importe donc de présenter les principaux avantages liés à l'existence de telles entités afin de maximiser et de profiter au maximum de leurs effets bénéfiques. Dans le même sens, il faut également être bien conscients de leurs désavantages afin de les minimiser et de les prévenir lorsque cela est possible.

7.7 LES AVANTAGES RELIÉS À LA PRÉSENCE DES GROUPES INFORMELS

7.7.1 Le fonctionnement général d'une organisation

Le premier des avantages concerne sans aucun doute le fait que les groupes informels (et à ce titre toute l'organisation informelle) permettent réellement à une organisation de fonctionner. Que ce soit par le moyen d'un organigramme ou d'un manuel, aussi élaboré soit-il, de politiques et de procédures, il est impossible de tout prévoir. Ces outils d'une part indispensables s'avèrent d'autre part très peu appropriés dans beaucoup de situations. Leur rigidité est particulièrement évidente dans des situations dynamiques. Par leur spontanéité et leur flexibilité naturelle, les groupes informels deviennent des éléments complémentaires très importants lorsqu'on considère le fonctionnement global ou général d'une organisation. En fait, en se fondant avec les groupes ou systèmes formels, ils augmentent de beaucoup l'efficacité générale [16].

7.7.2 Les communications

Le deuxième avantage majeur concerne les communications et la transmission de l'information [17]. Comme des groupes informels court-circuitent l'organigramme officiel, la rapidité avec laquelle l'information est véhiculée dans

---

(16) Voir entre autres, DUBIN, R. ***Human Relations in Administration***. Englewood Cliffs, N.J.: Prentice-Hall Incl, 1951, 68.
et SHARTLE, C.L. "Leadership and Executive Performance". ***Personnel***, March 1949, 378.

(17) WALTON, E. "How Efficient is the Grapevine". ***Personnel***, March-April 1961, 45-49.

ce réseau non prévu est de beaucoup plus grande que celle qui existerait si l'on s'en remettait uniquement aux mécanismes officiels. Dans des situations tendues ou encore dans un contexte très changeant, cet avantage n'est pas à minimiser.

7.7.3 Une soupape de sécurité

De tels groupes constituent également une soupape de sécurité en ce qui a trait à la frustration ou encore à certains autres problèmes émotifs difficilement évitables dans le fonctionnement normal d'une organisation. Le fait d'avoir des collègues qui vous comprennent, sur qui l'on peut se fier et à qui l'on peut s'ouvrir, constitue un actif important qui est malheureusement souvent négligé. Pourtant si cette "porte de sortie" n'existait pas, l'on peut facilement imaginer que les conflits seraient beaucoup plus nombreux et intenses dans nos organisations.

7.7.4 Le contrôle

Le quatrième avantage se situe au niveau du contrôle. Pour plusieurs, ceci peut sembler paradoxal car la tendance est de voir les groupes informels comme étant un défi constant à l'autorité. Et pourtant, lorsqu'un manager connaît leurs façons de fonctionner et que dans l'ensemble ils se marient assez bien avec l'organisation formelle, ces groupes permettent effectivement à ce même manager d'exercer un contrôle beaucoup moins détaillé sur les agissements de ses subordonnés. Il sait qu'une foule d'aspects auxquels il devrait normalement apporter une attention soutenue tombent en fait sous la responsabilité des groupes informels (phénomène des normes de groupe) (voir section suivante). Il peut donc consacrer ce précieux temps à d'autres activités plus productives telles la planification ou encore l'évaluation du personnel.

7.7.5 La stabilité

Une plus grande stabilité organisationnelle découle normalement de l'existence de tels groupes informels. En raison des forts liens émotifs qui unissent les membres de tels groupes, en raison également du sentiment d'appartenance et de sécurité qui s'en dégage, ceci devient pour l'employé un facteur important qu'il se doit de considérer lorsqu'il fait le bilan des bénéfices et des coûts reliés à son appartenance à une organisation en particulier. La quitter signifie la rupture de ces liens.

7.7.6 Une plus grande prudence

Finalement, comme dernier avantage possible à l'existence des groupes informels, mentionnons le plus haut degré de prudence dont le manager doit faire preuve lorsqu'il prend une décision. Conscient de la force du groupe et du fait que son autorité peut être défiée, il se doit de mieux préparer et mieux planifier ses actions, de prévoir les objections et de savoir y répondre à l'avance.

7.8 LES INCONVENIENTS RELIÉS À LA PRÉSENCE DE GROUPES INFORMELS

7.8.1 La résistance au changement

Dans un contexte défavorable ou encore en raison de l'incurie d'un manager vis-à-vis des phénomènes de groupes, la plupart des avantages que nous venons d'identifier peuvent se transformer en inconvénients majeurs et nuire grandement au fonctionnement d'une organisation (18). Par exemple, le fait que chaque groupe se définisse une façon normale ou habituelle de se comporter (normes, culture) peut se transformer en source importante de résistance au changement. De nouvelles technologies, de nouvelles façons de faire peuvent exiger que l'on modifie les façons usuelles de procéder. A moins que l'on ne les y ait bien préparés, en leur expliquant le pourquoi du changement et que l'on y ait mis le temps nécessaire, les membres du groupe informel ne se départiront pas facilement de leurs habitudes, et ils seront très imaginatifs au niveau des moyens à utiliser pour faire avorter la réforme.

7.8.2 Les rumeurs

Le groupe informel constitue certes un rouage important dans la dissémination de l'information dans l'organisation, mais il peut aussi devenir la source d'où émergeront de nombreuses rumeurs. Tout manager d'expérience sait jusqu'à quel point les rumeurs peuvent être nuisibles dans une organisation et la quantité phénoménale de temps et d'énergie qu'elles peuvent consommer. Il importe donc d'essayer de savoir ce qui se véhicule comme information dans le réseau informel et d'agir promptement lorsque la situation l'exige. Certaines rumeurs sont inoffensives, ou même profitables. D'autres, par contre, quoique généralement moins nombreuses, sont nocives et doivent être combattues en rétablissant clairement les faits. Mais encore faut-il être au courant de leur existence afin de les évaluer.

7.8.3 Situations conflictuelles

L'un des rôles importants du groupe informel est de satisfaire les besoins sociaux de ses membres. Il peut arriver, cependant, et ceci est très fréquent dans certaines organisations, que la satisfaction de ces besoins exige des comportements qui sont nuisibles à l'atteinte des objectifs de l'organisation. On se retrouve alors dans une situation conflictuelle, exemple, le besoin d'échanger et de communiquer intensément avec certains collègues peut exiger que les pauses-café soient beaucoup plus longues. Mais qu'arrive-t-il à la productivité si un tel comportement se généralise et se perpétue dans le temps?

---

(18) DAVIS, K. ***Human Behavior at Work: Organizational Behavior.*** (fifth ed.) McGraw Hill Book Co., 1977, 274-275.

7.8.4 Conformisme

Finalement, la pression qu'un groupe exerce sur ses membres peut libérer le manager de certains contrôles tatillons, mais un très grand conformisme peut en résulter. Certains auteurs sont même d'avis que contrairement à ce qui est généralement dit ou inféré à cet égard, les groupes informels jouent un rôle important dans le processus d'uniformisation des comportements qui est décrié par tant d'auteurs. Les politiques, normes, procédures et traditions administratives ne sont pas les seules responsables de cette robotisation de l'homme organisationnel. Les groupes informels y sont également pour quelque chose.

7.9 LE MANAGER FACE AU GROUPE

En raison principalement du conditionnement exercé par les conceptions traditionnelles de gestion telles que formulées par certains auteurs classiques et auquel il a été fait référence en introduction, il n'est pas rare de rencontrer des managers qui s'objectent au fonctionnement des groupes. De plus, pour eux, toute réflexion ou lecture sur les groupes et les phénomènes qui y sont reliés sont tout simplement des pertes de temps. De telles attitudes semblent dépassées et même néfastes dans nos organisations modernes et ceci est confirmé par de plus en plus d'auteurs et de spécialistes [19].

Le manager doit en effet tout d'abord se convaincre que les groupes informels vont inévitablement se créer dans son organisation et que ceci peut être très sain à tous les points de vue. Plusieurs recherches confirment d'ailleurs cette opinion [20], et de nombreuses stratégies de développement organisationnel sont précisément basées sur le fonctionnement en groupe [21]. Il existe même une école de pensée, soit l'approche socio-technique, conçue principalement par les chercheurs de l'Institut Tavistock, qui attache beaucoup d'attention à la combinaison des aspects techniques et des aspects sociaux pour que le travail se fasse plus efficacement.

Deuxièmement, tout manager doit connaître les principaux phénomènes susceptibles de se présenter dans le fonctionnement des groupes, Il se doit de comprendre et d'apprendre à observer certains phénomènes psycho-sociologiques qui vont fort probablement se manifester au niveau de ses subordonnés (normes - rôles - leadership informel, etc.).

---

(19) HUSE et BOWDITCH. (2nd ed.). ***op. cit.*** 158-168.

(20) Voir entre autres, WHYTE, W.F. ***Organization and Behavior***. Homewood, Ill.: Richard D. Irwin and the Dorsey Press, 1969.
et FARRIS, G. "Organizing your Formal Organization". ***Innovation***, 25 oct. 1971, 2-11.

(21) Voir entre autres, les expériences de SAAB et de VOLVO.

Dans la mesure du possible, un manager averti s'efforcera d'harmoniser la présence des groupes formels et des groupes informels. S'il réussit ce tour de force, il a de fortes chances de voir l'organisation dont il est responsable mieux fonctionner car tel qu'indiqué, le groupe (au sens psycho-social du terme) remplit de nombreux besoins des individus. Si ces besoins sont satisfaits, le sentiment de loyauté, le degré d'engagement et l'énergie consacrée au travail et à l'organisation vont éventuellement devenir plus intenses. À la limite, le manager averti prendra une approche qui facilite l'émergence, à moyen ou à long terme, de véritables groupes à l'intérieur de son organisation.

Finalement, deux autres attitudes sont fortement à conseiller. Tout d'abord, lorsqu'il prend une décision, le manager a toujours avantage à considérer les effets ou impacts possibles de cette décision sur les groupes informels. Ce simple réflexe peut lui éviter de grandes difficultés et des pertes d'énergie considérables lorsque viendra le temps de passer à l'action. En second lieu, un gestionnaire convaincu de l'importance du rôle joué par les groupes informels et de la force positive ou négative qu'ils représentent s'efforcera de ne pas nuire inutilement à ces groupes ou encore de les menacer. Certes, l'organisation informelle ne doit pas en venir à dominer complètement le système formel. Un équilibre doit s'établir; mais tenter, par différents moyens, de supprimer ces groupes naturels peut provoquer une situation explosive. Face à une telle menace, en effet, ces systèmes informels n'ont pas le choix. Ils se doivent de se renforcer grandement pour se protéger, et de graves conflits deviennent alors inévitables.

SUJETS D'ÉTUDE ET DE DISCUSSION

1. Nous avons décrit un certain nombre de types de groupes. A partir de votre expérience personnelle, pouvez-vous donner un exemple pour chacun de ces types de groupes?

2. Pourquoi les groupes informels se créent-ils systématiquement. À quels besoins répondent-ils?

3. De quel (s) groupe (s) faites-vous partie? Pourquoi?

4. Comment différencez-vous un groupe d'une organisation?

5. Quelle est votre philosophie personnelle face aux phénomènes des groupes dans une organisation?

6. À partir de votre expérience, quels inconvénients peuvent résulter de la présence de groupes informels dans une organisation. Quels avantages peuvent en découler?

BIBLIOGRAPHIE SUPPLÉMENTAIRE

ALEKSANDER, P.S. ***Introduction à la théorie des groupes***, Dunod, 1965.

ALLPORT, G.W. et POSTMAN, L. ***The Psychology of Rumor***, N.Y.: Holt, Rinehart and Winston, 1947.

ASCH, S.E. ***Social Psychology.*** Englewood Cliffs, N.J.: Prentice Hall, 1952.

DALTON, M. ***Men who Manage.*** N.Y.: Wiley, 1959.

GRISE, J. "Dynamique des relations interpersonnelles et comportements de groupes" ***La Revue Commerce,*** janvier, 1972.

HICKSON, D. "Motives of Workpeople Who Restrict Their OUTPUT" ***Occupational Psychology***, 35, 1, Janv.-Fév. 1961. 111-121.

HOMANS, G.C. "Social Behavior as Exchange". ***American Journal of Sociology***, 63, 6 May 1968, 597-606.

HUSE, E. "The Behavioral Scientist in the Shop". ***Personnel***, 42, 3 (Mai-Juin 1965), 50-57.

LAWLER, P.W., LAWLER E.E. et HACKMAN, R.J. ***Behavior in Organizations.*** N.Y.: McGraw Hill Book Company, 1975.

MILES, M.B. "Learning to Work in Groups". ***N.Y. Teachers College.*** Columbia University, 1959.

NAPIER, R. et GERSHENFELD, M. ***Groups: Theory and Experience.*** Boston: Houghton Mifflin, 1974.

QUICK, T. "The many uses of a Task Force". ***Personnel***, 51, 1 Janv.-Fév. 1974. 53-61.

REIF, W.E., MONEZKA, R.M. et NEWSTROM, J.V. "Perceptions of the formal and informal Organizations: Objective Measurement throuth the Semantic Differential Technique". ***Academy of Management Journal***, September, 1973, 389-403.

SCHEIN, E. "Organizational Socialization and the Profession of Management" in: ***Kolb D.A., Rubin I.M. et Mc Intyre J.*** Englewood Cliffs, N.J.: Prentice Hall, 1971.

TURQUET, P. "Leadership: The individual and the Group" in: Gibnard G. Hartman I et Mann R. (ed.) ***Analysis of Groups.*** San-Francisco: Jossey-Bass, 1974, 349-386.

CHAPITRE 8

LE GROUPE:

SON FONCTIONNEMENT*

8.1 INTRODUCTION

Les groupes occupent une place importante dans les organisations. Il est dès lors primordial que le manager sache comment ils fonctionnent et qu'il connaisse certains concepts fondamentaux qui l'aideront à mieux comprendre ce qui se passe autour de lui. Cette compréhension lui permettra également d'intervenir dans le développement des groupes si cela s'avère nécessaire. Car une fois que les groupes sont constitués, ils évoluent rapidement et deviennent eux-mêmes une organisation dans l'organisation (1). Il importe donc d'analyser sommairement les composantes de base de ces "mini-organisations" et leur structure interne.

8.2 LE GROUPE EN TANT QUE SYSTÈME SOCIAL

8.2.1 Les normes et les valeurs

Dans la section précédente, les sentiments, comprenant entre autres les valeurs et les attitudes, ont été présentés comme étant un des éléments de base du groupe. En explicitant sommairement les interrelations entre les activités, les interactions et les sentiments, l'émergence de normes de groupe nous est apparue comme quasi normale et quasi inévitable. Sources du conformisme, les normes constituent le ciment qui tient le groupe ensemble. Elles ont pour fonction d'indiquer aux membres les comportements qui sont jugés désirables pour le maintien de l'existence du groupe et l'atteinte de ses objectifs. On peut aussi définir les normes, comme étant des croyances partagées par les membres au

---

* Chapitre rédigé par Jocelyn Jacques.

(1) SAYLES, L.R.et STRAUSS, G. ***Personnel: The Human Problems of Management***. (third ed.). Englewood Cliffs, N.J.: Prentice Hall Inc., 1972, 75.

sujet des comportements qui sont appropriés ou pas dans des situations spécifiques [2]. Ces normes peuvent porter sur une foule d'aspects (façon de se vêtir, de parler, d'aborder le superviseur, rythme de travail, etc.). Certaines sont formelles, écrites, d'autres informelles, et comme d'Alton l'a dit, il ne faut pas croire que ces dernières sont les moins importantes [3]. La norme informelle est essentiellement de même nature que la norme formelle. Elle s'en distingue cependant sur un point; il faut la violer pour savoir qu'elle existe [4]. Par exemple, l'ostracisme est très souvent utilisé comme mécanisme de sanction d'une norme et son efficacité est légendaire. On isolera le déviant en ne lui parlant plus. On l'excluera des activités sociales; ou encore, lorsqu'il sera en difficulté, personne ne viendra à son secours. Des forrnes de sanction encore plus violentes mais plus subtiles consistent à faire en sorte que les supérieurs soient bien informés de toutes les erreurs que le coupable fait dans le cadre de son travail ou à saboter son équipement lorsqu'il est absent. Dans les cas extrêmes, la violence physique est parfois même utilisée.

A l'intérieur d'un groupe, les normes servent une fin extrêmement importante: elles évitent le recours constant au pouvoir personnel. En d'autres mots, elles dépersonnalisent la nature de l'influence ou des sanctions* car elles constituent une mesure de contrôle extérieure aux personnes. Celui qui contrevient à une norme s'expose à la désapprobation du groupe tout entier et non à celle d'un seul individu.

Les valeurs d'un groupe sont intimement reliées au concept de norme. Alors qu'une norme est une conception partagée par les membres d'un groupe de ce qu'est un comportement acceptable, une valeur est beaucoup plus fondamentale; elle est une notion de ce qu'est un comportement idéal. Cet idéal est ordinairement non atteignable mais les membres doivent y aspirer quand même. Ces idéaux communs, que tous les membres sont sensés partager, sont parfois appelés "mythes" par certains auteurs [5]. Cette appellation met en évidence le fait que souvent ces valeurs ne sont basées sur aucune donnée réelle. Il n'en demeure pas moins, cependant, que le groupe les considère comme réelles.

---

(2) COHEN, A.R., FINK, S.L., GADON, H. et WILLITTS, R.D. ***Effective Behavior in Organizations***. Homewood, Ill.: Irwin Dorsey Limited, 1976, 38.

(3) DALTON, M. ***Men who Manage***. New York: John Wiley, 1959.

(4) DAVIS, J.H. ***Group Performance***. Reading, Mass.: Addison Wesley, 1969.

*En cela, les normes sont semblables aux règles et procédures que l'on retrouve dans toute organisation répondant aux caractères bureaucratiques de base.

(5) SAYLES, L.R. et STRAUSS, G. ***op. cit.***, 78.

8.2.2 Les rôles

Aux frontières de la psychologie et de la sociologie, le concept de rôle est fondamental dans l'étude du fonctionnement des groupes. Un rôle, c'est une série de comportements et d'attitudes directement liés au fait d'occuper un poste dans une organisation. Quelle que soit la personne qui occupe tel poste, on manifestera des attentes à son égard. On s'attend à ce que le détenteur d'un poste se comporte de telle et telle façon et qu'il exerce le rôle associé à son poste. En fait, la fonction principale du rôle est d'assurer la prédictabilité des comportements; d'ailleurs, sans l'existence de rôles, la vie en société comme la vie en groupe serait impensable. Ce serait l'anarchie, le chaos (6). On s'attend à ce qu'un policier, un professeur, un médecin, un manager, etc., se comportent de certaines façons. Certes, le détenteur du rôle dispose parfois d'une marge de manoeuvre importante, mais il y a des minima qui ne peuvent pas être dépassés sans que s'en trouve grandement affecté le fonctionnement général de l'organisation, quelle qu'elle soit. Ces "patterns" d'origine socioculturelle se retrouvent également dans les groupes où ils se manifestent par une série de prescriptions sociales concernant la façon dont l'acteur doit s'acquitter de certaines tâches. Comme dans le cas des normes, le détenteur du rôle ne peut pas trop s'éloigner des attentes que les autres ont vis-à-vis de la fonction qu'il exerce. S'il le fait, il peut s'attendre à créer certains malaises dans le groupe et à subir des pressions qui viseront à le ramener à son rôle original. Le rôle est donc un mécanisme de différenciation important dans le fonctionnement d'un groupe mais il est en même temps limitatif. Il est possible de ne pas se conformer aux attentes des autres dans certains cas et de résister aux rôles qu'on semble vouloir nous attribuer, mais il ne faut pas minimiser l'effort que cela exige.

Dans un groupe, il est possible de classifier les rôles à partir de ce à quoi ils servent (7). On parlera alors des rôles orientés vers la tâche, c'est-à-dire des rôles qui aident à accomplir la mission du groupe. Dans cette catégorie, on retrouve par exemple l'initiateur (celui qui propose des tâches ou des objectifs, qui définit le problème ou suggère des procédures), le solliciteur d'information (demande des faits, des données, demande des impressions, cherche des suggestions, des idées), le clarificateur (interprète les idées ou les suggestions, définit les termes, indique les solutions possibles, ramène le groupe sur la piste), etc.*

---

(6) COHEN, A.R. et AL. ***op. cit.***, 72-73.

(7) BALES, R.F. ***Interaction Process Analysis, a Method for the Study of Groups***. Reading, Mass.: Addison-Wesley publishing Co., 1950.

*Nous ne faisons qu'esquisser ici certains rôles qui peuvent se retrouver dans chaque catégorie.

Une deuxième catégorie de rôles est orientée vers l'aspect social du groupe. Ils servent à maintenir de bonnes relations entre les membres. On retrouve alors le facilitateur (farceur, essaie de réconcilier les points de vue différents, réduit la tension), le gardien (veille à ce que les canaux de communication demeurent ouverts, encourage la participation de tous), le supporteur (encourage, reconnaît et accepte la contribution des autres), l'expert en compromis (lorsqu'il y a conflit, offre des compromis, admet les erreurs), etc.

Finalement, on retrouve les rôles qui sont orientés vers la satisfaction de besoins personnels ou d'objectifs non reliés aux raisons d'être du groupe. La variété de rôles qui peuvent se retrouver dans cette catégorie est pratiquement infinie. C'est le bouffon ou encore l'éternel pleurnichard qui se plaint constamment du comportement des autres. Pour qu'un groupe fonctionne bien, ce genre d'acteurs doit être peu nombreux et il doit y avoir une sorte d'équilibre entre les rôles des deux premières catégories. De plus, le lecteur attentif aura sans doute remarqué, dans l'énumération des différents rôles des deux premières catégories, que le rôle d'une personne implique généralement que d'autres personnes tiennent un ou plusieurs rôles complémentaires à ce premier rôle.

Au cours de l'évolution d'un groupe, tous ces rôles sont susceptibles de se manifester. Ils reflètent évidemment la personnalité et les besoins du détenteur du rôle, mais du point de vue du groupe, le rôle sera jugé plus important s'il contribue à l'atteinte de l'objectif fondamental du groupe.

La même personne peut exercer plusieurs de ces rôles ou encore le même rôle peut être rempli par plusieurs personnes en même temps. Il s'ensuit donc une possibilité de conflits. On parle de conflit intra-rôle lorsque les attentes des participants vis-à-vis du détenteur en particulier ne sont pas compatibles. Les cadres intermédiaires vivent souvent une telle sorte de conflit de rôle. Les subordonnés s'attendent à ce qu'ils représentent leur façon de voir auprès des cadres supérieurs alors que ces derniers conçoivent le rôle de cadre intermédiaire comme consistant à défendre leur point de vue auprès des employés.

Un conflit inter-rôle se présente lorsqu'un acteur est détenteur de plus d'un rôle en même temps. Ce cas est typiquement susceptible de se présenter lorsque la même personne est membre de différents groupes et que ces groupes ont des attentes différentes quant à son comportement. Par exemple, un professeur dans une commission scolaire peut aussi être commissaire dans une autre commission scolaire. En période tendue de négociations collectives, sa situation peut devenir très embêtante. L'inclusion d'employés dans les conseils d'administration donne également lieu à des situations semblables lors de la détermination de la masse salariale par exemple.

8.2.3 Le statut

Souvent confondu avec le rôle, le concept de statut nous aide beaucoup à comprendre la position tenue par une personne dans un groupe. Le statut, c'est le rang d'un individu dans un système social. Selon certains critères, c'est la valeur d'un individu pour un groupe. Ce rang ou cette valeur sont, à long terme, basés sur l'intensité avec laquelle les caractéristiques et attributs de la personne sont jugés comme étant des contributions nécessaires aux besoins du groupe.

Les bases de ce calcul sont très variables cependant. Le prestige d'une personne à l'intérieur d'un groupe peut reposer sur des critères tels l'ancienneté, l'expertise, le titre, l'âge, le salaire, le sexe, l'éducation, etc. Certains de ces facteurs sont incontrôlables tels l'âge et le sexe; on parlera alors de statut attribué. D'autres, par contre, (expertise, éducation, etc.) peuvent s'obtenir; l'expression statut atteint est alors utilisée.

Dans un groupe, l'égalité des membres ne dure pas longtemps. Des différences se dégagent rapidement et certains membres deviennent plus respectés (ils contribuent généralement à la tâche), d'autres deviennent plus aimés (ils contribuent généralement au maintien des fonctions sociales dans le groupe). Même s'il est rare que les membres d'un groupe soient enclins à parler ouvertement ou d'une façon explicite de leur statut, un observateur peut en inférer une bonne partie en se servant de différents indices. Par exemple, ceux dont le statut est moins élevé ont tendance à permettre à ceux qui ont un statut plus élevé d'initier les interactions, de faire des affirmations sans les remettre en question, ou encore de distribuer des récompenses et des sanctions informelles. De plus, les personnes possédant un statut élevé ont tendance à intervenir plus que les autres et à représenter le groupe à l'extérieur.

8.2.4 Le leadership

Tout groupe a des leaders informels, c'est-à-dire des individus qui jouissent d'un statut spécial dans le groupe. Ce statut leur permet d'ailleurs d'exercer de l'influence sur les autres membres du groupe. Les fonctions vitales qui doivent être assumées par les leaders peuvent être résumées de la façon suivante. La première concerne la mission même du groupe ou sa raison d'être. Quelqu'un se doit de faire prendre conscience qu'il y a un problème à régler, et que ce problème est commun. La première fonction consiste donc à initier l'action (8). La deuxième se rapporte à l'émergence d'un consensus. Il s'agit alors de faire en sorte que le groupe demeure uni pendant la démarche, de pénaliser d'une façon ou d'une autre ceux qui ne coopèrent pas et de suggérer des compromis lorsqu'il y a des différences marquées au niveau des opinions. Finalement, quelqu'un doit aussi se charger d'assurer la liaison avec le monde extérieur que ce soit d'autres groupes, les syndicats ou encore le ou les cadres impliqués.

Nous avons parlé de leaders et non d'un seul leader, car les recherches démontrent, à moins que le groupe soit très petit, qu'un groupe stable a au

---

(8) SAYLES, L.R. et STRAUSS, G. ***op. cit.***, 76-77.

moins deux leaders. En effet, les fonctions à assumer sont trop nombreuses et diversifiées pour qu'un seul individu suffise à la tâche [9]. C'est ainsi que l'on retrouve habituellement un leader axé sur la tâche. Il veille surtout aux activités du groupe qui sont directement reliées à l'atteinte des buts du groupe. Il suggère des plans d'action, évalue le progrès du groupe, prévient les activités inutiles et offre différentes solutions. Dans un langage un peu plus technique, ces activités sont dites instrumentales.

Un autre type de leader veille aux besoins socio-émotifs des membres. Ce leader socio-émotif encourage les membres, fait en sorte que la tension diminue lorsqu'elle existe et donne à chacun la chance de s'exprimer. Alors que le leader axé sur la tâche est susceptible d'être directif, le leader social, lui, est plus préoccupé par les personnes, et se montre sympathique et agréable. Le premier est plus respecté, le second plus aimé. Il apparaît donc évident qu'il est difficile de retrouver toutes les qualités du leader chez la même personne. Pourtant, elles sont toutes nécessaires au bon fonctionnement d'un groupe.

8.2.5 Objectif et sous-optimisation

Dans la définition du groupe que nous avons retenue dans la section précédente, la présence d'un objectif tenait une place importante. Point de ralliement et raison d'être ultime du groupe, l'objectif poursuivi par un groupe informel entre parfois en contradiction avec les objectifs de l'organisation dont ils font partie. Ces objectifs se créent à partir des interactions dans le groupe. Chacun se convainc qu'il se doit d'atteindre ces objectifs, soit pour aider l'organisation dans son ensemble, même si celle-ci ne le réalise pas, soit pour retirer des avantages qui leur reviennent de droit. Le groupe des travailleurs reliés à la production veulent augmenter la qualité du produit et en être plus fiers alors que ceux affiliés au marketing veulent augmenter la quantité afin d'envahir le marché. Deux services se chamaillent pour obtenir le contrôle sur le nouvel ordinateur qui s'en vient. Si une organisation peut profiter grandement de la présence de groupes informels, surtout au niveau des liens qu'ils créent entre les individus, elle a également un prix à payer. Ce prix s'exprime en termes de forces centrifuges, c'est-à-dire que chaque département agit uniquement en fonction de son intérêt. Lorsque les objectifs d'un groupe entrent en conflit, ou prévalent par rapport aux objectifs de l'organisation dans son ensemble, on parle de sous-optimisation.

8.3 FACTEURS DE COHESION D'UN GROUPE

Aucun groupe n'est identique à un autre. Une foule de facteurs peuvent expliciter cette situation, mais le degré de cohésion d'un groupe est sans doute le plus important à cet égard. Toutes les composantes de la structure du groupe

---

(9) SECORD, P.F. et BACKMAN, C.W. ***Social Psychology***. New York: McGraw-Hill, 1964, 357.

(rôle, norme, statut, etc.) sont influencées par ce facteur. En effet, plus la cohésion d'un groupe est forte, plus les normes seront fermes, et plus on exigera que les membres s'y conforment. Dans le même sens, plus un groupe est cohésif, plus il est probable qu'un petit nombre de leaders réussiront à exprimer et à représenter sans aucune contestation les sentiments et opinions de tous les membres. Le système de statut est clair, cohérent et les membres tiendront fortement à l'atteinte des objectifs du groupe, quels qu'ils soient. Si de tels groupes sont attaqués ou s'ils se sentent menacés, ils vont réagir fortement. Un nouveau membre aura également beaucoup plus de difficulté à s'y intégrer et à se faire accepter. Une période d'initiation sera généralement exigée. Un manager se doit donc de surveiller cet aspect lorsqu'il doit combler un poste. Mais quels sont les principaux facteurs qui militent en faveur d'une telle cohésion [10]?

8.3.1 Le fonctionnement du groupe

Le premier facteur se rapporte au fonctionnement du groupe. Un groupe ne peut être cohésif que s'il a eu du succès au niveau de ses activités reliées à la tâche et à l'aspect social, et que si les activités reliées à la satisfaction des besoins personnels des membres ont été minimisées. En d'autres mots, il y a eu un leadership efficace au niveau des activités instrumentales et des activités socio-émotives.

8.3.2 La taille

Un deuxième facteur est relié à la taille du groupe. Si un groupe est trop petit (2 à 3 personnes), il est possible que toutes les activités instrumentales et celles reliées à l'aspect socio-émotif ne puissent pas être accomplies étant donné le manque de ressources. Par contre, si le groupe est trop gros, les communications peuvent être plus pénibles et le degré de frustration des membres peut augmenter rapidement. Souvent, lorsque les groupes dépassent dix à douze membres, il y existe une tendance à la formation de sous-groupes.

8.3.3 L'homogénéité

L'homogénéité affecte grandement le degré de solidarité ou de cohésion d'un groupe. Par homogénéité, on entend une similarité au niveau des valeurs, des intérêts, de l'expérience et de la provenance. Si les membres d'un groupe sont très différents eu égard à ces aspects, il y a de fortes chances qu'il s'y développe des sous-groupes ou des cliques qui seront en compétition les uns avec les autres. Le conflit peut devenir si intense que l'objectif commun sera quasi complètement oublié.

---

(10) CARTWRIGHT, D. "The nature of Group Cohesiveness". ***Group Dynamics: Research and Theory***. (third ed.). D. Cartwright et Alvin Zander (eds), New York: Harper, 1968, 92.

8.3.4 Le statut du groupe

Plus le statut d'un groupe est élevé, plus ses membres auront tendance à faire preuve d'une grande loyauté à son égard; par ailleurs, on observe le phénomène inverse aux niveaux les plus bas d'une organisation. Comme beaucoup d'individus à ce niveau aspirent à des promotions, ils s'attachent très peu à leur groupe de travail. Ils se considèrent plutôt comme des membres temporaires ou accidentels du groupe.

8.3.5 Les pressions extérieures

Les pressions extérieures jouent un rôle important au niveau de la cohésion d'un groupe. C'est même l'un des moyens les plus rapides pour développer une grande solidarité entre les membres. En effet, lorsqu'il y a un danger commun, on oublie facilement ses petites disputes et on se serre les coudes face à l'ennemi. Cette cohésion est d'ailleurs susceptible de durer un bon moment après la fin du danger. Dans le cadre d'une organisation, cet ennemi ou ce danger commun peut prendre plusieurs formes: un conflit avec les managers, une compétition avec un autre groupe pour l'obtention d'une ressource ou encore une grande méfiance entre les services de soutien et les services affectés à la production.

8.3.6 Le succès

Le succès dans l'atteinte des buts poursuivis est également garant d'une bonne cohésion. Ceci devient même un cercle vicieux parfois. Un groupe cohésif a plus de succès qu'un groupe divisé et le succès renforce la cohésion. Logiquement, les membres d'un groupe qui cumule les échecs ont peu de propension à obéir aux normes et standards du groupe. En fait, si cette situation perdure, ils vont plutôt essayer de s'affilier à d'autres groupes.

8.3.7 L'isolement

Un autre facteur est relié à la localisation physique d'un groupe. Plus un groupe est isolé d'autres groupes, plus son degré de cohésion aura tendance à être élevé. La raison de ce phénomène est simple et logique. Comme les membres d'un groupe isolé ont peu de contact avec l'extérieur, ils vont en venir rapidement à partager les mêmes valeurs et les mêmes façons de se comporter. Le degré de solidarité et de conformité exigé des membres sera donc naturellement très élevé.

8.3.8 La philosophie de gestion

Finalement, la philosophie de gestion influence beaucoup la cohésion d'un groupe. Si les pratiques administratives consistent à encourager continuellement et systématiquement la compétition entre les membres et à toujours comparer les employés entre eux, les relations véritables entre les personnes deviennent quasi impossibles. Ceci est particulièrement visible dans les catégories d'employés où il existe des systèmes de rendement au mérite qui sont fortement compétitifs (vendeurs par exemple). On y trouve rarement des groupes cohésifs.

8.4 LA COHÉSION: SON IMPORTANCE ET SES PRINCIPALES CONSÉQUENCES

La cohésion d'un groupe affecte grandement la rigidité des normes d'un groupe et la rigueur de leur application; et, à ce titre, elle est un facteur important dans l'analyse et la prévision du comportement d'un groupe. Le manager doit donc se préoccuper de cet aspect et des facteurs qui influencent la cohésion et ce, pour des raisons d'ordre tout à fait pratique. A tout moment, un manager peut en effet désirer augmenter ou diminuer le degré de cohésion d'un groupe donné. Il devra alors examiner attentivement les différents facteurs que nous avons présentés dans le paragraphe précédent et essayer de les modifier dans le sens de l'objectif qu'il poursuit. C'est pourquoi il est important qu'il porte attention à la cohésion du groupe.

La cohésion comporte par ailleurs des caractéristiques et des effets plus ponctuels et délimités qui méritent également d'être examinés. Tout d'abord, il faut se rappeler et insister sur le fait que la cohésion et la conformité aux normes se renforcent mutuellement. Tel que Homans l'a démontré [11], ceci signifie essentiellement que dans un groupe où le degré de cohésion est élevé, la probabilité que certains membres réussissent à influencer d'autres membres à changer leur comportement est très forte.

8.4.1 Le changement des normes

Ce renforcement mutuel de la cohésion et de la conformité aux normes a également une autre signification importante. Un fort degré de cohésion permet qu'un membre du groupe puisse changer les normes auxquelles les autres membres se conforment. Comme dans un groupe cohésif, il y a habituellement stabilité et sécurité, de tels comportements sont possibles. On se permet même parfois d'encourager un membre à faire de telles tentatives. Si de plus le membre impliqué considère que le changement qu'il propose est important pour lui, et se voit dans une position où il peut satisfaire ses besoins personnels, il peut alors augmenter sa satisfaction et donc rendre encore plus évidentes les raisons qu'il a de demeurer dans ce groupe.

---

(11) HOMANS, G.C. ***Social Behavior: its Elementary Forms***, New York: Harcourt, Brace and World, 1961.

8.4.2 La productivité du groupe

Le degré de cohésion affecte également la productivité du groupe. Un groupe où existe un haut niveau de cohésion possède habituellement une définition très claire du niveau de production que chaque membre devrait fournir et de l'écart de cette norme qui sera toléré (12). En effet, plus un groupe est solidaire, plus le niveau de production de ses membres sera uniforme. Si les objectifs du groupe vont dans le même sens que ceux de l'organisation et si ses relations avec la direction sont bonnes, la productivité sera alors bonne. Le contraire est également vrai. C'est dire qu'un groupe dont les membres sont solidaires peut, s'il le désire, résister avec beaucoup de succès aux efforts de la direction pour augmenter la productivité. Par contre, si le groupe décide de produire plus, il aura la force nécessaire pour amener tous ses membres à s'y conformer, même les moins doués.

8.4.3 La satisfaction

La satisfaction d'un individu et ses conséquences est également intéressante à analyser lorsqu'on la relie au degré de cohésion d'un groupe. Les membres d'un groupe uni ont ordinairement un niveau de satisfaction élevé, car ils s'y sentent supportés et compris. En fait, le sentiment d'appartenance à un groupe et le fait d'éprouver des impressions aussi positives peuvent même amener un individu à accorder moins d'importance à certains aspects négatifs de son travail tels un salaire peu élevé, des conditions de travail pénibles ou encore des superviseurs particulièrement pointilleux (13).

8.4.4 Le développement personnel

Finalement, un groupe solidaire fournit souvent un contexte favorable à l'apprentissage et au développement personnel. Plusieurs recherches démontrent qu'il est plus facile de prendre des risques et d'exprimer de nouvelles idées dans un environnement où il y a un certain degré de support et de confiance. Si un groupe est peu uni, si les membres se méfient les uns des autres, si l'on y consacre une grande part d'énergie à garder un minimum d'harmonie, les particularismes ou l'originalité sont alors difficiles à tolérer étant considérés comme trop dangereux.

8.5 LES DANGERS QUE COMPORTE LA COHÉSION

Comme pour beaucoup de phénomènes reliés aux comportements dans les organisations, il est très difficile de faire des généralisations valables con-

---

(12) COHEN, A.R. et AL. ***op. cit.,*** 58-59.

(13) IBIDEM, 60.

cernant la cohésion du groupe. Il ne faut pas oublier que par rapport au fonctionnement global d'une organisation, la cohésion d'un groupe est en soi un facteur neutre. Son effet dépendra de la sorte des orientations qui prévalent à l'intérieur du groupe. Si elles vont dans le sens des objectifs poursuivis par l'organisation dans son ensemble, tout va bien. Dans les cas contraires, la cohésion d'un groupe peut devenir un inconvénient sérieux. Mais il y a plus.

En effet, un groupe trop solidaire peut développer des modes de fonctionnement des plus néfastes. Grâce principalement aux observations et réflexions de I.L. Janis [14], les inconvénients d'une trop grande solidarité sont maintenant mieux connus et on les englobe sous le titre évocateur de "Groupthink". En fait, l'auteur s'est posé une question bien simple: comment se fait-il, par exemple, que des personnes aussi intelligentes et expérimentées que l'équipe qui entourait le Président Kennedy au début des années 60 aient pris une aussi mauvaise décision que celle d'envahir Cuba (Baie des Cochons). Il maintient d'ailleurs que les mêmes phénomènes ont joué dans les décisions qui ont mené à la Guerre du Vietnam, à la Guerre de Corée et à Pearl Harbor. Dautres maintiennent que le même raisonnement est applicable aux décisions qui ont résulté dans le scandale de la décennie, sinon du siècle, aux Etats-Unis: Watergate.

Selon Janis, un groupe trop solidaire risque de développer une série de normes toutes aussi nocives les unes que les autres. Par exemple, on renforce la fidélité aux dépens de la pensée critique si bien que le dissident en vient à avoir peur de dire ce qu'il pense réellement. La norme de la loyauté au groupe risque également de causer des problèmes. Elle peut en venir à signifier qu'il faut se conformer aux décisions déjà prises, même si elles sont mauvaises, que la situation empire et que le tout mène à l'escalade (Vietnam). Janis et d'autres ont également remarqué que dans un groupe trop solidaire, on en vient à être obnubilé par le consensus tant et si bien que les solutions possibles à un problème ne sont pas évaluées rationnellement et objectivement de peur de créer des tensions ou des conflits. Ces études et observations remettent également en question une vieille croyance à l'effet que dans un groupe solidaire les membres se sentent libres de dire tout ce qu'ils pensent. Il semble cependant qu'une trop grande solidarité résulte en une assimilation très forte des normes de la part des membres. Une des conséquences de cette assimilation est que chaque membre en vient à vouloir éviter la désunion, ce qui l'incite à considérer instinctivement comme juste n'importe quel but proposé par le leader ou par la majorité des membres.

8.5.1 Sentiment d'invulnérabilité

De tels dangers méritent qu'on s'y arrête, et tout individu préoccupé par le fonctionnement des groupes se doit d'y prêter attention. Heureusement, il

---

(14) JANIS, I.L. "Groupthink". ***Psychology Today***. Nov. 71. Voir aussi: HALBERSTAM "On les disait les meilleurs et les plus intelligents". Lafont-Hachette, 1974.

existe toute une série de symptômes assez évidents qui permettent d'identifier facilement les phénomènes de "Groupthink". Tout d'abord, un groupe qui risque de souffrir des inconvénients associés à ces phénomènes développe un fort sentiment d'invulnérabilité.

Dans tous les cas étudiés (Baie des Cochons, Vietnam, Pearl Harbor, etc.), les personnes impliquées sont devenues beaucoup trop optimistes et désireuses de prendre de très grands risques. Elles avaient également tendance à ignorer les signes de danger, même lorsqu'ils étaient très explicites.

8.5.2 La rationalisation

Un deuxième symptôme concerne la rationalisation. Un groupe sujet au "Groupthink" en vient à justifier et expliquer n'importe quoi. Les éléments qui devraient normalement amener le groupe à remettre en question les décisions prises ou en voie de l'être, ou encore à réexaminer complètement la situation, sont minimisés ou tout simplement éliminés. L'auto-censure constitue également un autre symptôme. Les membres évitent de dévier de ce qui semble être le consensus du groupe; ils ne formulent pas leurs objections et minimisent l'ampleur de leurs doutes.

8.5.3 La fausse unanimité

La fausse unanimité constitue un autre phénomène intéressant. Les silences ou les non-interventions de certains membres sont interprétés automatiquement comme étant des signes d'approbation. Les façons de voir du leader ou de la majorité des membres sont acceptées telles quelles et la pression que le groupe exerce fait en sorte que les déviants ou ceux qui ne partagent pas les mêmes idées sont incités à se taire. On attend de tout membre loyal qu'il soit d'accord afin que l'unanimité qui fait la force du groupe et qui est garante de son succès ne soit pas brisée.

8.5.4 Les stéréotypes et la fin justifie les moyens

Deux derniers indices peuvent dénoter la présence d'un phénomène de "Groupthink". Les membres du groupe auront d'une part des notions stéréotypées concernant les groupes adverses ou ennemis et d'autre part une croyance inébranlable en la justesse ou la moralité de leurs propres actions. On est en présence de stéréotypes lorsque, par exemple, les leaders des groupes ennemis sont perçus comme étant tellement mal intentionnés, tellement mauvais, qu'il ne vaut pas la peine d'essayer de négocier sérieusement avec eux. Ou encore, on les considère tellement faibles ou stupides que tout effort visant à concilier les différences est perçu comme voué à l'échec. Ce sentiment est renforcé par une croyance très forte en la moralité des actes du groupe lui-même. On est tellement convaincu de représenter la juste cause que tous les moyens paraissent bons pour l'atteindre. L'éthique relative aux conséquences des décisions prises est généralement ignorée.

Tous ces phénomènes ont de nombreuses conséquences. Entre autres, ils résultent en un processus décisionnel fautif à plusieurs égards. C'est ainsi qu'on se limite à l'examen de quelques possibilités seulement et qui de plus vont souvent dans le même sens.On ne réexamine pas la solution retenue même si le déroulement prévu ne survient pas. L'information est tamisée et seule celle qui renforce les décisions prises est retenue. Quant aux impressions ou évaluations provenant de personnes extérieures au groupe, elles sont évitées le plus possible ou encore leur importance est minimisée.

Différentes mesures de précaution sont conseillées. Si certains de ces symptômes se manifestent, il semble sage par exemple de se nommer des critiques, des personnes qui jouent officiellement le rôle d'avocat du diable et de forcer tous les membres à accepter ce genre de contribution en expliquant ses avantages possibles. Les avis et évaluations de l'extérieur ont avantage à être encouragés et même à faire partie de la démarche menant à une décision. La division en sous-groupes est une autre mesure préventive qui a fait ses preuves dans certains cas surtout lorsqu'on en est au niveau de l'élaboration et du choix des solutions possibles. Finalement, le leader ou responsable du groupe devrait encourager les membres qui formulent et expriment des doutes vis-à-vis les orientations qui semblent être retenues.

8.6 GROUPES ET COMMUNICATION

Nous avons mentionné, dans les paragraphes précédents, que plusieurs facteurs externes affectent le fonctionnement des groupes. Un de ces facteurs concerne le réseau de communication à partir duquel les membres d'un groupe doivent échanger. Certes, un tel réseau peut évoluer naturellement à partir des interactions entre les membres de l'organisation. Mais souvent une organisation affecte directement les canaux de communication dans lesquels les messages passent. Elle le fait en spécifiant, tant dans l'organigramme que dans les procédures, qui doit communiquer avec qui. D'ailleurs, les communications sont souvent prévues de façon à suivre la structure d'autorité.

8.6.1 Les réseaux de communication

Tel qu'indiqué dans la figure 1, il existe cinq (5) sortes principales de réseaux de communication. Sur cette illustration, les points représentent des personnes et les lignes représentent les canaux de communication à deux sens.

La principale différence entre ces cinq réseaux de communication concerne leur degré de centralisation. La centralisation est un concept fondamental dans l'étude des réseaux de communication. On peut rencontrer la centralisation à deux niveaux différents soit, d'une part, en faisant référence au réseau lui-même (degré de centralisation du réseau) soit, d'autre part, en indiquant la position particulière d'une personne dans le réseau (position centrale). Une position sera considérée comme plus ou moins centrale selon le nombre de liens ou contacts nécessaires à la personne qui l'occupe pour rejoindre toutes les autres personnes dans le réseau. La position la plus centrale dans un réseau est celle qui nécessite le moins de contacts pour rejoindre les autres personnes. Par exemple, dans le réseau en forme de roue illustré dans la figure 1, la position 1 se caractérise par une centralisation de degré 4, alors que les autres positions ont le degré 7 (de chacune de ces positions un contact est nécessaire pour rejoindre le poste 1

FIGURE 1

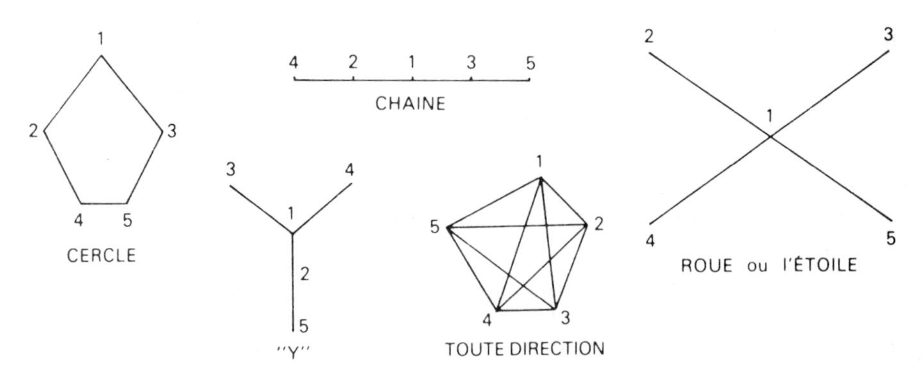

alors que deux sont nécessaires pour rejoindre chacune des 3 autres personnes du réseau). La position portant le no 1 est donc la position la plus centrale dans le réseau en forme de roue ou d'étoile et dans ceux en forme de Y et de chaîne. Dans le réseau en forme de cercle, toutes les positions ont le même degré de centralisation; il en va de même pour le réseau "toute direction".

D'autre part, on mesure le degré de centralisation d'un réseau par la somme des degrés de centralisation de chacune des positions. Dans le cas de la roue ou de l'étoile, on obtient le chiffre 32. Pour le réseau en forme de chaîne, le chiffre 40. Ces chiffres confirment tout simplement des évidences visuelles. Le réseau en forme de cercle est moins centralisé que les réseaux en forme de chaîne, de roue ou de "Y" parce que chaque personne peut communiquer directement avec deux autres personnes (1-2 et 3). Sous cet angle, c'est le réseau en forme de roue qui est le plus centralisé, car seule la personne occupant la position no 1 a un accès direct aux autres personnes. Ces dernières doivent nécessairement passer par elle.

A partir des années 1950, on a expérimenté les effets de ces différents réseaux de communication sur un groupe [15] [16]. Il semble d'après ces recherches que les types de réseaux de communication qui y prévalent affectent directement plusieurs aspects importants du fonctionnement d'un groupe. Men-

---

(15) BAVELAS, A. "Communication Pallern in Task oriented Groups" in: CARTWRIGHT and ZANDER, A. (edf.) ***Group Dynamic***. New York: Harper and Row, 1960.

(16) Voir aussi: LEAVITT, H.J. "Some Effects of certain Communication Pattern on Group Performance" dans: ***Journal fo Abnormal and Social Psychology***, Vol. 46, 951, 38-50.

tionnons entre autres l'efficacité du groupe face à une tâche, le leadership et la satisfaction des membres.

8.6.2 Réseau et efficacité du groupe

Au niveau de l'efficacité, par exemple, il a été démontré que les réseaux centralisés fonctionnent mieux lorsque la tâche à accomplir est simple. Cette efficacité se remarque du niveau de la rapidité (l'information y circule plus rapidement) et de la précision (moins d'erreurs). En fait, un réseau de communication centralisé donne naissance à des communications linéaires et unidimensionnelles. La communication origine ordinairement au niveau d'un leader pour ensuite se diriger vers chacune des autres personnes. Par contre, à mesure que le réseau devient plus décentralisé et plus circulaire (cercle, toutes directions par exemple) la vitesse avec laquelle l'information circule devient beaucoup plus lente et cette même information devient beaucoup moins précise. En fait, une rumeur circule habituellement de cette façon. Elle passe d'une personne à une autre jusqu'à ce qu'elle revienne à l'émetteur original. Le degré de distorsion est généralement très prononcé vu qu'il n'existe aucun mécanisme pour corriger ou valider l'information en cours de route. Ce type de réseau semble cependant approprié pour l'accomplissement de tâches complexes et nouvelles (non routinières). Dans un tel contexte, en effet, un leader ou un informateur central (réseau centralisé) devient rapidement saturé. L'idéal pour ce genre de situation semble être le réseau "toutes directions", car il permet que chacun soit mis à contribution *.

8.6.3 Réseau et leadership

Le type de réseau de communication qui existe dans un groupe affecte également le degré et le type de leadership qui prévaudra à l'intérieur de ce même groupe. Dans un réseau décentralisé, il est rare de voir émerger un leader qui soit facilement identifiable. On fonctionne plutôt par consensus et l'organisation est instable. C'est l'inverse qui se produit dans un réseau centralisé. Un leadership fort et une organisation stable résultent souvent d'un mode de communication unidimensionnel et centralisé.

8.6.4 Réseau et satisfaction des membres

Enfin, la satisfaction des membres constitue un autre facteur important qui est affecté par le réseau de communication adopté dans un groupe. A cet égard, les réseaux décentralisés remportent facilement la palme. Les membres faisant partie de tels réseaux de communication sont dans l'ensemble beaucoup

---

* Exceptionnellement, ce type de réseau semble également efficace dans l'accomplissement de tâches simples en raison de sa grande flexibilité. On peut en effet nommer un leader pour maximiser les chances de succès.

plus satisfaits que ceux faisant partie d'un réseau centralisé. Un tel sentiment est facile à comprendre. Il est en principe plus agréable de pouvoir communiquer avec deux personnes que d'être limité à un seul contact.

8.7 LE MANAGER FACE AU FONCTIONNEMENT D'UN GROUPE

Contrairement à ce qu'on pourrait penser, l'expression "le fonctionnement d'un groupe" ne se rattache pas directement à l'objectif à atteindre ou à la tâche à accomplir. Le fonctionnement d'un groupe est la façon dont il s'y prend pour accomplir la tâche qui lui a été confiée ou qu'il s'est volontairement assignée. En étudiant le fonctionnement du groupe, on accordera donc beaucoup d'importance aux interactions qui surviennent en soi, et il n'est pas dans notre intention de vouloir être exhaustif à cet égard. Il nous semble cependant important de signaler les aspects majeurs qu'il importe de surveiller dans le fonctionnement d'un groupe afin d'être mieux en mesure de contrôler et d'influencer son évolution. L'énumération rapide qui suit a été conçue comme une fiche de vérification élémentaire.

8.7.1 La cohésion

Etant donné son importance sur une foule d'autres aspects reliées à la vie d'un groupe (normes, leadership, etc.), la cohésion d'un groupe est certes une variable importante à évaluer. La cohésion est-elle suffisante pour permettre au groupe d'accomplir sa tâche? S'en préoccupe-t-on au point de mettre en veilleuse la raison d'être du groupe? De plus, tel que nous l'avons indiqué, une trop grande cohésion comporte de nombreux risques. Un manager ou tout simplement le membre d'un groupe doit se méfier entre autres d'une trop grande cohésion qui fait en sorte que la déviance ou l'émergence d'idées originales deviennent impossibles.

8.7.2 La dimension sociale et la tâche

Différents types d'activités doivent être accomplies si l'on veut qu'un groupe fonctionne normalement et atteigne une certaine maturité. Certaines de ces activités ont une dimension sociale (satisfaction des besoins des membres), d'autres concernent directement l'accomplissement de la tâche. Il importe de s'assurer de la présence de ces activités. Par exemple, y a-t-il quelqu'un qui suggère des façons de faire, qui résume occasionnellement les idées émises jusque-là ou encore qui semble préoccupé par l'obtention de faits ou de données? Au niveau social, y a-t-il quelqu'un qui semble préoccupé par le climat du groupe, par la satisfaction de ses membres? Y a-t-il de l'entraide, de l'ouverture face aux nouvelles idées ou les rejette-t-on avec désinvolture en interrompant ceux qui parlent?

8.7.3 La participation des membres

La participation et plus généralement le degré de membership des membres sont aussi importants à surveiller. Qui participe le plus? Y a-t-il des variances importantes à cet égard? Pourquoi? Ceux qui participent peu, comment les traite-t-on et comment considère-t-on leur silence? Par membership, on entend le degré d'acceptation d'une personne dans un groupe. Y a-t-il des "étrangers" dans ce groupe ou encore y a-t-il des sous-groupes? Comment cela se manifeste-t-il et pourquoi?

8.7.4 L'expression des sentiments

L'expression de leurs sentiments par les membres est un aspect du fonctionnement d'un groupe qu'on néglige souvent de considérer. Même si ce phénomène est difficile à observer parce qu'on hésite à aborder le sujet directement (il faut centrer son attention sur des indices non verbaux tels les expressions faciales, le ton de la voix, etc.), ils sont très révélateurs du fonctionnement global d'un groupe et de ses chances de succès et de survie. La frustration accumulée pendant un long moment mène souvent à des explosions violentes. On doit donc observer comment le groupe accepte l'expression des sentiments, surtout lorsqu'il sont négatifs. Est-ce qu'on les bloque systématiquement, comment et qui le fait?

8.7.5 La prise de décision

Finalement, le processus de prise de décision qui prévaut à l'intérieur d'un groupe constitue un élément majeur des particularités de son fonctionnement. Y a-t-il un ou des membres qui essaient toujours d'imposer leurs façons de voir sans vérifier la réaction des autres? Change-t-on souvent et rapidement de sujet de discussion? Qui en est responsable et comment procède-t-il? Qui supporte les suggestions de qui et comment réagit celui qui constate que ses idées ne sont pas discutées par les autres membres?

Voilà autant de points majeurs qu'il importe de surveiller dans le fonctionnement général d'un groupe. Il y en a beaucoup d'autres, tout aussi importants, mais cette énumération rapide constitue un aide-mémoire de base valable pour celui qui désire examiner le fonctionnement d'un groupe.

SUJETS D'ÉTUDE ET DE DISCUSSION

1. Choisissez un groupe que vous connaissez bien.

   A- Définissez sa structure.

   B- A partir d'exemples (comportements de certains membres), identifiez les principaux rôles qui sont tenus.

   C- Donnez les principales normes et valeurs qui existent dans ce groupe.

   D- Y a-t-il des mécanismes de sanction? Lesquels?

   E- Sur quoi le statut de certains membres est-il basé?

2. Ce même groupe jouit-il d'un fort degré de cohésion? Pourquoi?

3. Comment les rôles se développent-ils et s'approuvent-ils?

4. Que peut faire un manager pour faciliter la cohésion d'un groupe?

5. Pensez à un groupe auquel vous avez appartenu ou dont vous êtes membre actuellement. Est-il efficace? Pourquoi?

6. Pourquoi le degré de conformisme est-il plus élevé dans un groupe où le degré de cohésion est plus fort que dans un groupe moins uni?

BIBLIOGRAPHIE SUPPLÉMENTAIRE

ANZIEUX, D. et MARTIN, J.-Y. ***La dynamique des groupes restreints***. Paris: P.U.F., collection le Psychologue, 1968.

AUBRY, J.-M. et ST-ARNAUD, Y. ***Dynamique des groupes***. Montréal: Editions de l'Homme, 1964.

BALES, R.F., BORGATTA, E.F. et HARE, A.P. ***Small Groups***. New York: Alfred A. Knopf, 1966.

BION, W.R. ***Experiences in Groups***. London: Tavistock Publications Ltd, 1961.

BONNER, H. ***Groups Dynamics: Principles and Applications.*** New York: The Roland Press Co., 1959.

BRODFORD, L.P., GIBB, J.B. et BENNE, K.D. (eds). ***T-Group Theory and Laboratory Method***. New York: John Wiley and Sons, 1964.

CRUTCHFIELD, R.S. "Social Psychology and Group Processes". ***Annual Review of Psychology.*** V. 1954.

DAOUST, G. "Entreprise et dynamique des groupes". ***Commerce***. Mars 1966.

GOULDNER, A. "The Norm of Recopricity: A Preliminary Statement". ***American Sociological Review***, Vol. 25, no. 2. April 1962.

HARE, A.P. ***Handbook of Small Group Research***. New York: Free Press, 1962.

MILES, M. ***Learning to Work in Groups***. New York: Teachers College, Columbia University, 1959.

MUCHIELLI, R. ***La dynamique des groupes***. Paris: E.M.E., 1967.

TILLMAN, R. jr. "Problems in Review: Commitees on Trial". ***H.B.R.,*** 47, 3 May-June 1960, 162-172.

CHAPITRE 9

COOPÉRATION ET CONFLITS*

9.1 INTRODUCTION

L'importance de la taille des organisations modernes est un phénomène largement documenté et facile à observer. Il est d'ailleurs inutile de revenir sur cet aspect et d'y ajouter à notre tour quelques statistiques impressionnantes. La taille imposante des organisations contemporaines amène cependant celles-ci à développer un système sophistiqué de division du travail. Il est donc habituellement nécessaire de constituer de nombreuses unités, divisions, équipes ou départements, afin de s'assurer que les différentes tâches soient effectuées. Tous ces sous-systèmes ne travailleront pas nécessairement dans le même sens cependant. Leur coordination et l'intégration de leurs buts et objectifs en un tout harmonieux n'est pas chose facile même si c'est là un aspect important du rôle de tout manager. Celui-ci devra, pour accomplir ces tâches différentes, se préoccuper des relations intergroupes.

En soi, les conflits ou la coopération intergroupe ne sont ni fonctionnels ou dysfonctionnels. Tout dépend de la situation dans laquelle une organisation se trouve et des objectifs qu'elle poursuit. Par exemple, des conflits intergroupes peuvent parfois être très utiles lorsqu'ils contribuent à une certaine sagesse, qu'ils incitent à plus de prudence; leur présence peut également faire en sorte que tous les points de vue seront soigneusement examinés avant qu'une décision finale ne soit prise. Sans l'émergence de conflits, ce serait tout simplement la façon de voir du groupe le plus fort, le plus ancien ou celui jouissant du statut le plus élevé qui prévaudrait. A l'inverse, la coopération peut parfois être dysfonctionnelle si elle est superficielle et surtout si elle sert à camoufler des mésententes qui auraient avantage à être extériorisées et discutées franchement. Pour être fonctionnelle, la coopération doit être le reflet d'une véritable intégration des efforts de différents groupes. Or, une telle situation n'est pas chose facile à réaliser. Différentes conditions favorisent la coopération intergroupe et nous en traiterons d'ailleurs plus loin. Par contre, il est important de prendre conscience que,

---

* Chapitre rédigé par Jocelyn Jacques.

de par sa nature, le fonctionnement même d'une organisation suscite de nombreuses sources de compétition entre les groupes. C'est cette compétition qui peut mener à l'émergence de conflits profonds et néfastes pour l'organisation. Ces conflits intergroupes sont heureusement précédés de l'apparition de différents symptômes. Ces symptômes constituent autant de signaux qu'il importe d'avoir bien présents à l'esprit. S'ils ne sont pas surveillés de près ou encore s'ils sont dysfonctionnels, ces conflits vont mener à l'apparition d'un groupe gagnant et d'un groupe perdant. Dans chaque cas, des phénomènes et comportements différents vont se manifester et les conséquences qu'ils peuvent avoir sur le fonctionnement global d'une organisation sont importantes. Ce court chapitre traitera successivement de ces différents éléments et se terminera par une présentation rapide de quelques pratiques qui ont fait leur preuve pour qui veut prévenir les conflits intergroupes et pour les solutionner lorsqu'ils existent. Nous n'avons retenu que les plus simples et celles qui n'exigent pas qu'on modifie en profondeur les organisations impliquées (développement des organisations).

9.2 CONDITIONS DE BASE DE LA COOPÉRATION

Même si les conflits intergroupes dans les organisations sont quasi inévitables et même si on sait qu'ils ne sont pas nécessairement mauvais, il n'en demeure pas moins que la coopération est a priori préférable. De toute façon, il existe de nombreuses situations où la coopération est nécessaire. Le manager a donc avantage à réfléchir sur les conditions qui facilitent la coopération intergroupe.

9.2.1 Buts communs

La première de ces conditions concerne l'acceptation de buts communs. Plus les buts adoptés par deux groupes sont similaires ou plus les groupes perçoivent qu'ils travaillent dans le même sens, plus leur désir de coopérer sera probable. Malheureusement, beaucoup de responsables dans nos organisations ont tendance à minimiser l'importance de ce facteur. Pour que deux groupes consentent à coordonner leurs efforts et à travailler dans la même direction, leurs identités, rôles et fonctions respectifs doivent être bien précisés. Si un groupe ne sait pas trop à quoi il sert, si les fonctions qu'il doit assumer sont plus ou moins précises, il ne sera pas porté à coopérer avec d'autres groupes ou encore à coordonner ses efforts avec eux. Il sera plutôt porté à se différencier et à se trouver une raison d'être spécifique même si cela implique qu'il doive entrer en conflit avec d'autres groupes. C'est là une réaction bien naturelle. Et pourtant, il n'est pas rare que beaucoup de responsables dans nos organisations, par insouciance ou autrement, laissent végéter des catégories entières de personnel avec des mandats peu clairs, des rôles très mal définis et très peu différenciés de ceux des autres. En situation d'urgence ou de crise, ils sont pourtant surpris et même offusqués de voir la réaction négative de ces groupes à qui ils demandent de coopérer.

9.2.2 Échange d'information et interactions

La deuxième condition concerne le nombre d'interactions qui surviennent entre deux groupes et la quantité d'information qu'ils échangent. Si deux groupes sont isolés, volontairement ou accidentellement, s'ils ne sont pratiquement pas au courant de l'existence des autres, il est peu probable qu'ils en viennent à développer des buts communs. Chaque groupe doit cependant désirer maintenir des contacts avec les autres. Dans ce cadre, des réunions conjointes où l'on rassemble les membres les plus importants de chaque groupe de même que l'encouragement direct à la libre circulation d'information entre différentes unités de travail interdépendantes sont des mécanismes simples qui font en sorte que les groupes entretiennent entre eux des liens de communication.

9.2.3 Responsabilité commune

Plus la responsabilité de deux (ou plus) groupes est commune vis-à-vis la solution d'un problème, plus ils sont susceptibles de coopérer. Comme dans la condition reliée à l'acceptation de buts communs, cependant, leurs rôles respectifs doivent être bien précisés, car une des conditions de base concernant la coopération intergroupe réside dans le fait que chaque groupe doit accepter les besoins de l'autre groupe comme légitimes.

9.2.4 Perceptions mutuelles

Une quatrième condition à la collaboration concerne la volonté et la possibilité qu'ont les groupes d'échanger et de discuter sur leurs perceptions mutuelles. Plus cette possibilité existe, plus les groupes sont susceptibles de coopérer. En effet, beaucoup de conflits intergroupes ont comme source une crainte souvent non fondée vis-à-vis leur existence propre. Si on perçoit l'autre groupe comme menaçant vis-à-vis sa propre identité, il va de soi que l'on a alors peu d'avantages à entrer en communication avec lui.

9.2.5 Ennemi commun

L'existence d'un ennemi commun ou d'un danger commun constitue également une condition qui favorise énormément la coopération entre deux groupes. Il n'est évidemment pas toujours facile de créer des situations où deux groupes ont avantage à s'unir pour combattre un autre groupe ou une autre organisation, mais lorsqu'elle se présente, l'effet est quasi instantané. La poursuite d'un objectif global commun joue d'ailleurs un rôle semblable.

9.2.6 Mobilité du personnel

Finalement, la coopération intergroupe est grandement facilitée lorsque les mêmes personnes peuvent appartenir aux deux groupes. Cette condition peut être assurée lorsqu'on est en présence de comités ou de groupes de travail ou par l'intermédiaire d'échanges systématiques; une telle flexibilité est un atout précieux pour qui veut améliorer la coopération entre deux groupes.

9.3 SOURCES DE LA COMPÉTITION INTERGROUPE DANS LES ORGANISATIONS

Idéalement, toutes les composantes d'une organisation devraient travailler dans le même sens et poursuivre des objectifs ultimes compatibles. La réalité est malheureusement parfois toute autre et les situations propices à l'émergence de conflits ne manquent pas. On peut les regrouper sous trois grandes catégories: a) la compétition pour l'obtention de ressources limitées; b) les tendances à l'autonomie et c) l'identification à des sous-objectifs.

9.3.1 Rareté des ressources

Les ressources financières, humaines et matérielles entrent évidemment dans cette première catégorie. Sources de prestige et de statut, leur distribution, lors de l'élaboration du budget par exemple, donne souvent lieu à des luttes épiques entre différents départements. Même si ce fut le cas pendant longtemps, on considère aujourd'hui comme naïf celui qui conçoit une organisation comme étant un tout unifié où toutes les parties contribuent à l'atteinte des mêmes objectifs. En fait, il est plus réaliste de penser que les buts d'une organisation sont multiples et qu'ils résultent d'un long processus de marchandage entre ses membres (1).

Dans le même sens, la distribution du pouvoir et de l'influence à l'intérieur d'une organisation crée des inégalités qui deviennent elles-mêmes génératrices de conflits. En effet, lorsqu'on distribue la responsabilité de différentes tâches parmi divers sous-systèmes, on met certains en position de donner des ordres ou d'initier des échanges avec d'autres. Cette distribution de l'influence est basée sur la division et l'agencement du travail et elle peut varier d'une organisation à l'autre.

9.3.2 Tendances à l'autonomie

Pour fonctionner, toute organisation a besoin de s'assurer que ses membres respectent certaines façons de se comporter. Une grande partie des attentes de l'organisation à cet égard se manifestent dans l'ensemble des règles et procédures en vigueur. Tout comme les individus, les groupes ont tendance à résister le plus possible à ces attaques à leur autonomie. En s'inspirant des travaux de Brehm (2) et en les extrapolant quelque peu, il est possible de penser que comme les buts et objectifs établis par une organisation sont souvent le résultat d'un processus de négociation entre les groupes qui la composent, chaque groupe se doit d'essayer de garder un degré d'autonomie afin de protéger le plus possible ses propres intérêts. Les contrôles sont donc vus comme

---

(1) CYERT, R. et MARCH, J. ***A Behavioral Theory of the Firm.*** Englewood Cliffs, New Jersey: Prentice-Hall, 1963.

(2) BREHM, J.W. ***A Theory of Psychological Resistance***. New York: Academic Press, 1966.

des attaques contre leur degré d'autonomie et dans ce processus, comme chacun désire obtenir le plus de liberté possible, des conflits interpersonnels (supérieur-subordonné) et intergroupes sont susceptibles de survenir.

9.3.3 Identification à des sous-objectifs

Etudié en détail dans les volumes traitant des dysfonctions bureaucratiques, le phénomène de la sous-optimisation ou encore de l'identification à des sous-objectifs donne également lieu à des conflits intergroupe. Du point de vue de l'organisation, les objectifs des différentes directions ou divisions sont évidemment considérés comme étant des sous-objectifs. Pour les groupes concernés, cependant, ils deviennent souvent les principaux et même les seuls objectifs à poursuivre. Ainsi, les sous-objectifs dans le secteur des finances seront de réduire les dépenses alors que ceux qui sont adoptés dans le secteur de la production seront d'obtenir plus de ressources pour améliorer la qualité et/ou la quantité des produits ou des services. Cette différenciation est généralement source de tension car ces objectifs sont, la plupart du temps, difficilement conciliables.

9.4 LES PREMIERS SYMPTÔMES D'UN CONFLIT INTERGROUPE

En raison des pertes d'énergie et d'argent qu'elle peut occasionner, un manager a avantage à surveiller l'apparition de toute situation conflictuelle. Dans le cas des conflits intergroupes, différents symptômes se manifestent en début de conflit et l'observateur averti sera en mesure d'agir très tôt si cela s'avère nécessaire, c'est-à-dire si le ou les conflits sont susceptibles de devenir dysfonctionnels. Ces symptômes se manifestent tant à l'intérieur de chaque groupe qu'au niveau des relations que les groupes entretiennent entre eux.

9.4.1 Modifications internes

A l'intérieur de chaque groupe, lorsque la compétition ou la tension devient plus intense, on remarque en général que le climat se fait plus formel et plus axé sur la tâche. Les objectifs du groupe prévalent nettement par rapport aux besoins personnels des participants ou des membres. Un autre indice concerne le degré de cohésion et la loyauté qui est exigée. Dans les deux cas, ils deviennent beaucoup plus intenses. Dans chaque groupe impliqué, il est également possible de remarquer que le style de leadership exercé devient plus autocratique. Face au danger, les membres vont accepter et même encourager un tel mode de fonctionnement même dans un groupe où la participation de tous et le consensus constituent habituellement une règle de fonctionnement. Finalement, un autre indice concerne l'organisation même de chaque groupe. Dans une situation conflictuelle, les membres insistent beaucoup plus sur la nécessité d'avoir une bonne structure et sur un degré d'organisation beaucoup plus fort qu'en temps habituel.

9.4.2 Modifications dans les échanges

Ces modifications au niveau de chaque groupe s'accompagneront de changements dans la façon avec laquelle ces mêmes groupes entretiennent des relations entre eux. Tout d'abord, chaque groupe commence à se méfier des autres. Les perceptions changent et des stéréotypes négatifs commencent à se manifester [3]. C'est ainsi que l'image que l'on se fait de l'autre groupe se modifie profondément. On ne le perçoit plus comme neutre ou encore comme positif, mais plutôt comme mauvais. Chacune des idées ou contributions de l'autre groupe est minimisée sinon ridiculisée alors qu'on surévalue celles du groupe dont on fait partie. Dans le même sens, sa compétence est surestimée alors que celle des autres est mise en doute. On oublie ses propres faiblesses et l'on ne voit que les points faibles de l'autre groupe.

A mesure que l'hostilité s'intensifie, les communications et les interactions sont également affectées. Chaque groupe tend à limiter et même à éviter complètement les échanges avec l'autre groupe. Tel que si bien démontré par Sherif et Sherif dans leur étude [4], chaque groupe désire être isolé complètement de l'autre groupe. De toute façon, toute information provenant ou concernant l'autre groupe est interprétée de façon négative. Le sens de l'écoute est à son plus bas. En fait, il devient quasi impossible de faire passer un message d'un groupe à l'autre.

Finalement, une autre série de phénomènes est reliée à la façon avec laquelle le leader de l'autre groupe est considéré. On le verra comme faible, non compétent et ne méritant pas de jouer un tel rôle surtout dans un "bon" groupe. A l'inverse, le leader du groupe dont on fait partie possèdera toutes les vertus pour faire face à la situation. Il est compétent, a fait ses preuves et est de beaucoup supérieur à l'autre.

9.5 CE QUI ARRIVE AU GROUPE QUI GAGNE OU QUI PERD

Dans beaucoup d'organisations, les situations où il doit y avoir nécessairement un gagnant et un perdant abondent. Que ce soit au niveau du budget, du prestige ou encore de la responsabilité de la mise sur pied d'une nouvelle façon de procéder, le résultat est toujours le même. Certains ont le sentiment de l'avoir emporté, alors que d'autres se sentent lésés ou perdants. Si on était davantage circonspect, beaucoup de ces situations pourraient être modifiées de façon à ne plus engendrer de tels résultats. Malheureusement, c'est rarement le cas, et chaque groupe, le perdant comme le gagnant, adopte une série de comportements qui lui est spécifique. Au total, cependant, l'organisation y perd grandement.

9.5.1 Le groupe gagnant

Le groupe qui a gagné garde sa cohésion. La tension décroît, l'esprit de lutte diminue et les membres deviennent très complaisants les uns envers les

---

(3) COHEN, A.R., FINK, S.L., GADON, H. et WILLITS, R.D. ***Effective Behavior in Organizations***. Homewood, Ill.: Richard D. Irwin inc., 1976, 234.

(4) SHERIF, M. et SHERIF, C. ***Groups in Harmony and Tension: An Integration of Studies on Intergroup Relations***. New York: Harper and Brothers, 1953.

autres. L'esprit de coopération interne augmente et le groupe affiche une nette tendance à accorder beaucoup d'importance aux besoins personnels de ses membres. Après tout, on peut se le permettre étant donné que l'on a démontré sa supériorité. Notons de plus que la victoire contribue à renforcer son propre stétéotype positif et à maintenir le stéréotype négatif que l'on avait vis-à-vis l'autre groupe. Il n'est donc pas question de se remettre en question et de réévaluer son mode de fonctionnement.

9.5.2 Le groupe perdant

Au niveau du groupe qui perd, la situation est très différente. La première réaction de ce groupe consiste à se trouver un bouc émissaire, un coupable. La défaite doit être expliquée et quoi de plus facile que de l'attribuer à un membre du groupe, généralement le leader. Dans ce processus, des divisions apparaissent et d'intenses conflits se manifestent. D'une façon générale, le groupe est tendu et les membres sont très centrés sur la tâche. L'esprit de coopération est faible et très peu d'importance est accordée aux besoins personnels des membres. Parallèlement à tout cela, une démarche visant la remise en cause du mode de fonctionnement et de l'organisation du groupe est amorcée. On se réévalue et/ou on s'examine de façon très critique de façon à s'améliorer et à être en meilleure position lors du prochain conflit [5].

9.6 CONFLITS INTERGROUPE: PRÉVENTION ET SOLUTIONS POSSIBLES

Même si les conflits intergroupe peuvent jouer un rôle positif dans certaines situations, la coopération intergroupe constitue une situation idéale qu'il importe de favoriser le plus possible. A cet effet, plusieurs pratiques et façons de faire sont possibles. Nous rappellerons ici les principales, tout en mentionnant que celles que nous avons retenues valent tant comme mesures de prévention que comme moyens pour résoudre les conflits intergroupes*.

9.6.1 Rotation des membres

La première de ces pratiques est très simple même si elle est très efficace dans une perspective de solution ou de prévention de conflits. Elle consiste tout simplement à s'assurer qu'il y a une certaine rotation au niveau des membres des groupes impliqués. Même si cette méthode n'est pas toujours facile à appli-

---

(5) BLAKE, R.R. et MORTON, J.S. "Reacticns to intergroup competition under Win-Lose Situations". ***Management Science***, July 1961, 420-425.

*Il existe plusieurs autres pratiques mais la plupart nécessitent qu'on modifie de façon importante l'organisation. Celles que nous présentons ici rapidement peuvent s'appliquer sans qu'on ait à modifier le cadre organisationnel existant.

quer en raison de la très grande spécialisation des groupes dans beaucoup d'organisations, il est regrettable de voir que beaucoup de managers font peu appel à des groupes de travail composés de membres venant de différentes parties de leur organisation. Certaines recherches montrent d'ailleurs que de nombreux problèmes auxquels nos organisations ont à faire face nécessitent la participation de plusieurs groupes ou sous-systèmes si on désire les résoudre adéquatement. Si on laisse travailler les groupes séparément, chacun a tendance à s'opposer aux solutions proposées par l'autre groupe. Par contre, ces mêmes recherches démontrent que lorsque des représentants de ces mêmes groupes travaillent ensemble, ces difficultés sont minimisées et, de plus, la qualité de la décision finale est de beaucoup améliorée [6].

9.6.2 Agents de liaison

Sans aller jusqu'à la création systématique de groupes de travail (task forces), de plus en plus d'organisations font appel à des agents de liaison. Pour faire face aux complexités et incertitudes auxquelles elles ont à faire face, et reconnaissant les limites des formes d'organisation habituelles, ces mêmes organisations font de plus en plus appel à une catégorie de personnel dont le seul rôle est de coordonner les efforts des différents groupes composant l'organisation. N'étant rattachés à aucune unité de l'organisation, ils favorisent les échanges d'information entre les groupes et les tiennent bien au fait de leurs activités respectives.

9.6.3 Buts et objectifs communs

Le développement de buts et objectifs communs constitue la troisième façon de prévenir ou encore de solutionner les conflits. Les conflits intergroupe originent souvent du fait que les groupes ont des buts et objectifs différents. Lorsqu'on ne peut leur trouver d'ennemis communs afin de les amener à travailler ensemble, le même résultat peut être obtenu en amenant différents groupes à définir ensemble et à travailler à l'atteinte de buts et objectifs communs.

9.6.4 Éviter les situations perd-gagne

A moins que ce ne soit voulu et jugé fonctionnel, il est sage d'éviter que des groupes se retrouvent dans des situations gagnant/perdant. Ceci constitue la quatrième façon de minimiser les conflits intergroupes. Dans un tel contexte, en effet, en raison notamment de l'identification de chaque membre à son groupe et de la présence dans chacun de normes, de valeurs, etc., les comportements de chaque groupe sont faciles à prévoir. Aucun groupe n'aime perdre et passer pour mauvais. Si donc, dans l'allocution des crédits budgétaires ou encore dans la détermination de la localisation d'un nouveau système informatique, il doit nécessairement y avoir un gagnant ou un perdant, les conflits sont inévitables.

---

(6) HUSE, E.F. "The Behavioral Scientist in the Shop". ***Personnel***, 42, May-June 1965, 50-57.

9.6.5 Contacts directs

De nombreuses recherches démontrent qu'en l'absence de contacts directs et de données réelles les stéréotypes que chaque groupe ont les uns vis-à-vis des autres se maintiennent et même se renforcent avec le temps (7). Il est donc sage de prévoir la tenue de réunions où tous les membres des groupes impliqués sont présents. De telles rencontres sont très efficaces lorsqu'on désire briser ou éviter l'apparition de barrières. Les interactions qui s'effectuent alors ainsi que les échanges d'information jouent souvent un rôle-clé dans le développement de perceptions mutuelles plus justes et réalistes et d'une meilleure compréhension de leurs rôles et objectifs respectifs.

9.6.6. Proximité physique

Finalement, la proximité physique joue souvent un rôle important dans le type de relations que différents groupes entretiennent entre eux. L'éloignement minimise les occasions d'interagir que peuvent avoir les groupes. La création de groupes de travail, l'échange de membres ou encore la tenue de rencontres communes constituent certes des substituts acceptables, mais souvent rien ne peut remplacer les échanges et interactions naturelles que deux groupes situés à proximité l'un de l'autre peuvent avoir. Le rapprochement physique est donc un moyen simple qui permet de favoriser la coopération intergroupe et de minimiser les conflits.

---

(7) COHEN, A.R. et al. ***op. cit.,*** 239.

SUJETS D'ÉTUDE ET DE DISCUSSION

1. Pourquoi y a-t-il des conflits intergroupes dans les organisations?
2. Avez-vous déjà fait partie d'une équipe gagnante dans une compétition sportive? Qu'avez-vous remarqué comme phénomènes intéressants? A l'inverse, quels comportements ont pris place lorsque la même équipe subissait la défaite?
3. Favorise-t-on la coopération intergroupe dans l'organisation dont vous faites partie? Sur quoi vous basez-vous pour donner votre réponse?
4. Avez-vous déjà fait partie d'un groupe qui était dans une situation de très grande compétition avec un autre groupe? Décrivez les principaux aspects du mode de fonctionnement de ce groupe.

BIBLIOGRAPHIE SUPPLÉMENTAIRE

BENNIS, W.G. et THOMAS, J.M. (eds.). ***Management of Change and Conflict***. Baltimore: Md, Penguin Books, 1972.

BLAKE, R.R., SHEPARD, H.A. et MORTON, J. ***Managing Intergroup Conflict in Industry***. Houston, Texas: Gulf Publishing Co., 1964.

BOULDING, K.E. ***Conflict Management in Organizations***. Ann Harbour: Foundation for Research on Human Behavior, 1961.

BOULDING, D.E. "Organization and Conflict". ***Journal of Conflict Resolution***, Vol. 1, 1957, 122-134.

DEUTSCH, M. et KRAUSS, R.M. "Studies of Interpersonal Bargaining". ***Journal of Conflict Resolution***, Vol. 6, 1962, 52-76.

ETZIONI, A. "On Self-Encapsulating Conflicts". ***Journal of Conflict Resolution***. Vol. 4, 1964, 242-249.

GOULDNER, A. "The Role of the Norm of Reciprocity in Social Stabilization". **Amer. Sociological *Review***, 25, 1960, 161-178.

KELLY, J. "Make Conflict Work for You". ***H.B.R.***. July-August 1970, 103-113.

LORSCH, J.W. et LAWRENCE, P.R. ***Managing Group and Intergroup Relations***, Homewood, Ill.: Richard D. Irwin Inc. and the Dorsey Press, 1972, 285-304.

RICE, A.K. "Individual Group and Intergroup Behavior". ***Human Relations***, 22, 1969, 565-584.

SCHEIN, E.H. ***Organizational Psychology***. (2nd ed.). Englewood Cliffs, New Jersey: Prentice-Hall, 1970.

WALTON, R.E. et DUTTON, J.M. "The Management of Interdepartmental Conflict". ***Adm. Science Quarterly***, 14, 1969, 73-84.

CHAPITRE 10

LE POUVOIR*

Dans notre culture, le pouvoir a mauvaise réputation. On croit généralement qu'il entraîne la manipulation, la corruption et l'exploitation. Bien que cette réputation soit en grande partie justifiée, il n'en demeure pas moins que le pouvoir est une habileté indispensable à la survie et au fonctionnement des individus et des organisations.

L'individu recherche le pouvoir pour maximiser la satisfaction de ses besoins. S'il ne pouvait mobiliser son énergie et celle des autres, il serait incapable d'aller chercher dans son environnement ce qui lui est nécessaire pour survivre, s'estimer pleinement et se réaliser.

Dans les organisations humaines, lieux où les individus se réunissent et interagissent pour mieux satisfaire leurs besoins, le pouvoir est un élément crucial. Il détermine la nature et la qualité des échanges entre les personnes de même que l'efficacité de cette interaction. Le fait que le pouvoir ne soit pas réparti uniformément parmi les membres de l'organisation permet que certains intérêts en présence se voient accorder une priorité plus grande que les autres. Ceux qui fixent les objectifs de l'organisation utilisent ensuite leur influence pour coordonner et contrôler les activités des individus qui travaillent avec eux pour les atteindre.

Les dirigeants des entreprises ont d'autant plus besoin de pouvoir qu'ils sont tributaires des activités des exécutants pour réaliser leurs buts et satisfaire ainsi leurs intérêts personnels. Paradoxalement, "c'est essentiellement en raison de la dépendance inhérente à la fonction des dirigeants que la dynamique de leur pouvoir constitue une part importante de leur rôle" (1). On ne saurait donc négliger l'importance du pouvoir dans le domaine de la gestion. Certains auteurs (2) prétendent même qu'aucun gestionnaire ne peut réussir s'il n'est motivé par le besoin d'exercer de l'influence sur d'autres personnes.

---

* Chapitre rédigé par Nicole Côté Léger.

(1) KOTTER, J.P. "Le Management du Pouvoir". ***Harvard-l'expansion***, Hiver 1977-78, 48.

(2) McCLELLAND, D.C., BURNHAM, D.H. "Power is the Great Motivator". ***Harvard Business Review***. Mars-Avril 1976, 100-109.

Le pouvoir est tout aussi nécessaire à ceux qui y sont soumis, car l'absence de pouvoir entraîne le chaos, le désordre. Le chaos est inacceptable parce qu'il engendre de l'insécurité et entrave les effets synergiques de la coordination des efforts. En outre, comme les gens ne sont pas prêts à sacrifier les bénéfices qu'ils retirent de l'efficacité et de la cohérence de leur organisation, ils s'accommodent assez facilement du pouvoir (3). De plus, beaucoup de personnes n'ont ni la capacité ni la volonté d'assumer les responsabilités inhérentes à l'exercice du pouvoir.

En dépit de l'importance qu'on lui reconnaît depuis longtemps, le concept de pouvoir a été l'objet d'un nombre relativement restreint de recherches en psychologie sociale. Cette négligence provient d'une part de la connotation négative que revêt le pouvoir dans nos sociétés démocratiques. On a longtemps considéré la recherche et l'exercice du pouvoir comme suspects. C'est ainsi que le concept de pouvoir a été dilué en étant assimilé à des concepts plus acceptés tels le contrôle, l'autorité et le leadership. D'autre part, l'étude des phénomènes d'influence pose des problèmes méthodologiques sérieux que les approches positivistes (basées sur l'observation systématique et la quantification) traditionnelles n'ont pu surmonter (4). Le pouvoir est un phénomène dynamique et subtil qui défie la quantification et nécessite une approche multidimensionnelle.

Depuis quelques années, de nombreux spécialistes de disciplines différentes ont manifesté un intérêt accru pour l'étude du pouvoir; et même si les problèmes méthodologiques dont nous venons de parler ne sont pas résolus, on dispose actuellement d'un certain nombre de données qui permettent de mieux cerner ce qu'est le pouvoir et quelles en sont les sources, les effets et la dynamique.

10.1 DÉFINITIONS

Il existe de nombreuses définitions du pouvoir dont l'une des plus simples est: "le pouvoir est l'habileté à faire quelque chose" (5). Cette définition implique la notion d'énergie disponible: elle distingue le pouvoir d'agir de l'action. Bien que généralement acceptée, elle est toutefois trop globale et néglige l'aspect interpersonnel du pouvoir.

---

(3) HICKS, H.G., GULLET, C.R. ***Organizations: Theory and Behavior***. New York: McGraw Hill, 1975, 231.

(4) CARTWRIGHT, D. "Power: a neglected variable in social psychology". in CARTWRIGHT, D. (ed.). ***Studies in Social Power***. Ann Arbor: The University of Michigan Press, 1959.

(5) MOONEY, J.D. ***The Principles of Organization***. (Rev, ed.). New York: Harper and Brothers, 1947, 7.

Dahl propose une définition empirique du pouvoir qui est elle aussi très simple, mais qui a l'avantage de tenir compte de la réalité interpersonnelle du pouvoir et d'être utilisable opérationnellement: "le pouvoir d'une personne A sur une personne B, c'est la capacité de A d'obtenir que B fasse une chose qu'il n'aurait pas fait sans l'intervention de A" (6). Cette définition du pouvoir englobe la notion d'influence. Un individu a du pouvoir lorsqu'il est capable d'influencer une ou plusieurs personnes pour obtenir ce qu'il veut ou faire exécuter ce qu'il désire voir s'accomplir.

Le pouvoir est toutefois différent de l'influence. L'influence est le processus par lequel une personne affecte le comportement d'autres personnes. Le pouvoir est la capacité d'utiliser ce processus comme un instrument permettant d'atteindre des objectifs donnés: il s'agit d'un concept à la fois plus global et plus subtil.

Il importe de distinguer le concept de pouvoir d'autres concepts qui lui sont également reliés tels l'autorité, le leadership, le contrôle et la domination.

Pouvoir vs autorité

Alors que le pouvoir est la capacité d'influencer quelqu'un, l'autorité est le droit de le faire. L'autorité est le pouvoir légitime.

Il est possible qu'un gestionnaire ait de l'autorité sans avoir de pouvoir de même qu'il est possible qu'un subordonné ait du pouvoir sans avoir d'autorité. Par exemple, si, lors d'une grève illégale, un patron qui pèse 125 livres demande à un employé qui en pèse 250 de se retirer de la ligne de piquetage pour le laisser passer, il a l'autorité d'exiger que son employé se déplace; mais si ce dernier refuse, il n'a pas le pouvoir de le déplacer contre son gré. Il peut le menacer de le congédier, de demander l'aide des policiers. Si l'employé refuse de céder, le patron aura échoué dans sa tentative de l'influencer, et il n'aura pas d'autre choix que de mettre ses menaces à exécution. D'autre part, si l'employé réagit rapidement et ordonne à son patron de reculer; il n'a pas l'autorité de le faire, mais il a la capacité de dire ce qu'il veut, d'insulter son patron, de le bousculer et exerce par cela même assez d'influence pour le faire reculer contre son gré: il a du pouvoir.

Pouvoir vs leadership

Les concepts de pouvoir et de leadership sont très reliés. En effet, le leadership est défini comme le pouvoir d'influencer les membres d'un groupe à atteindre des objectifs communs. Toutefois, le concept de leadership a une connotation qui est absente du concept de pouvoir: il est strictement relié à la situation d'un individu face à un groupe alors que le pouvoir peut impliquer des relations d'individu à individu, de groupe à individu, de groupe à groupe. De plus, la notion de leadership fait référence à la capacité d'influencer les gens dans le

---

(6) DAHL, R.A. "The Concept of Power". ***Behavioral Science***. Vol. 2, 1957, 201.

sens d'une réalisation "volontaire" d'objectifs, ce qui n'est pas nécessairement le cas pour la notion de pouvoir. Le pouvoir peut impliquer une influence contre la volonté des personnes. Bref, bien que le leadership soit une forme de pouvoir, toutes les formes de pouvoir ne sont pas du leadership.

Pouvoir vs contrôle

Le contrôle est une forme extrême de pouvoir qu'un individu utilise lorsqu'il veut limiter le comportement d'un autre. Par exemple, les policiers responsables de la sécurité routière exercent un contrôle sur les automobilistes. Ils ne se contentent pas d'influencer les automobilistes, c'est-à-dire de les amener à ralentir ou à accélérer, ils les obligent à se conformer à des vitesses minimum et maximum: ils déterminent les limites de leurs actions.

En psychologie, le contrôle est associé à la résistance et le pouvoir à la liberté d'action. Un individu a du pouvoir lorsqu'il dispose librement de son énergie; il se contrôle lorsqu'il la restreint et s'empêche d'agir.

Pouvoir vs domination

Le concept de pouvoir est beaucoup plus vaste que le concept de domination. La domination implique une relation de supériorité à infériorité. Bien que les dominateurs ont apparemment plus de pouvoir que les dominés, la relation de pouvoir n'équivaut pas nécessairement à la relation de domination. Elle est beaucoup plus subtile. Il suffit d'observer l'influence que les pleurs d'un nouveau-né ont sur ses parents pour constater que l'infériorité n'est pas synonyme d'impuissance. Sur le plan social, l'analyse des rapports de force entre les martyrs et leurs oppresseurs illustre également cette distinction. Les hommes politiques sont conscients du pouvoir social des opprimés et hésitent parfois longuement avant d'utiliser leur pouvoir répressif contre certains éléments contestataires de la société.

La distinction entre pouvoir et domination est extrêment importante. Ceux qui la négligent peuvent être portés à attribuer aux dirigeants plus de pouvoir qu'ils n'en ont en réalité. De la même façon, ils peuvent percevoir les exécutants comme plus démunis qu'ils ne le sont.

10.2 LES FACTEURS DÉTERMINANTS DU POUVOIR

L'influence est un processus interpersonnel: l'étendue et l'intensité du pouvoir d'un individu dépendent donc, bien sûr, de ses ressources personnelles, mais aussi de la dépendance de la personne cible vis-à-vis de ces ressources. De plus, lorsqu'on parle de pouvoir organisationnel certains éléments de l'environnement doivent être pris en considération. L'adaptation relative de l'individu au système organisationnel constitue à ce titre un déterminant additionnel de son pouvoir.

10.2.1 Les sources personnelles de pouvoir

French et Raven (7) ont étudié les ressources personnelles qui constituent les bases du pouvoir des individus et les ont classifiées selon cinq catégories: le pouvoir coercitif, le pouvoir économique, le pouvoir de l'expert, le pouvoir légitime et le pouvoir charismatique.

Le pouvoir coercitif

Le pouvoir coercitif est fondé sur la crainte. Celui qui se soumet à ce pouvoir le fait par peur des conséquences négatives que pourrait amener sa désobéissance. La coercition repose sur l'application ou la menace d'application de sanctions physiques (torture, mort), de restrictions de la liberté (emprisonnement), ou de retrait d'éléments essentiels à la survie (privation, congédiement) et au bien-être psychologique (rejet, humiliation).

Selon Kipnis, "de toutes les bases du pouvoir, le pouvoir de blesser les autres est possiblement le plus souvent utilisé, le plus souvent condamné et le plus difficile à contrôler" (8). A première vue, on pourrait penser que l'utilisation du pouvoir physique n'est pas très répandue dans un monde aussi "civilisé" que le nôtre. Pourtant, la force et l'autonomie de nos gouvernements reposent en grande partie sur leur pouvoir d'intimider les autres nations par les armes ou leur possibilité de retirer à d'autres nations certains biens essentiels (ex.: la crise du pétrole de 1973). D'autre part, si on en juge par les ressources mobilisées ici pour la police et les tribunaux, on peut dire que le pouvoir coercitif a une place assez importante dans nos sociétés. De même, les parents font souvent obéir leurs enfants en les molestant physiquement. Enfin, le sabotage et la violence physique sont monnaie courante dans les conflits de travail.

Dans les organisations, les patrons utilisent leur pouvoir coercitif en menaçant leurs employés de les congédier, de couper leurs salaires, de les priver de promotion. Bien que le pouvoir coercitif soit souvent associé à l'autorité, il est présent à tous les niveaux de la hiérarchie. Aux plus bas niveaux, il prend la forme de menaces de grève, de ralentissement de la production, etc.

Le pouvoir économique

Ceux qui possèdent ou peuvent distribuer des ressources désirées par d'autres personnes ont un pouvoir sur ces personnes. Le pouvoir économique est opposé au pouvoir coercitif en ce sens qu'il est basé non pas sur la crainte mais sur le besoin ou le désir d'obtenir des biens ou des avantages. Il s'exerce par l'octroi des récompenses ou la promesse de récompenser. Dans les organisations, les récompenses les plus utilisées sont les salaires, les évaluations positives, les promotions, l'amitié et le travail intéressant.

---

(7) FRENCH, R.P. Jr., RAVEN, B. "The Bases of Social Power". in CARTWRIGHT, D., ZANDER, A.F.,***Group Dynamics: Research and Theory***. New York: Harper and Row, 1960, 607-623.

(8) KIPNIS, D. ***The Power Holders***. Chicago: University of Chicago Press, 1976, 77.

Parmi les éléments du pouvoir économique, l'argent est sans contredit le plus important. L'argent est une source de pouvoir pour ceux qui le possèdent, de même que pour ceux qui sans le posséder peuvent en disposer ou l'administrer. Le pouvoir monétaire joue un rôle très important dans les organisations: leur existence même en dépend et il conditionne en partie le comportement de la plupart de leurs membres. Ceux-ci sont en effet motivés à accroître, d'une part, le pouvoir financier de leur organisation et, d'autre part, leur avoir monétaire personnel. En fait, pratiquement tout le monde est affecté par le pouvoir de l'argent.

Le pouvoir de l'expert

Le pouvoir de l'expert est l'influence qu'une personne détient en raison de sa compétence et de ses connaissances. Dans les organisations, le fait d'avoir des connaissances et des habiletés valides et pertinentes donne beaucoup de pouvoir. En effet, plusieurs postes stratégiques sont attribués à partir du seul critère d'expertise. Et à mesure que les spécialités techniques se diversifient, ce type de pouvoir prend énormément d'importance, car les organisations dépendent de plus en plus des experts pour atteindre leurs objectifs.

Le contrôle de l'information est une autre facette du pouvoir de l'expert. Dans la société actuelle, ceux qui contrôlent les mass media ont beaucoup de pouvoir. On n'a qu'à se rappeler l'impact fantastique qu'ont eu deux journalistes dans les milieux politiques américains lors de l'affaire Watergate, pour apprécier la puissance de l'information. Au niveau des entreprises, ceux qui ont accès à beaucoup d'information sont investis d'un pouvoir souvent considérable. Enfin, ironiquement, la connaissance de la dynamique du pouvoir lui-même peut parfois contribuer à augmenter le pouvoir d'un individu (10), s'il sait l'utiliser.

Le pouvoir légitime

Le pouvoir légitime est celui qui découle automatiquement de la position d'autorité que détient l'individu. Il est étroitement relié au pouvoir coercitif et au pouvoir économique, car ceux qui sont investis du pouvoir légitime reçoivent par le fait même le droit de punir ou de récompenser. Il s'accompagne souvent d'un certain contrôle de l'information impliquant par le fait même de l'expertise.

Dans les organisations, les directeurs, les cadres et les contremaîtres détiennent ce type de pouvoir. Le pouvoir légitime formel n'a pas de rapport avec les qualités de celui qui le détient mais avec son rôle ou sa position. Dès que la personne quitte son poste, son pouvoir légitime disparaît. Ainsi, un pilote d'avion a beaucoup de pouvoir quand son avion est en vol: dès que ses passagers sont rendus à destination, il n'a plus de pouvoir sur eux.

---

(9) REITZ, J.R. ***Behavior in Organizations***. Homewood, Ill.: Richard D. Irwin Inc., 1977, 466.

(10) HICKS, H.G., GULLET, C.R., ***op. cit.,*** 247.

Le pouvoir charismatique

Un individu a un pouvoir charismatique lorsqu'il possède des caractéristiques personnelles qui attirent les autres et les portent à s'identifier à lui. Ces caractéristiques incluent la beauté physique, le charme, la réputation, le succès, bref, toutes les qualités qui suscitent l'admiration.

Ce pouvoir d'identification fait que les gens sont portés à imiter celui qui le détient et à suivre son exemple. C'est ce qui explique pourquoi les agences de publicité paient très cher pour donner à leur produit le nom de certaines célébrités.

Dans les organisations, on observe que certains dirigeants ont un pouvoir charismatique; ils se font imiter par des gestionnaires plus jeunes et peuvent avoir beaucoup d'influence en tant que leaders. Il arrive toutefois que de telles imitations sont dysfonctionnelles pour l'organisation. C'est pourquoi plusieurs entreprises se méfient des individus qui ont du charisme et encouragent leurs cadres à adopter un comportement impersonnel et strictement conforme aux règles de l'étiquette.

10.2.2 La dépendance

Dans la relation de pouvoir, les ressources d'un individu ne peuvent influencer une autre personne si cette dernière n'en dépend pas. La dépendance est fonction de la valeur que la cible de l'influence attribue aux ressources du détenteur de pouvoir, de l'importance de la relation qu'elle vit avec ce dernier et enfin des ressources dont elle dispose pour contrecarrer l'influence qu'elle subit.

La valeur attribuée à la source de pouvoir

Si les conséquences de l'utilisation des ressources du détenteur de pouvoir sont importantes pour un individu donné, il ressentira une plus grande pression à se soumettre que si ces conséquences n'ont pas ou peu d'impact. Plus les ressources en présence ont de valeur pour lui, plus il est influençable.

En un sens, la dépendance d'une personne est inversement proportionnelle aux solutions de rechange dont elle dispose [11]. Par exemple, l'argent n'est pas un facteur de pouvoir parmi les gens très riches. Une menace de congédiement affecte très peu un employé qui a plusieurs possibilités d'emploi. Par contre "au pays des aveugles, les borgnes sont rois". Les entreprises qui réussissent à créer des monopoles sont excessivement puissantes. C'est pourquoi, la plupart des organisations tendent à diversifier leurs sources d'approvisionnement de même que leurs produits.

---

(11) ROBBINS, S.P. ***Organizational Behavior - Concepts and Controversies***. Englewood Cliffs, N.I.: Prentice Hall, 1979.

L'importance de la relation

La dépendance de la cible du pouvoir varie selon le degré de nécessité qui la lie au détenteur des ressources. Ainsi, un travail bénévole peut être moins important qu'un travail qui sert de gagne-pain. Un emploi temporaire est moins valorisé qu'un emploi à long terme.

La dépendance de la cible du pouvoir varie aussi selon la nature de la relation établie entre elle et le détenteur de pouvoir. Il peut être plus facile de refuser une faveur à un pair qu'à un supérieur. De plus, la dépendance augmente lorsque la cible de pouvoir peut difficilement échapper à la relation. Par exemple, une ménagère qui a quatre enfants est plus dépendante de son mari qu'une professionnelle qui gagne sa vie et n'a pas d'enfants.

Le contre-pouvoir

Le contre-pouvoir est la capacité qu'a une personne d'atténuer les pressions qui s'exercent sur elle en utilisant des ressources qui sont importantes pour l'autre. Dans une lutte de pouvoir, c'est l'habileté à contre-attaquer. Dans les organisations, il n'est pas nécessaire d'occuper un poste hiérarchique élevé pour avoir du pouvoir. Certains membres de l'organisation disposent de connaissances et d'information dont dépendent les dirigeants. L'exemple classique de ce phénomène est celui de la secrétaire qui sait où sont rangés les documents, comment se débrouiller dans le labyrinthe administratif et quelles sont les ressources essentielles à son patron. Elle peut parfois utiliser son pouvoir d'information pour demander des faveurs ou exiger que son patron diminue les pressions qu'il exerce sur elle.

Les gens difficiles à remplacer ont toujours énormément de potentiel de pouvoir de même que ceux qui sont susceptibles de diminuer le niveau d'incertitude dans l'organisation. Ainsi, durant les périodes de négociation de conventions collectives, les représentants syndicaux sont dans une position stratégique face aux incertitudes de l'entreprise et leur influence est très grande. Dans certaines entreprises dont la production repose sur le fonctionnement de machines, les responsables de l'entretien de ces machines ont un pouvoir considérable. "Aussi longtemps qu'un peu d'incertitude subsiste dans l'exercice de sa tâche, le plus humble des subordonnés gardera la possibilité d'user d'un certain pouvoir discrétionnaire et tant que pour une activité déterminée l'homme sera préféré à la machine une certaine dose d'incertitude subsistera" [12].

10.2.3 L'adaptation au système organisationnel

La typologie de French et Raven est très utile pour comprendre les bases du pouvoir dans les relations d'individu à individu et dans les petits groupes. Toutefois, la taille et la complexité des organisations modernes font que l'indi-

---

(12) CROZIER, M. ***Le phénomène bureaucratique***. Paris: Les éditions du Seuil, 1963, 198.

vidu qui dispose des sources de pouvoir précitées doit travailler avec plusieurs autres personnes qui ont les mêmes ressources que lui. En effet, le nombre de bases de pouvoir augmente avec le nombre d'incertitudes(13) créées par la complexité des problèmes à résoudre. De plus, l'importance des sources de pouvoir varie selon l'évolution des problèmes et des priorités du système organisationnel.

Il existe donc une composante organisationnelle du pouvoir qui échappe au contrôle de l'individu. Toutefois, il lui est possible d'augmenter et de consolider son pouvoir malgré ces facteurs imprévisibles. Rosabeth Moss Kanter (14) a décrit plusieurs moyens d'obtenir du pouvoir dans les systèmes complexes. Certains de ces moyens sont reliés à la performance, c'est-à-dire aux activités effectuées par l'individu dans l'organisation. D'autres découlent de la création d'alliances avec des participants à l'entreprise.

La performance

Pour que la performance d'un individu augmente son pouvoir, elle doit être extraordinaire, visible et pertinente.

a) La performance extraordinaire

La plupart des organisations ne donnent aucun crédit pour les résultats demandés ou attendus. Dès qu'une activité devient routinière, qu'elle fait partie d'un processus régulier, elle cesse de contribuer à l'acquisition du pouvoir. De même, dans les négociations, la supériorité appartient à la personne dont le comportement est le moins prévisible (15).

Les trois façons d'atteindre une performance extraordinaire sont d'être le premier à occuper un poste, d'initier des changements et enfin de prendre des risques majeurs et de réussir.

Dans les organisations, les récompenses vont aux innovateurs; le succès d'une fonction est surtout attribué à celui qui est le premier à l'accomplir. Quant aux réorganisations, elles contribuent à l'augmentation du pouvoir en ce sens qu'elles créent de nouvelles incertitudes et rendent les participants dépendants de leur initiateur. Aussi, elles permettent à celui qui les entreprend d'obtenir davantage ce qu'il veut pour lui-même et son équipe. Enfin, ceux qui prennent des risques et réussissent démontrent leur capacité de faire face à des situations difficiles. De plus, ils augmentent souvent leur pouvoir charismatique du même coup, car le succès suscite toujours une certaine admiration, et donc le magnétisme.

---

(13) THOMPSON, J. ***Organizations in Action***. New York: McGraw Hill, 1967.

(14) MOSS KANTER, R. Organizational Politics and the Sources of Power. ***Management Awareness Program***, vol. 3, no. 6, 1977, 43-61.

(15) CROZIER, M. ***op. cit.***

b) la performance visible

Pour que la performance augmente le pouvoir, il faut qu'elle attire l'attention. Les postes qui se situent à la frontière des unités organisationnelles ou encore à la frontière de l'entreprise et de son environnement social sont plus visibles que les postes qui se confinent à l'intérieur des unités. La participation à des comités ou à des projets spéciaux contribue également à rendre la performance plus visible.

Toutefois, le fait de se mettre en évidence peut occasionner des ennuis. Si les gens perçoivent qu'un individu se démène uniquement pour attirer l'attention, celui-ci peut perdre de la crédibilité. De plus, les risques sont toujours plus coûteux pour les personnes qui sont en vue: lorsqu'elles échouent, tout le monde le sait.

c) la performance pertinente

La performance extraordinaire et remarquée n'apportera aucun pouvoir additionnel si elle n'est pas reliée aux problèmes actuels du système. C'est dire que le gestionnaire le plus brillant n'aura aucune influence spéciale si ses activités ne s'intègrent pas étroitement aux objectifs de l'organisation et si elles n'apportent pas de solutions aux problèmes qui créent de l'incertitude.

Les alliances

Dans les grandes organisations, il est impossible d'obtenir du pouvoir sans être supporté par d'autres personnes, sans établir des relations sociales stables et durables avec ses supérieurs, ses pairs et ses subordonnés.

a) les supérieurs

Etre appuyé par un supérieur équivaut la plupart du temps à être parrainé par un "mentor". Le parrain est généralement un patron d'un certain âge qui guide un employé plus jeune à travers les dédales du système et lui enseigne les habiletés nécessaires au succès. Il est souvent bien placé pour défendre son protégé lorsque ses idées sont controversées ou encore pour favoriser sa promotion. Il lui fournit souvent de l'information qu'il serait impossible d'obtenir sans son aide. Enfin, le fait d'être associé à un supérieur augmente le pouvoir organisationnel parce que les gens qui perçoivent cette relation attribuent au protégé une partie des ressources de pouvoir de son supérieur.

b) les pairs

L'acceptation par les pairs est une condition quasi essentielle à l'obtention du pouvoir. Elle permet que s'établissent les relations nécessaires à l'accession à des postes qui requièrent encore plus d'interdépendance. Pour réussir à monter dans une hiérarchie complexe, l'individu doit être perçu comme respectueux des autres, prêt à partager son succès et à aider ses collègues. Il s'agit de qualités inhérentes au leadership. Les alliances entre pairs ont d'autres avantages. La cohésion d'un groupe peut parfois faire avancer tous les membres du groupe. Dans plusieurs organisations, il existe des groupes qui produisent systématiquement des leaders pour toute l'entreprise. Enfin, la collaboration entre pairs permet des échanges de faveurs très fructueux.

c) les subordonnés

Il est évident que les gestionnaires ont besoin de pouvoir compter sur la loyauté de leurs subordonnés à maintes occasions, puisqu'ils dépendent des activités de ceux-ci pour réaliser leurs projets. L'établissement et le maintien de bonnes relations avec ses employés sont donc des éléments importants du pouvoir organisationnel.

10.3 LES RÉACTIONS AU POUVOIR

Lorsque s'établit une relation de pouvoir, les personnes en présence adoptent des comportements très différents selon qu'elles sont l'objet ou le sujet du pouvoir, selon qu'elles sont influencées par ceux qui utilisent le pouvoir ou qu'elles détiennent et exercent le pouvoir.

10.3.1 Les réactions à l'utilisation du pouvoir

Les réactions à l'utilisation du pouvoir sont les changements qui surviennent chez les gens lorsqu'ils doivent se conformer à la volonté d'autres personnes. On peut diviser ces réactions en deux catégories. Il y a les réactions générales, suscitées par le simple fait de se retrouver plus ou moins impuissant face à quelqu'un. Les autres sont plus spécifiques: elles découlent de la nature particulière du pouvoir exercé.

Les réactions générales

- La plupart des gens n'aiment pas être soumis au pouvoir des autres et détestent être réduits à l'impuissance. Toute tentative de modifier le comportement d'une personne éveille chez celle-ci une résistance, si minime soit-elle.

- Toutefois, lorsqu'il s'agit de choisir entre être soumis à l'incertitude et être soumis au pouvoir, les gens choisissent le pouvoir. C'est dire que dans des situations délicates et complexes, plusieurs personnes se soumettent au pouvoir de bon gré, surtout lorsqu'elles se sentent incapables de contribuer à la solution des problèmes du moment. Il arrive même que des individus cherchent à être contrôlés par un système de pouvoir très étroit. C'est ce qui se produit dans certaines équipes sportives par exemple. Tout le monde aime faire partie d'une équipe gagnante et si la soumission à un leader puissant est une condition du succès, elle est acceptable et même recherchée.

- Ceux qui n'ont pas beaucoup de pouvoir et veulent en acquérir davantage essaieront d'abord d'augmenter leur pouvoir individuel. S'ils ne réussissent pas, ils auront recours à des coalitions avec d'autres individus qui partagent leurs intérêts. L'exemple type de ce comportement est la formation d'un syndicat.

Les réactions aux diverses sources de pouvoir

De nombreuses recherches portant sur l'influence des bases de pouvoir telles que définies par French et Raven ont démontré que l'exercice du pouvoir affecte la performance et la satisfaction au travail, et que les réactions diffèrent selon la source de pouvoir utilisée [16].

- Des cinq sources de pouvoir, celle qui suscite le plus de résistances est le pouvoir coercitif. Les gens n'aiment pas fonctionner sous la menace de punition. Ils tendent à se défendre contre toute influence coercitive et détestent ceux qui l'utilisent. Toutefois, il serait naïf de penser que la coercition n'est pas efficace. Au contraire, celui qui décide d'utiliser son pouvoir coercitif introduit presque toujours ce faisant un élément décisif et la soumission augmente proportionnellement à la gravité de la menace évoquée. Un individu armé est plus convaincant que n'importe qui. La menace de congédier un employé est beaucoup plus puissante que la menace de ne plus aller prendre le café avec lui.

On a constaté que les dirigeants d'entreprises utilisent la coercition lorsque l'absence de collaboration de leurs subalternes est attribuée à un manque de motivation ("Je refuse") plutôt qu'à un manque d'habileté ("Je ne peux pas" [17]. C'est sans doute à cause des conséquences négatives du pouvoir coercitif que les gestionnaires ne l'utilisent qu'en dernier ressort.

- Le pouvoir économique, bien qu'il soit moins détesté que le pouvoir coercitif, suscite autant de résistance que ce dernier. L'utilisation du pouvoir économique est perçue comme une raison bien faible d'obéir à celui qui le détient. On peut expliquer ce phénomène par le fait que les pouvoirs de punir et de récompenser n'appartiennent pas en propre aux individus qui les possèdent, mais qu'ils proviennent plutôt de leur position de supériorité. Il semble bien que les gens savent que c'est la force qui fait le droit: ils s'y soumettent mais ne l'approuvent pas.

- L'utilisation du pouvoir coercitif et du pouvoir économique est inversement proportionnel à la performance des subordonnés. Cette relation significative découle de l'attitude négative que suscitent ces deux types de pouvoir. On peut également l'expliquer en se référant à la théorie de la motivation de Hertzberg [18]. Les interventions qui contribuent à satisfaire les besoins fondamentaux et les besoins de sécurité contribuent à la non insatisfaction, mais elles n'augmentent en aucun cas la motivation au travail.

---

(16) ROBBINS, S.P. ***op. cit.***

(17) KIPNIS, D., COSENTINO, J. "Use of Leadership Styles in Industry" ***Journal of Applied Psychology***. Vol. 53, 1969, 460-466.

(18) HERTZBERG, F., MAUSNER, B., SYNDERMAN, ***The Motivation to Work***. New York: Wiley, 1959.

- Le pouvoir de l'expert est celui qui est le plus relié à la satisfaction et à l'amélioration de la performance. Il est également celui qui est le plus apprécié dans les organisations. L'expertise permet également à celui qui la possède d'exercer une influence dans d'autres domaines que celui de sa stricte compétence. Il y a donc un effet de halo qui joue dans le cas du pouvoir de l'expert. Par exemple, il arrive que le médecin de campagne soit consulté sur des problèmes d'orientation professionnelle ou des difficultés financières: du seul fait de sa compétence en médecine, il peut avoir plus de crédibilité qu'un orienteur et qu'un comptable moins connu que lui. Par contre, lorsque les gens perçoivent que l'expert dépasse nettement ses limites, ce dernier peut perdre sa crédibilité et voir diminuer de ce fait son pouvoir d'expert.

- Le pouvoir charismatique est un peu moins important que le pouvoir de l'expert dans les milieux organisationnels. Toutefois, dans la liste des préférences, il suit de près probablement parce que, comme le pouvoir de l'expert, il est perçu comme un attribut personnel de celui qui le détient. Parmi les sources, de pouvoir, le pouvoir charismatique est celui qui est le plus directement relié à l'efficacité des groupes. De plus, dans les groupes de professionnels, il est plus important que le pouvoir de l'expert.

- Le pouvoir légitime est beaucoup mieux accepté que le pouvoir coercitif et le pouvoir économique. En fait, il constitue la raison principale de l'obéissance des subordonnés à leurs supérieurs. Toutefois, il n'a aucun rapport avec la performance. Robbins [19] explique ce phénomène par le fait que dans les organisations le pouvoir légitime est relativement constant.

En résumé, l'utilisation de chacune des bases de pouvoir amène les gens à se soumettre. Cependant, seuls le pouvoir de l'expert, le pouvoir charismatique et le pouvoir légitime sont susceptibles de provoquer une acceptation réelle de l'influence et donc un changement de comportement relativement permanent. Les pouvoirs coercitif et économique ne sont efficaces que si ceux qui les utilisent exercent une surveillance continue sur ceux qu'ils contrôlent.

10.3.2 Les réactions à l'obtention du pouvoir

L'étude des réactions à l'obtention du pouvoir a permis de découvrir des tendances générales chez ceux qui augmentent leur niveau d'influence. Par contre, il existe des différences individuelles dans l'exercice du pouvoir acquis, dépendant de la personnalité et de l'appartenance organisationnelle des détenteurs de pouvoir.

Les tendances générales

Au cours de l'histoire, on s'est constamment demandé si le pouvoir corrompt ou ennoblit. Certains croient que le pouvoir s'accompagne de responsabi-

---

(19) ROBBINS, S.P. ***op. cit.***, 275.

lités qui rendent ceux qui le possèdent plus empathiques et plus généreux. D'autres croient que le pouvoir corrompt et amène les puissants de ce monde à exploiter les défavorisés et à commettre d'innombrables injustices. De nombreux chercheurs ont observé le comportement des personnes qui atteignent des positions de pouvoir et ont dégagé les conclusions suivantes.

- Il semble bien que ceux qui détiennent le pouvoir l'utilisent et qu'ils ont tendance à exploiter les moins puissants et à s'isoler d'eux.

Kipnis [20] a effectué une recherche concluante à ce sujet. Il a organisé une simulation industrielle à laquelle vingt-huit étudiants en administration ont participé. Chaque étudiant (payé $2.00 l'heure) était en charge de quatre travailleurs (payés $1.00 l'heure) avec lesquels il communiquait par messages écrits.

Tous les gestionnaires avaient la même tâche, celle de maximiser les profits de l'entreprise en influençant l'efficacité des travailleurs. Toutefois, seulement la moitié d'entre eux détenait des pouvoirs institutionnels (pouvoir légitime, économique et coercitif); les autres n'avaient aucun pouvoir formel et ne pouvaient qu'utiliser leurs connaissances et leur pouvoir de persuasion. Les travailleurs étaient fictifs de sorte que les données sur la performance des travailleurs étaient identiques pour les deux groupes de gestionnaires. La seule différence entre les deux groupes était donc le pouvoir.

Les conclusions de cette recherche sont très claires. Les gestionnaires investis de pouvoir ont eu tendance à donner plus de directives que les autres, à dévaluer la performance des travailleurs, à ne pas vouloir de rencontres sociales avec eux et à s'attribuer personnellement les succès des travailleurs.

- Ceux qui détiennent le pouvoir résistent à toute tentative de changer la répartition du pouvoir dans leur groupe. Ils sont très résistants à se départir de ce qu'ils ont obtenu. En conséquence, ils tendent à maintenir le statut quo et à instaurer des "rites d'intimidation" [21] pour empêcher toute réforme susceptible d'ébranler les bases de leur pouvoir. Parmi ces rites, citons ceux qui consistent à tenter de démolir les suggestions des réformateurs, à les isoler des autres, à attaquer publiquement leur crédibilité et à les expulser de l'organisation. Du côté du contre-pouvoir, de tels rites existent également. Par exemple, les travailleurs utilisent les manifestations de masse, les grèves, les lignes de piquetage, les immolations d'effigies, etc.

- Les détenteurs de pouvoir ont tendance à s'isoler des moins puissants et à se protéger entre eux. Avec le temps, cette collusion contribue à concentrer le pouvoir entre très peu de mains et à élargir le fossé entre les plus puissants et

---

(20) KIPNIS, D. "Does Power Corrupt?" ***Journal of Personality and Social Psychology***. Vol. 4, 1972, 33-41.

(21) O'DAY, R. "Intimidation Rituals: Reactions to Reform". ***Journal of Applied Behavioral Science***. Vol. 10, 1974, 373-386.

les moins puissants jusqu'à ce qu'une révolution vienne rétablir la balance du pouvoir.

Les différences individuelles

- Bien qu'ils aient quelques tendances communes, les détenteurs de pouvoir diffèrent dans leur façon d'utiliser leur influence selon leur personnalité et leur style de leadership. Il semble que les individus autoritaires et autocratiques utilisent facilement les pouvoirs coercitif et économique alors que les individus moins autoritaires et plus démocratiques utilisent plutôt le pouvoir charismatique et l'expertise.

- Certaines organisations prédisposent leurs dirigeants à privilégier des types d'influence par rapport à d'autres. Par exemple, ceux qui exercent leur pouvoir dans des organisations très hiérarchisées utilisent beaucoup leur autorité (pouvoir légitime) et leur pouvoir coercitif. Par contre, les gens qui occupent des postes de direction dans des milieux académiques doivent davantage compter sur leur compétence et leur expertise dans l'exercice de leur pouvoir.

10.4 LA DYNAMIQUE DU POUVOIR

L'analyse des facteurs déterminants du pouvoir et des réactions que suscitent les différents types de pouvoir est intéressante, mais elle néglige l'aspect hautement dynamique des phénomènes d'influence. Sans prétendre cerner toutes les dimensions d'une réalité aussi complexe que le pouvoir, certains auteurs ont tenté de décrire comment s'articule le pouvoir au niveau organisationnel et au niveau individuel.

10.4.1 Les lois du pouvoir

Berle [22] a formulé une série de propositions au sujet de la dynamique du pouvoir organisationnel. Il les appelle les lois naturelles du pouvoir.

- Le pouvoir remplit invariablement tout vide dans l'organisation

La fonction des structures de pouvoir est de réduire l'incertitude d'une part et de favoriser l'efficacité organisationnelle d'autre part. S'il existe un vide à un niveau de l'organisation (absence d'un président), le pouvoir tend à être reporté au niveau inférieur immédiat (vice-président). De même, si un dirigeant démontre peu d'intérêt et déploie peu d'énergie pour remplir une tâche, ses subordonnés s'empareront de la tâche et du pouvoir qu'elle confère.

- Le pouvoir est invariablement personnel

Le pouvoir est toujours exercé par des individus. Sans ressources humaines, les organisations ne peuvent pas fonctionner et même si certaines person-

---

(22) BERLE, A. ***Power***. New York: Harcourt, Brace and World, 1969, 37.

nes ont plus de pouvoir que d'autres, tout le monde a du pouvoir à sa façon. Les processus institutionnels donnent "le pouvoir" aux individus, leur confèrent le droit d'exercer leur influence. Toutefois, seul le pouvoir personnel est réel: le pouvoir organisationnel n'existe que lorsqu'il s'incarne dans des personnes et que ces personnes exercent leur pouvoir. Bien sûr, il ne faut pas oublier que le pouvoir latent est important et peut influencer bien des comportements. Il faut se rappeler aussi que jusqu'à un certain point, l'allocation du pouvoir légitime est en soi un exercice de pouvoir [23].

- Le pouvoir est invariablement basé sur un système d'idées ou une philosophie pour être cohérent

Sans objectifs susceptibles de rallier les membres d'une organisation, il n'y a pas de système de pouvoir viable. Tout dirigeant se doit de proposer un système d'idées et de faire contribuer ses subordonnés à ce système: ses idées peuvent être très diversifées, partant du désir de réaliser des profits à la volonté de sauver le monde.

Certaines organisations n'ont plus d'objectifs sauf celui de se maintenir. Elles peuvent survivre longtemps dans certains systèmes très sécuritaires mais ce faisant, elles perdent graduellement leur impact sur l'environnement social et/ou économique, et leurs membres se vident progressivement de leur créativité et investissent leurs énergies dans des luttes de pouvoir stériles parce que sans objectifs autre que l'accroissement de leur pouvoir personnel.

- Le pouvoir est exercé par les organisations et dépend d'elles

En un certain sens, les organisations ont du pouvoir sur le pouvoir, car elles confèrent, contrôlent, limitent ou retirent le pouvoir. Dans toute société complexe et sophistiquée, les organisations sont le lieu privilégié de l'accomplissement des objectifs individuels et collectifs. C'est pourquoi l'individu qui veut proposer des idées nouvelles doit soit s'intégrer à une organisation existante, soit créer une nouvelle organisation. Cette loi s'applique à la promotion de tous les intérêts, partant des intérêts monétaires jusqu'aux valeurs spirituelles et religieuses.

- Le pouvoir est invariablement confronté à un champ de responsabilités et agit en présence de celui-ci

L'utilisation responsable du pouvoir tend à augmenter le pouvoir. L'irresponsabilité ou l'échec dans l'exercice du pouvoir tend à diminuer le pouvoir. C'est dire que les positions de pouvoir ne sont pas attribuées seulement à partir du désir de pouvoir des individus: elles existent pour satisfaire les besoins de tous les membres de l'organisation. La responsabilité est la conséquence directe de l'obtention du pouvoir.

---

(23) HICKS, H.G., GULLET, C.R. ***op. cit.***, 250.

Lorsqu'un détenteur de pouvoir n'assume pas les responsabilités inhérentes à sa position, la résistance à son influence s'accroît et ceux qui dépendent de lui ont tendance à lutter pour prendre sa place. Eventuellement, l'irresponsable perd son poste. Cependant, dans certaines bureaucraties où il y a peu d'incertitudes, il peut s'écouler beaucoup de temps avant qu'une telle conséquence ne se produise.

10.4.2 Les choix individuels face au pouvoir

Le pouvoir étant invariablement personnel, les choix que font les individus par rapport à l'utilisation de leur propre pouvoir sont un facteur important à considérer. En effet, le pouvoir a des conséquences positives ou négatives selon l'orientation que lui donne celui qui le détient. Cette orientation découle de l'attitude de l'individu à l'égard du pouvoir ainsi que de la matière dont il obtient et exerce son pouvoir personnel.

Comme tout le monde a du pouvoir, ces choix d'attitudes et de comportements concernent chaque individu, indépendamment de sa situation organisationnelle et sociale. Et c'est l'interaction des multiples choix individuels qui contribue à déterminer en grande partie la répartition du pouvoir ainsi que la qualité des systèmes de relation de pouvoir.

Les attitudes à l'égard du pouvoir

Il existe une grande variété d'attitudes à l'égard du pouvoir. Ces attitudes vont de la négation à l'obsession, du rejet à la glorification, de la condamnation à la recherche effrénée. Malgré les multiples nuances que suggèrent ces polarités, on peut dire globalement que les attitudes à l'égard du pouvoir sont soit négatives, soit positives.

a) Les attitudes négatives

Les attitudes négatives à l'égard du pouvoir sont, sans doute, les plus répandues. Pour la plupart des gens, le pouvoir a une connotation sinistre. Les sentiments négatifs que suscite le pouvoir découlent en partie de l'observation des abus de pouvoir qui se produisent très souvent. Ils peuvent également s'expliquer par le fait qu'on oppose souvent le pouvoir qui est l'habileté à obtenir ce que l'on veut à l'amour qu'on définit comme le don de soi.

Quoi qu'il en soit, les sentiments négatifs à l'égard du pouvoir sont à la base de deux attitudes. La première est une attitude d'évitement. Parce qu'ils se sentent mal en présence du pouvoir, certains individus choisissent de l'éviter, de vivre et de penser en faisant abstraction du pouvoir. C'est cette attitude qu'ont adoptée plusieurs théoriciens qui ont évité de tenir compte du pouvoir dans leurs analyses de la société. Un tel rejet les a amenés à élaborer des rationalisations peu puissantes et illusoires. Enfin, ceux qui excluent totalement le pouvoir de leur expérience se coupent de leur énergie vitale et réduisent énormément leur champ de conscience.

La seconde attitude négative à l'égard du pouvoir est l'attitude moralisatrice qui équivaut à considérer le pouvoir comme un mal nécessaire qu'il faut contrôler. Paradoxalement, les moralisateurs doivent s'appuyer sur un système d'autorité pour déterminer ce qui est bon ou mauvais. Mais ce qu'il y a de plus important à réaliser c'est que l'attitude moralisatrice conduit au rejet de certaines dimensions de la réalité humaine. C'est ce qu'ont fait les tenants de l'École des "relations humaines" lorsqu'ils ont essayé de convaincre les gestionnaires que le leadership démocratique est bon alors que le leadership autocratique est mauvais.

b) Les attitudes positives

Il existe deux types d'attitudes positives à l'égard du pouvoir: l'une est inconditionnelle, l'autre est nuancée.

L'attitude positive inconditionnelle à l'égard du pouvoir consiste à ne voir que les aspects positifs du pouvoir. Pour certains individus, le pouvoir représente une valeur tellement importante qu'ils sont prêts à investir toutes leurs énergies pour sa recherche et considèrent que tous les moyens sont bons pour l'obtenir. On observe cette attitude impulsive chez une grande variété de personnes partant du petit ambitieux jusqu'au paranoïaque délirant. Le vice d'une telle attitude est qu'elle néglige les aspects négatifs de la réalité du pouvoir, créant ainsi de sérieuses distorsions perceptuelles.

L'attitude positive nuancée prend la forme d'une acceptation du pouvoir en tant qu'élément naturel et important de la nature humaine. L'individu qui adopte cette attitude est conscient que certains éléments du pouvoir peuvent être utilisés de façon néfaste, mais il ne les rejette pas pour autant. Il distingue nettement la nature des énergies humaines de l'utilisation qui en est faite. Cette attitude intègre mieux la réalité que les autres, car elle en accepte les paradoxes.

Les manières de rechercher le pouvoir

Quelle que soit leur attitude à l'égard du pouvoir, les individus en ont besoin pour survivre et fonctionner. Jusqu'à un certain point, tout le monde recherche le pouvoir. Toutefois, selon que leur attitude est négative, inconditionnellement positive ou nuancée, les gens adoptent des stratégies différentes pour l'obtenir. Certaines personnes recherchent le pouvoir de façon indirecte, d'autres, de façon directe.

Les manières indirectes

L'attitude négative à l'égard du pouvoir et l'attitude inconditionnellement positive ont une caractéristique en commun: elles impliquent un rejet de certaines dimensions de la nature humaine. Ce rejet place l'individu dans plusieurs dilemmes.

A l'intérieur de lui-même, l'individu est en conflit constant avec certains éléments de sa personne dont il a besoin mais qu'il n'accepte pas. Face aux autres, son problème est de les influencer sans que cela ne paraisse.Il essaie donc de camoufler son désir de pouvoir et d'obtenir ce qu'il veut par des moyens détournés. Il en arrive même à créer des conflits de façon à pouvoir attribuer son besoin d'influencer les autres à la nécessité de se défendre: cette tactique lui permet de ne pas prendre la responsabilité de ses propres désirs. Ce faisant, il joue à l'autruche avec lui-même: il en vient parfois à réussir à se convaincre qu'il ne recherche vraiment pas le pouvoir.

Dans les organisations, les manières indirectes d'approcher le pouvoir sont extrêmement répandues. Elles se manifestent dans le langage obscur qu'emploient la plupart des gestionnaires et leurs subordonnés. Les gens posent des questions plutôt que d'affirmer ce qu'ils pensent, évoquent les normes au lieu d'exprimer leur volonté, parlent des autres plutôt que de les confronter directement.

Les manières directes

Celui qui accepte le pouvoir comme un élément naturel et nécessaire ne vit pas les conflits intérieurs qu'occasionne le rejet de certains éléments de la réalité. Il s'accepte mieux tel qu'il est avec ses tendances positives et négatives. N'éprouvant pas le besoin de se défendre ou de se cacher, il exprime facilement et directement son désir d'influencer les autres pour obtenir ce qu'il veut. Il prend sa responsabilité par rapport à son besoin de pouvoir.

L'avantage de celui qui recherche le pouvoir directement et sans honte est qu'il dispose de plus d'énergie pour atteindre son objectif, car il ne lui est pas nécessaire d'en investir une partie pour se contrôler ou se dissimuler.

Il faut noter cependant que l'approche directe ne constitue pas automatiquement une garantie de succès. Elle est tout simplement plus économique que l'approche indirecte et permet un meilleur contact avec soi et avec les autres.

Certains prétendent qu'il est dangereux de déplaire en étant trop naturel et en exprimant directement son intérêt personnel. Celui qui se déguise prend un risque équivalent. Il n'est jamais absolument sûr que son déguisement plaira. De plus, comme le disait le président Lincoln, il existe des personnes qu'on peut tromper constamment et parfois, on réussit à tromper tout le monde. Mais il est impossible de tromper tout le monde tout le temps. Et lorsque son vrai personnage est découvert, celui qui a joué un rôle perd énormément de crédibilité.

Enfin, il ne s'agit pas de préconiser les méthodes directes à tout prix car, malgré leurs avantages, elles peuvent être moins adaptées que des méthodes indirectes dans certaines situations. Par exemple, dans les milieux diplomatiques, il est souvent plus prudent de ralentir les processus de négociation. Les méthodes indirectes constituent alors un jeu très efficace et d'autant plus intéressant que ceux qui y participent le jouent consciemment. Parfois, les gens croient plus facilement ce que l'on veut leur dire s'ils l'apprennent par des tierces personnes que si on leur parle directement.

Les façons d'utiliser son pouvoir personnel

Selon qu'ils exercent leur pouvoir de manière indirecte ou directe, les individus adoptent des comportements manipulateurs ou authentiques. Shostrom (24), un psychologue humaniste bien connu pour ses recherches sur l'actualisation de soi, a élaboré une typologie des comportements manipulateurs et authentiques (conformes à l'actualisation de soi). Cette typologie correspond à la classification des comportements interpersonnels de Timothy Leary (25).

Shostrom pose comme hypothèse de départ que chaque individu, qu'il soit dominateur ou soumis, amical ou hostile, a des ressources pour influencer les autres. Il peut se servir de son pouvoir en se manipulant lui-même et en manipulant les autres, ou en s'actualisant et en aidant les autres à s'actualiser.

La manipulation

Les caractéristiques fondamentales du manipulateur sont la duplicité, l'inconscience, le contrôle et le cynisme.

- La duplicité: le manipulateur utilise des trucs, des recettes, des manoeuvres et des techniques, lorsqu'il entre en contact avec les autres. Il joue des rôles, pour créer des impressions. Lorsqu'il exprime ses sentiments, c'est de façon délibérée, pour se conformer aux situations.
- L'inconscience: le manipulateur n'entre pas en contact avec certaines réalités importantes. Il ne voit que ce qu'il veut voir, n'entend que ce qu'il veut entendre.
- Le contrôle: le manipulateur joue sa vie comme on joue une partie d'échec. Il peut paraître détendu, mais il doit être constamment sur ses gardes pour cacher son jeu.
- Le cynisme: le manipulateur ne se fait pas confiance et ne fait pas confiance aux autres. Pour lui , les relations humaines n'offrent que deux alternatives: contrôler ou être contrôlé . Il se traite lui-même et traite les autres comme des objets et non pas comme des personnes.

Selon l'orientation de base de la personnalité des individus, ces caractéristiques prennent des formes très diversifiées. Shostrom énumère huit styles de manipulation (26). Il les décrit de façon humoristique en les incarnant dans des types d'individus précis. Ces types sont:

a) Le dictateur

Le dictateur est un dominateur qui manipule les gens en exagérant sa

---

(24) SHOSTROM, E.L. ***Man, The Manipulator · The Inner Journey from Manipulation to Actualization***. Nashville, Tenn.: Abingdon Press, Bantam book, 1967.

(25) LEARY, T. ***Interpersonal Diagnosis of Personality***. New York: Ronald Press, 1957.

(26) SHOSTROM, E.L. ***op. cit.,*** 11-13.

force. Il exerce son pouvoir en dominant, en citant les autorités et en écrasant les autres par tous les moyens. Il existe plusieurs variations du dictateur: la mère supérieure, le père supérieur, le grand patron, les jeunes loups de la finance, les caïds, etc.

b) Le faible

Habituellement le faible est la victime du dictateur et il développe des talents remarquables pour manipuler son oppresseur. Il exagère sa sensibilité et sa vulnérabilité. Il oublie tout, ne comprend rien ou reste passivement en silence. C'est l'éternel inquiet, le pauvre imbécile, le passif silencieux.

c) Le calculateur

Le calculateur exagère son contrôle. Il essaie constamment de déjouer les autres et est prêt à leur mentir, à les tromper et à jouer n'importe quel rôle pour les contrôler. On le retrouve parmi les vendeurs, les séducteurs, les joueurs de poker, les spécialistes de la stratégie et les "Jos connaissant".

d) Le parasite

A l'opposé du calculateur, le parasite exagère sa dépendance. Il demande qu'on prenne soin de lui et laisse les autres travailler à sa place. Parmi les formes que peut prendre le parasite, citons: l'hyper-sensible, l'hypocondriaque, le démuni, le braillard, celui qui a besoin d'aide et d'attention, et l'éternel enfant.

e) La brute

La brute exagère son hostilité et sa cruauté. Elle manipule en menaçant les autres. On la retrouve parmi les fiers-à-bras, les mégères, les humiliateurs et les durs à cuire, les despotes et les tyrans.

f) Le bon diable

Le bon diable manipule par sa gentillesse, son grand coeur et son amour des autres. Il est plus difficile à déjouer que la brute parce qu'il décourage toute tentative de confrontation. Il s'incarne dans celui qui ne veut blesser personne, est contre la violence, ne demande jamais ce qu'il veut, ne s'implique pas, bref, le parfait homme de l'organisation.

g) Le juge

Le juge exagère la critique. Il ne fait confiance à personne, blâme facilement les autres et est rancunier. C'est celui qui dit aux autres ce qu'ils devraient faire, détient la vérité absolue, fait honte, compare les gens les uns aux autres, les condamne, prend note de leurs erreurs et prouve qu'ils ont eu tort.

h) Le protecteur

Contrairement au juge, le protecteur exagère l'appui qu'il donne aux autres et refuse de juger qui que ce soit. Il s'oublie totalement pour les autres, est extrêmement dévoué et sympatique. Il contrôle ses protégés en faisant tout à leur place et en les empêchant ainsi de voler de leurs propres ailes. Il est le missionnaire, le défenseur des causes désespérées, le martyr, la mère-poule, celui qui est mal à l'aise, souffre et a peur pour les autres.

Bien qu'on rencontre parfois ces types de manipulation à l'état pur, la plupart des manipulateurs utilisent des combinaisons de plusieurs de ces comportements. Habituellement, lorsqu'ils favorisent un style en particulier, ils attirent autour d'eux des gens de style complémentaire. Par exemple, le dictateur est souvent entouré de faibles et le protecteur attire systématiquement les parasites. C'est dire qu'il nous est possible d'apprendre à mieux connaître notre propre style de manipulation en observant tout simplement la façon dont les autres nous manipulent la plupart du temps. Cette constatation est intéressante et peut être utile, car, en chacun de nous, il existe un manipulateur. Et même les individus les plus authentiques ont besoin d'y avoir recours en certaines occasions.

L'actualisation de soi

La philosophie de la vie de celui qui choisit l'actualisation de soi s'oppose à la manipulation. Les valeurs qu'elle implique sont l'honnêteté, la conscience, la liberté et la confiance.

- L'honnêteté: l'actualisation de soi implique la capacité d'être soi-même, d'accepter toutes ces dimensions quelles qu'elles soient et de les exprimer directement.
- La conscience: être conscient, c'est être réceptif à ce qui se passe autour de soi et en soi, s'y intéresser et y répondre sans chercher à nier des aspects de la réalité présente.
- La liberté: celui qui s'actualise est spontané, en ce sens qu'il se donne la permission d'être ce qu'il est et d'exprimer son potentiel sans s'obliger à se contrôler et à contrôler les autres.
- La confiance: sans être naïf, l'individu authentique se fait confiance et fait confiance aux possibilités des autres. Fondamentalement, il considère la nature de l'homme comme positive, malgré toutes les formes négatives qu'elle prend parfois.

Shostrom décrit l'actualisation de soi comme un processus de transformation des comportements manipulateurs en comportements authentiques. Il regroupe ces comportements selon quatre dimensions [27].

a) Leadership et empathie

Dans le processus d'actualisation de soi, le dictateur devient le leader. Il utili-

---

(27) SHOSTROM, E.L. ***op. cit.***, 27-30.

se sa force sans dominer: il dirige plutôt que d'écraser. Winston Churchill était un leader de ce genre.

Le complément naturel du leadership est l'empathie. Celui qui utilise son pouvoir avec empathie est à l'écoute de ses faiblesses et de celles des autres. Il exige du bon travail mais accepte les erreurs.

b) Respect de l'autre - appréciation de l'autre

Plutôt que d'exploiter les autres et de les contrôler, le calculateur en vient à les respecter. Il est le chef qui dirige ses subordonnés en les considérant comme des personnes et non des choses. Mahatma Gandhi représente bien cette tendance.

A l'opposé, le parasite devient l'appréciateur de ce que les autres ont à offrir. Il admet qu'il dépend des autres et tient compte des différents points de vue sans exiger que tout le monde pense comme lui. Comme exemple de ce type, Shostrom choisit Jean XXIII.

c) L'affirmation de soi et l'amour des autres

La brutalité peut prendre une forme actualisée qui est l'affirmation de soi. L'individu agressif est alors capable de s'imposer directement et fortement, sans avoir besoin de terroriser les autres. Abraham Lincoln appartenait à cette catégorie.

Le comportement complémentaire de l'affirmation de soi est l'amour des autres. Celui qui manifeste de la bonté pour les autres n'est pas obséquieux comme le bon diable. Il ne séduit pas, il donne une affection profonde. Albert Schweitzer illustre bien ce comportement.

d) L'expression de ses idées et le développement des autres

Au cours du processus d'actualisation de soi, le juge devient celui qui exprime fortement ses idées sans avoir besoin de prouver que les autres ont tort. Thomas Jefferson a démontré une telle habileté.

Le protecteur devient un guide pour les autres. Il ne les protège pas, ne leur enseigne rien, mais les aide à trouver leur propre voie. Bouddha avait pour principe que chaque homme doit trouver son propre chemin pour gravir la montagne.

Finalement Shostrom affirme que le processus d'actualisation amène l'intégration de toutes ces polarités. Chez le manipulateur ces polarités sont en perpétuel conflit; chez celui qui s'actualise, elles se complètent.

La description et l'explication des comportements manipulateurs et authentiques sont encore très incomplètes. Mais elles fournissent des éléments intéressants et susceptibles d'éclairer ceux qui étudient les phénomènes de pouvoir. Elles peuvent aider à comprendre comment certains utilisent leur pouvoir de façon enrichissante pour eux-mêmes et pour les autres et comment d'autres s'en servent pour se corrompre et exploiter les autres.

10.5 CONCLUSION

L'importance du pouvoir dans les organisations humaines n'est plus à démontrer. Selon Bertrand Russell, "le pouvoir est le concept fondamental en sciences sociales dans le même sens que l'énergie est le concept fondamental en physique" [28].

Comme l'énergie atomique, le pouvoir peut être utilisé pour créer ou pour détruire. Le pouvoir organisationnel a un impact positif lorsqu'il contribue à la production de biens essentiels, à la coordination des efforts et à la libération du potentiel créateur des participants à l'entreprise. Il a un impact négatif lorsqu'il contribue à déséquilibrer exagérément la distribution des ressources et stérilise les membres de l'organisation en les incitant à s'engager dans des luttes qui n'ont pour objectif que le contrôle du pouvoir des autres.

Plusieurs sources de pouvoir ont été analysées. Bien que certaines soient perçues plus positivement que d'autres, elles ont toutes leur utilité selon des différentes situations qui se produisent. L'impact négatif ou positif de l'exercice du pouvoir ne dépend pas de la nature ou de la qualité de la source de pouvoir mais de l'usage qu'on en fait. Finalement, on peut dire que les théories sur le pouvoir seront utiles aux organisations dans la mesure où les gestionnaires s'en serviront pour mieux se connaître et se développer authentiquement selon leur style personnel; elles seront inutiles voire même nuisibles s'ils n'en retiennent qu'un ensemble de trucs et de modèles destinés à mieux manipuler les autres.

---

(28) RUSSELL, B. ***Power: A New Social Analysis***. Londres: Allon et Unwin, 1938, 12.

SUJETS D'ÉTUDE ET DE DISCUSSION

1. Décrivez les cinq bases de pouvoir personnel et pour chacune d'elles, identifiez une situation où son usage est indiqué et une situation où il est contrindiqué de l'utiliser.

2. Parmi les gens que vous connaissez, choisissez une personne par laquelle vous acceptez facilement d'être influencé(e) et une autre dont vous acceptez difficilement l'influence. Expliquez pourquoi votre attitude est réceptive dans un cas et résistante dans l'autre.

3. Certains auteurs croient que le besoin d'acquérir du pouvoir masque souvent un complexe d'infériorité. Par ailleurs, McClelland prétend que pour être gestionnaire, il faut avoir un fort besoin de pouvoir. Qu'en pensez-vous?

4. a) Parmi les huit comportements manipulateurs décrits par Shostrom, identifiez celui qui vous caractérise le plus.

   b) Essayez d'imaginer la meilleure et la pire chose qui pourrait vous arriver si vous adoptiez le comportement complémentaire.

BIBLIOGRAPHIE SUPPLÉMENTAIRE

ALINSLI, S. ***Le manuel de l'animateur social***. Paris: Les éditions du Seuil, 1963.

ARDREY, R. ***African Genesis***. New York: Atheneum, 1962.

BACHMAN, J.G., SMITH, C.G., SLESINGER, J.A. "Control, Performance and Satisfaction: Analysis of Structural and Individual Effort". ***Journal of Personality and Social Psychology***. Vol. 4, 1966, 127-136.

BUGENTAL, J.F.T. ***The Search for Authenticity***. New York: Holt Rinehart, Winston, 1965.

EMERSON, R.E. "Power-Dependance Relations". ***American Sociological Review***. Vol. 27, 1962, 31-41.

FODOR, E.M. "Group Stress, Authoritarian Style of Control and Use of Power". ***Journal of Applied Psychology***, Vol. 61, 1976, 313-318.

FROMM, E. ***Man for Himself: An Inquiry into the Psychology of Ethics.*** Greenwich Conn.: Fawcett Publications, 1947.

GOODSTADT, B., HJELLE, L. "Power to the Powerless". ***Journal of Personality and Social Psychology***, Vol. 27, 1973, 190-196.

HERMAN, S.M., KORENICH, M. ***Authentic Management: A Gestalt Orientation to Organizations and their Development***. Reading Mass.: Addison-Wesley, 1977.

HININGS, C.R., HICKSON, D.J., PENNING, D.M., SCHNECK, R.E. "Structural Conditions of Intraorganizational Power". ***Administrative Science Quarterly***., vol. 19, mars 1974, 22-44.

IVANCEVICH, J. "Analysis of control, bases of control and satisfaction in an organizational setting". ***Academy of Management Journal***. Décembre 1970, 427-436.

LEFCOURT, H.M. "The function of the illusions of control and freedom". ***American Psychologist***, Vol. 28, 1973, 417-425.

LORENZ, K. ***On Aggression***. New York: Harcourt, Brace and World, 1966.

MACHIAVEL, N. ***Le prince***. Paris: Librairie Générale de France, coll. Livre de poche.

MARTIN, N.H., SIMS, J.H. "Power Tactics". ***Harvard Business Review***, Novembre-décembre 1956, 25-29.

MECHNIC, D. "Sources of Power of Lower Participants in Complex Organizations". ***Administrative Science Quarterly***, vol. 7, 1962, 349-364.

MILGRAM, S. "Some conditions of obedience and desobedience to authority". ***Human Relations***. Vol. 18, 1965, 57-76.

PFEFFER, J. "Power and Ressource Allocation in Organizations" in B.M. STAN et G.R. SALANCIK. ***New Directions in Organizational Behavior.*** Chicago: St-Clair Press, 1977, 235-265.

PETTIGREW, A.M. "Information as a Power Ressource". ***Sociology***. Vol. 6, 1972, 187-204.

PETTIGREW, A.M. ***The Politics of Organizational Decision-Making***. London: Tavistok, 1973.

ROGERS, C. ***Personal Power***. New York: Delacorte Press, 1977.

ROKEACH, M. ***The Open and Closed Mind***. New York: Basic Books, 1960.

SCHOENBERGER, R.A. ***The American Right Wing***. (ed.). New York: Holt, 1969.

SWINGLE, P.G. ***The Management of Power***. New York: Wiley, 1976.

TANNENBAUM, A.S. ***Control in Organizations***. New York: McGraw-Hill, 1968.

WARREN, D. "Power, Visibility and Conformity in Formal Organizations". ***American Sociological Review***, Vol. 33, 1968, 951-970.

WINTER, D.G. ***The Power-Motive***. New York: Free Press, 1973.

ZALD, M.N. ***Power in Organizations***. (ed.). Nashville Tenn.: Vanderbilt University Press, 1970.

ZALEZNIK, A. ***Human Dilemnas of Leadership***. New York: Harper and Row, 1966.

ZALEZNIK, A. "Power and Politics in Organizational Life". ***Harvard Business Review***. Mai-juin 1970, 47-60.

CHAPITRE 11

LE LEADERSHIP I: TRAITS PERSONNELS ET COMPORTEMENTS DES LEADERS*

11.1 UNE DÉFINITION DU LEADERSHIP

L'observation attentive d'un groupe d'enfants occupés à construire une cabane dans un arbre, ou d'un groupe d'adultes occupés à résoudre un problème commun, permet ordinairement d'identifier un ou des leaders informels, après quelques heures ou même quelques minutes. En fait, il semble beaucoup plus facile de déceler la présence d'un leader que de définir ce qu'est le leadership: dans son livre "Handbook of Leadership", Stogdill (1) rapporte une cinquantaine de définitions plus ou moins différentes, regroupées sous 11 catégories ou points de vue différents. Pour arriver à préciser le sens du mot leadership, on peut donc commencer par examiner les raisons pour lesquelles certains individus sont perçus comme des leaders, dans un groupe quelconque; on peut également étudier les nombreuses définitions disponibles et voir ce qu'elles ont en commun. La discussion qui suit fait appel à ces deux méthodes.

11.1.1 Eléments essentiels du leadership

L'une ou l'autre de ces méthodes permet de conclure que la notion **d'influence** doit constituer un élément essentiel de toute définition du leadership. C'est d'abord et avant tout parce qu'ils semblent exercer plus d'influence que les autres que certains enfants et certains adultes sont perçus comme les leaders de leur groupe; le mot ou du moins le concept "influence" apparaît également dans pratiquement toutes les définitions du leadership et constitue en fait le seul

---

* Chapitre rédigé par Jean-Louis Bergeron.

(1) STOGDILL, R.M. ***Handbook of Leadership***. New York: The Free Press, 1974.

point sur lequel tous les auteurs semblent d'accord. Plusieurs recherches ont d'ailleurs démontré que dans l'esprit des membres d'un groupe, les concepts "influence" et "leadership" sont très fortement reliés. Par exemple, un auteur a demandé à plusieurs personnes faisant partie de petits groupes expérimentaux de nommer ceux qui avaient le plus d'influence dans leur groupe, ainsi que les leaders informels du groupe. Les deux listes étaient pratiquement identiques entre elles et, de plus, elles correspondaient étroitement aux opinions d'observateurs entraînés à qui on avait demandé d'identifier les leaders réels de chaque groupe [2]. Un autre chercheur a demandé aux membres de divers groupes de discussion d'indiquer ceux de leurs collègues qui avaient apporté les meilleures idées, ceux qui avaient guidé les discussions, ceux qu'ils aimaient, ceux qu'ils détestaient, ceux qu'ils considéraient comme les leaders. Cette recherche a démontré que pour être perçu comme leader, il était nécessaire non pas d'être aimé, mais bien d'exercer une influence réelle sur le groupe en apportant des idées et en guidant les discussions [3].

Si la notion d'influence est essentielle à une définition du leadership, il est bien évident par contre que toutes les formes d'influence ne constituent pas nécessairement un signe de leadership. Le policier qui, par un geste de la main, force un automobiliste à s'arrêter sur le bord de la route exerce une influence évidente, mais personne ne dira qu'il a fait acte de leadership. Il en est de même pour l'enfant qui terrorise le voisinage, pour le contremaître qui menace tout le monde de congédiement, pour l'officier qui hurle à ses soldats l'ordre de tourner à gauche ou à droite. Si ces actes d'influence ne sont pas des actes de leadership, c'est qu'il leur manque un autre élément essentiel: **l'aspect délibéré, volontaire** (et souvent même enthousiaste) de la réponse donnée par l'entourage du leader à ses tentatives d'influence. Exercer un leadership, c'est beaucoup plus convaincre, persuader et orienter que menacer, prescrire et imposer. Selon certains auteurs, ce deuxième élément en implique nécessairement un troisième, à savoir que l'influence soit exercée par le moyen d'une **communication interpersonnelle** entre le leader et son groupe [4].

C'est dans les petits groupes non structurés où personne ne détient un poste formel d'autorité (comme un groupe d'enfants au jeu ou d'adultes en discussion) que le leadership apparaît à l'état le plus "pur", à travers les trois éléments mentionnés jusqu'ici. Dans ces groupes, les membres acceptent volontairement de subir l'influence que l'un des leurs exerce par ses communications

---

(2) GIBB, C.A. "The Sociometry of Leadership in Temporary Groups".***Sociometry***, 1950, 13, 226-243.

(3) BALES, R.F. "The Equilibrium Problem in Small Groups" dans: T. PARSONS, R.F. BALES, et E.A. SHILS, (eds.). ***Working Papers in the Theory of Action***. Glencoe, Illinois: The Free Press, 1953.

(4) FLEISHMAN, E.A. "Twenty Years of Consideration and Structure" dans : E.A. FLEISHMAN et J.G. HUNT(eds.). ***Current Developments in the Study of Leadership.*** Carbondale, Illinois: Southern Illinois University, 1973.

interpersonnelles, qu'elles soient verbales ou non verbales. Pourquoi les membres du groupe acceptent-ils ainsi de se laisser influencer par l'individu X? Ordinairement, c'est parce que X est perçu comme étant le plus en mesure de guider le groupe vers des objectifs précis et désirables.C'est ainsi que dans un groupe d'enfants, le leader sera souvent celui qui invente des jeux, enseigne des trucs de toutes sortes ou encore aide le groupe à se défendre contre ses "ennemis naturels": les parents, les enfants de la rue voisine, les Indiens, etc! ... Dans un groupe d'adultes en discussion, on choisira celui qui aide le groupe à régler le problème en présentant de façon claire et concise des idées originales, logiques et acceptables par la majorité. Cette capacité **d'aider le groupe à se définir des objectifs communs et à les atteindre** constitue un quatrième élément essentiel du leadership.

Bien que le leadership tel qu'il se manifeste à l'intérieur de petits groupes non structurés soit un phénomène intéressant en soi, le présent chapitre portera essentiellement sur le leadership "organisationnel", i.e. le leadership d'un individu qui occupe un poste hiérarchique à l'intérieur d'une organisation: vice-président, chef de service, contremaître. Cet individu jouit déjà d'un pouvoir formel attaché à son poste, un pouvoir conféré et soutenu par "le système": la haute direction et les collègues, les politiques et les règlements de l'organisation, les marques externes d'un statut élevé. Si cet individu est un vrai "leader" en plus d'être un "patron", il pourra profiter d'un deuxième type de pouvoir: un pouvoir qui est attaché non à son poste, mais à sa personne, et qui est conféré non pas par le système hiérarchique, mais par les subalternes eux-mêmes. C'est ce surplus de pouvoir qui permet au patron-leader de faire accepter et de réaliser des objectifs élevés, obtenant ainsi un rendement qui dépasse l'exécution mécanique, routinière et minimale dont doit souvent se contenter celui qui n'a d'autre ressource que l'autorité formelle attachée à son poste. Cette notion de **dépassement et d'effort supplémentaire** que les vrais leaders sont capables d'obtenir de leur groupe, lorsque c'est nécessaire ou important, constitue un cinquième élément de notre définition du leadership [5].

11.1.2 Une définition

A partir des éléments mentionnés jusqu'ici, nous pouvons donc définir le leadership organisationnel de la façon suivante: l'ensemble des activités et surtout des communications interpersonnelles par lesquelles un supérieur hiérarchique influence le comportement de ses subalternes dans le sens d'une réalisation volontairement plus efficace des objectifs de l'organisation et du groupe.

Ayant défini le leadership, il faut maintenant étudier les leaders, dans l'espoir de découvrir comment ils arrivent à accomplir toutes ces choses merveilleuses!

---

(5) KATZ, D. et KAHN, R.L. ***The Social Psychology of Organizations***. New York: Wiley, 1966.

11.2 LES TRAITS PERSONNELS DU LEADER

Les leaders, dans quelque domaine que ce soit, donnent souvent l'impression de posséder des traits personnels qui les distinguent nettement du commun des mortels. Ces traits peuvent être physiques, comme l'apparence et la force musculaire, ou bien intellectuels, comme l'intelligence et l'imagination; il peut également s'agir de traits de personnalité, comme la confiance en soi et la sociabilité. Il était donc assez normal que les premiers chercheurs intéressés par le leadership s'attaquent à la tâche suivante: identifier les traits personnels qui, de façon générale, distinguent les leaders des non-leaders. L'utilité immédiate de cette démarche était évidente: elle devait permettre aux administrateurs de ne confier des postes de leadership qu'aux individus possédant les traits nécessaires. On pouvait espérer que certains de ces traits personnels puissent être enseignés ou développés par divers programmes de formation.

11.2.1 Méthodes de recherche

Pour mener à bien cette recherche des traits personnels associés au leadership, il fallait commencer par séparer les leaders des non-leaders, et ceci dans une multitude de groupes divers. Il fallait ensuite mesurer un grand nombre de traits personnels tant chez les leaders que chez les non-leaders. Finalement, il fallait identifier les traits personnels que les leaders semblaient posséder à un degré nettement supérieur à ce que l'on retrouverait chez les non-leaders. Des centaines de chercheurs ont participé à cet effort, et ce pendant toute la première moitié du 20 ᵉ siècle. Les méthodes utilisées pour identifier les leaders varièrent considérablement: dans certains cas, l'on choisissait tout simplement des personnes qui détenaient un poste formel d'autorité, comme le directeur d'une entreprise, le président d'une association d'étudiants ou le capitaine d'une équipe professionnelle de football; dans d'autres cas, un observateur entraîné surveillait les activités d'un groupe restreint de jeunes ou d'adultes et décelait la présence d'un leader informel; plusieurs chercheurs demandèrent aux membres d'un groupe d'identifier eux-mêmes la personne qui avait agi comme leader informel au cours d'une activité quelconque. Quant aux traits personnels mesurés au cours de toutes ces études, ils furent extrêmement nombreux: l'âge, la grandeur, le poids, la santé, l'énergie, la beauté, le statut socio-économique, la capacité de s'exprimer verbalement, l'intelligence, l'instruction, le jugement, l'originalité, l'adaptabilité, l'ambition, l'initiative, l'intégrité, la confiance en soi, le sens de l'humour, la capacité de contrôler ses émotions, le tact, etc. La question posée était toujours la même: ces traits se retrouvent-ils plus chez les leaders que chez les non-leaders?

11.2.2 Résultats

La plupart des auteurs modernes considèrent que cet immense effort s'est soldé par un échec retentissant. Il convient, cependant, d'examiner les résultats d'un peu plus près. Notons d'abord que la grande majorité des chercheurs qui ont comparé les leaders aux non-leaders, dans un groupe en particulier, ont effectivement trouvé des différences significatives entre les deux catégories de personnes et ceci sur un ou plusieurs traits. Stogdill, par exemple, rapporte neuf études dans lesquelles les leaders étaient plus grands que les autres membres de leurs groupes et onze études dans lesquelles ils avaient une meilleure apparence physique (6). D'autres différences significatives ont également été rapportées, pour la plupart des traits personnels énumérés plus haut: selon les études, les leaders sont décrits tour à tour comme plus forts, plus instruits, plus âgés, plus ambitieux, etc., que les non-leaders de leur groupe. Il est donc certain que, dans un groupe déterminé, le leader possède souvent plusieurs traits personnels qui le distinguent de l'ensemble des membres de son groupe.

Malheureusement, ceci ne nous mène pas très loin. Il peut être intéressant de savoir que dans certains groupes de jeunes garçons de 12 à 15 ans, les leaders sont souvent meilleurs athlètes que les non-leaders; mais ceci ne nous renseigne en rien sur l'importance d'une bonne condition physique sur le leadership en général. En somme, nous aurions aimé que toutes ces études servent à identifier certains traits personnels généralement associés au leadership, et ce, quels que soient les individus, les groupes et les circonstances. Encore mieux, nous aurions aimé découvrir puis mesurer un trait unidimensionnel appelé "leadership", et que certains individus possèderaient à un degré beaucoup plus élevé que d'autres. Ces individus seraient "leaders" comme d'autres sont maigres, intelligents ou intravertis et on pourrait les utiliser partout où un besoin de leadership se fait sentir.

11.2.3 Influence du groupe

Ce que nous avons appris, c'est que les traits personnels qui conduisent au leadership varient considérablement d'un groupe à l'autre et doivent dans chaque cas correspondre aux caractéristiques, aux valeurs, aux attentes et aux objectifs particuliers des membres du groupe. Ainsi, un auteur a découvert que dans une prison pour criminels endurcis, les leaders étaient ceux qui avaient été condamnés pour une longue période, qui avaient commis des crimes violents et qui avaient été impliqués dans plusieurs incidents de tentative d'évasion, de bataille entre prisonniers et d'assaut sur diverses personnes (7). Par contre, dans une autre prison où l'accent était mis sur la réhabilitation et où le climat était beaucoup moins violent, on a pu vérifier que les leaders informels étaient choisis pour leur bonne conduite et leur esprit de coopération avec les autorités (8). Un

---

(6) STODGILL, R.M. "Personal Factors Associated with Leadership: a Survey of the Literature". ***Journal of Psychology***. 1948, 25, 35-71.

(7) SCHRAG, C. "Leadership Among Prison Inmates". ***American Sociological Review***. 1954, 19, 37-42.

(8) GRUSKY, O. "Organizational Goals and the Behavior of Informal Leaders". ***American Journal of Sociology***. 1959, 65, 59-67.

autre chercheur a découvert que chez des étudiantes de niveau universitaire, la beauté et la façon de s'habiller favorisaient l'accession au leadership dans le domaine des activités sociales; ces caractéristiques n'étaient cependant pas reliées au leadership dans des activités religieuses ou académiques [9]. Plusieurs dizaines d'exemples semblables pourraient être rapportés, mais cela n'est pas nécessaire: tout le monde sait que les traits personnels associés au leadership dans une secte religieuse comme les Témoins de Jéhovah ne conduiraient pas nécessairement au leadership dans un syndicat, un club de chasse et pêche ou une équipe professionnelle de hockey!

11.2.4 Quelques traits fréquemment associés au leadership

Ceci dit, il y a tout de même un certain nombre de traits personnels qui reviennent extrêmement souvent dans les études sur le leadership. A la suite de deux révisions de la littérature pertinente au cours desquelles il a examiné 287 recherches, Stogdill [10] en arrive à dire que les traits suivants sont habituellement associés au leadership: 1° le désir d'assumer des responsabilités et d'accomplir quelque chose; 2° l'initiative, l'audace et l'originalité dans le choix des objectifs et des moyens; 3° l'énergie et la persévérance dans la poursuite des objectifs; 4° la confiance en soi; 5° la capacité de résister au stress et aux frustrations; 6° la volonté de prendre des décisions et d'en accepter les conséquences. Selon cet auteur, ces traits peuvent servir à distinguer les leaders des non-leaders, les leaders efficaces de ceux qui ne le sont pas, les leaders des échelons supérieurs des leaders moins élevés dans la hiérarchie. Parmi les autres traits qui ont très souvent été associés au leadership dans diverses études, il faudrait également mentionner: 8° l'intelligence; 9° la capacité de s'exprimer verbalement; 10° la capacité d'établir des contacts personnels.

Il est donc faux de prétendre, comme plusieurs le font, que la recherche des traits personnels associés au leadership s'est soldée par un échec total. Il est vrai que les chercheurs n'ont pas réussi à identifier et à mesurer un trait unique appelé "leadership"; il est vrai qu'aucun trait personnel mesurable ne semble être possédé universellement et exclusivement par tous les leaders, ni même par tous les leaders dans un domaine particulier: l'industrie, l'école, le syndicalisme, l'armée, le sport, etc.; il est également vrai que l'individu qui possède un trait essentiel au leadership dans un groupe donné, peut se voir rejeter d'un autre groupe à cause de ce même trait. Il n'en existe pas moins une combinaison de traits généraux, énumérés ci-dessus, dont la possession favorise grandement l'accession au leadership et cela dans des groupes très divers. L'individu qui possède et utilise ces ressources internes pour orienter le groupe et l'aider à

---

(9) DUNKERLEY, M.D. "A Statistical Study of Leadership Among College Women". ***Studies in Psychology and Psychiatry***, 1940, 4, 1-65.

(10) STOGDILL, R.M. ***Handbook of Leadership***. New York: The Free Press, 1974.

atteindre ses objectifs a de bonnes chances d'obtenir et de conserver le leadership, pourvu qu'il possède en plus les traits spécifiques exigés par ce groupe en particulier.

La recherche des traits personnels associés au leadership n'ayant pas satisfait toutes les attentes des chercheurs, ceux-ci décidèrent donc de se tourner vers les comportements des leaders.

11.3 LES COMPORTEMENTS DES LEADERS

11.3.1 Recherches de l'Université d'Ohio

C'est vers 1950, à l'Université d'Ohio, que l'étude des comportements de leadership a débuté de façon vraiment approfondie [11]. Ayant défini les comportements de leadership comme "ceux par lesquels un individu dirige les activités d'un groupe vers un but commun", les chercheurs établirent d'abord une liste de 1800 phrases descriptives de ces comportements (e.g. il félicite les membres du groupe; il planifie le travail à faire; il fait venir le matériel nécessaire). Un groupe d'experts fut ensuite chargé d'assigner tous ces exemples de comportements à l'une ou l'autre de neuf catégories ou dimensions prédéterminées. Par exemple, l'on voulait regrouper dans la dimension "représentation" tous les comportements par lesquels le leader agit au nom du groupe ou défend les intérêts de ses membres. Parmi les autres dimensions prévues, il y avait "intégration" (le fait de réduire les conflits internes et de créer un esprit de corps), "organisation" (le fait de planifier et de distribuer le travail), "communication" (le fait de donner et de rechercher des renseignements et de faciliter les échanges de points de vue). Cent cinquante phrases descriptives sur la classification desquelles les experts réussirent à s'entendre constituèrent la première version d'un questionnaire qui devait par la suite devenir extrêmement populaire: le "Leader Behavior Description Questionnaire".

Par la suite, une série d'analyses factorielles devaient démontrer que ce questionnaire mesurait non pas neuf, mais bien quatre dimensions des comportements de leadership. La première dimension reçut le nom anglais de "Consideration", un terme que nous pouvons adopter tel quel en français. Cette dimension regroupe les comportements par lesquels le leader prouve qu'il se préoccupe des besoins et des sentiments des membres du groupe; il se montre amical, attentif, respectueux, chaleureux, confiant. La deuxième dimension fut appelée "Initiating Structure"; pour rester aussi près que possible de cette expression

---

(11) Sur ces études, voir: J.K. HEMPHILL et A.E. COONS. "Development of the Leader Behavior description questionnaire" dans: R.M. STOGDILL et A.E. COONS, ***Leader Behavior: Its Description and Measurement***. Columbus, Ohio: Ohio States University, 1957; E.A. FLEISHAMN, E.F. HARRIS et H.E. BURTT. ***Leadership and Supervision in Industry.*** Colombus, Ohio: Ohio States University, 1955; A.K. KORMAN, "Consideration, Initiating Structure and Organizational Criteria: A Review". ***Personnel Psychology***, 1966, 18, 349-360; S. KERR et C. SCHRIESHEM, "Consideration, Initiating Structure and Organizational Criteria - An update of Korman's 1966 Review". ***Personnel Psychology***, 1974, 27, 555-568.

extrêmement courante dans les recherches américaines, nous adopterons simplement le mot "Structure" pour désigner cette dimension. Elle regroupe les comportements par lesquels le leader prouve qu'il se préoccupe des besoins de l'organisation: il planifie, organise et coordonne le travail, il assigne une tâche à chaque individu et évalue ses progrès, il oriente le groupe vers des objectifs de production. Les deux autres dimensions, que l'on pourrait appeler "Accent sur le rendement" et "Perception des rapports sociaux" furent éventuellement mises de côté parce qu'elles n'expliquaient qu'une faible partie de la variance totale obtenue en mesurant les comportements de plusieurs leaders. Le tableau 1 présente quelques-unes des questions utilisées pour mesurer les deux principales dimensions du leadership découvertes par l'Université d'Ohio, dimensions qui par la suite furent adoptées dans plusieurs centaines de recherches.

TABLEAU 1: Quelques-uns des énoncés utilisés pour mesurer les dimensions Structure et Considération.

STRUCTURE

1. Il indique aux membres du groupe ce qui est attendu d'eux.
2. Il encourage l'utilisation de procédures uniformes.
3. Il décide de ce qui doit être fait et comment cela doit être fait.
4. Il confie une tâche spécifique à chaque employé.
5. Il voit à ce que son rôle dans le groupe soit bien compris par tous les membres.
6. Il établit un plan ou programme précis pour le travail à faire.
7. Il fait respecter des normes de rendement précises.
8. Il exige que les membres du groupe observent les règlements et procédures établis.

CONSIDÉRATION

1. Il est amical et facile d'approche.
2. Il fait toutes sortes de petites choses pour rendre la vie agréable à l'intérieur du groupe.
3. Il met en application les suggestions faites par le groupe.
4. Il traite tous les membres du groupe comme ses égaux.
5. Si un changement doit être fait, il prévient d'avance.
6. Il est renfermé sur lui-même (réponse inversée).
7. Il se préoccupe du bien-être des membres du groupe.
8. Il est prêt à faire des changements.

Source: ***Leader Behavior Description Questionnaire***, Form XII, Bureau of Business Research, College of Commerce and Administration, The Ohio State University, Columbus, Ohio.

11.3.2 Recherches de l'Université du Michigan

Parallèlement aux travaux effectués à l'Université d'Ohio, d'autres recherches furent entreprises à l'Université du Michigan (12). Ces études, qui visaient à identifier les types de structures organisationnelles et les comportements de leadership associés à une haute productivité, furent faites dans une dizaine d'entreprises et produisirent des résultats très semblables à ceux de l'Université d'Ohio. Les comportements de leadership furent regroupés sous deux dimensions appelées "Gestion orientée vers l'employé" et "Gestion orientée vers la tâche". Les supérieurs qui adoptent la première orientation se préoccupent surtout de bâtir une équipe unie, de former leurs subalternes, de les aider à résoudre leurs problèmes; ils adoptent une attitude amicale et non punitive; ils sont accessibles aux communications venant des employés. Les supérieurs qui tendent vers le deuxième mode se préoccupent surtout des problèmes techniques, des méthodes de production, des normes et standards qu'il faut atteindre, de la discipline et du rendement. Bien que ces deux orientations aient d'abord été conçues comme les deux extrêmes d'un même continuum, les chercheurs ont par la suite indiqué qu'il s'agissait en fait de deux dimensions distinctes et non exclusives: un patron peut être fort ou faible sur les deux en même temps.

11.3.3 Autres recherches

D'autres travaux, ceux de Bales à Harvard et ceux du "Research Center for Group Dynamics" de l'Université du Michigan, portèrent essentiellement sur le fonctionnement des petits groupes et sur un ensemble de problèmes connexes. A l'aide des connaissances acquises par ces études, Bales et d'autres en arrivèrent à identifier deux grandes fonctions que le groupe doit remplir (13). La première fonction, c'est de maintenir l'intégrité et la cohésion du groupe (fonction socio-émotionnelle). Il s'agit ici de résoudre les conflits internes, d'améliorer les relations interpersonnelles, de maintenir un climat agréable, de satisfaire les besoins individuels des membres, de créer un esprit d'équipe. L'autre fonction, c'est d'atteindre ses objectifs (fonction tâche). Quelqu'un à l'intérieur du groupe doit donc se préoccuper des activités suivantes: établir des objectifs, planifier le travail, mettre le groupe en action, développer des procédures, empêcher le gaspillage de temps et de ressources, évaluer le progrès accompli. Bien que l'initiative dans ces fonctions appartienne normalement au leader formel, cela n'est pas toujours le cas: si le chef du groupe néglige un aspect, il est fort probable qu'un leader informel surgira pour s'en occuper. Le leadership du groupe sera alors réparti entre deux ou même plusieurs personnes.

---

(12) Sur ces études, voir: LIKERT, R. ***New Patterns of Management***. New York: McGraw-Hill, 1961, et: ***The Human Organization***. New York: McGraw-Hill, 1967.

(13) BALES, R.F. "Task Roles and Social Roles in Problem - Solving Groups", dans: McCOBY E.E., NEWCOMB, T.M. et HARTLEY, E.L. ***Reading in Social Psychology***. New York: Holt, Rinehart and Winston, 1958.

11.3.4 Conclusion sur les comportements de leadership: deux dimensions

Ce qui se dégage nettement de ces trois courants de recherche, c'est que les comportements de leadership peuvent être regroupés sous deux grandes catégories ou dimensions distinctes: "Orientation vers l'individu" et "Orientation vers la tâche". Bien que les instruments utilisés pour mesurer chacune de ces dimensions ne comprennent ordinairement que quelques questions ou éléments d'observation, il est bien certain que dans la réalité chacune de ces dimensions regroupe des milliers de comportements, parfois très différents les uns des autres: un chef d'orchestre et un coach de football professionnel n'utiliseront certainement pas les mêmes gestes ou comportements pour montrer qu'ils se préoccupent des individus!

Puisque les comportements de leadership peuvent être classés en deux catégories ou dimensions distinctes, la question suivante ne pouvait pas être autre que celle-ci: comment agissent les "vrais" leaders, ceux qui ont le plus de succès? Mettent-ils plus d'accent sur une dimension que sur l'autre? Si oui, laquelle? Si non, sont-ils très forts sur les deux en même temps? Et cela dans toutes les circonstances? Les premières réponses à ces questions vinrent des Universités M.I.T. et Michigan [14].

11.4 L'ACCENT SUR UNE SEULE DIMENSION

Deux auteurs, l'un sur le plan théorique et l'autre sur le plan de la recherche, ont tellement insisté sur l'importance des "aspects humains de l'organisation" que leurs noms ont fini par être associés exclusivement avec la dimension "Orientation vers l'individu": ce sont Douglas McGregor et Rensis Likert. Le premier est connu pour ses théories X et Y, le deuxième pour ses systèmes 1 à 4.

11.4.1 Les théories X et Y de McGregor

Ce qu'il est essentiel de saisir au sujet des théories X et Y de McGregor, c'est qu'elles représentent d'abord et avant tout des hypothèses qu'un patron peut faire au sujet de ses employés, des attitudes qu'il peut adopter à leur égard, et non pas des comportements spécifiques. Ces hypothèses, reproduites au tableau 2, peuvent cependant être la cause de styles de gestion très différents, selon que l'on épouse la théorie X ou Y. L'auteur fournit relativement peu de détails sur ces comportements, sauf pour dire que les patrons qui se font une conception X de leurs employés seront portés à faire un usage fréquent de leur auto-

---

(14) Nous parlons ici des premières réponses obtenues à la suite des recherches sur le leadership décrites précédemment. En remontant plus loin dans le temps, nous trouverions plusieurs autres auteurs qui avaient des idées très précises quant à la dimension la plus importante: Fayol, Urwick, Taylor (orientation vers la tâche); Mayo, Roethlisberger (orientation vers l'individu).

rité formelle, à donner des directives précises quant au travail à faire, à surveiller étroitement, à punir et à récompenser: c'est la gestion par direction, contrôle et autorité. Ceux qui adoptent une attitude Y, par contre, seront gouvernés par le principe de l'intégration des objectifs organisationnels et individuels: ils essaieront de créer des conditions telles que la meilleure façon pour chaque employé d'atteindre ses objectifs personnels (tels que définis par Maslow) soit de contribuer aux objectifs de l'organisation.Parmi les moyens concrets suggérés par McGregor pour atteindre cet objectif d'intégration, il y a la participation des employés aux décisions qui les concernent, leur implication dans les processus de promotion et d'évaluation du rendement, la création d'un climat de confiance et de respect mutuel, la création de tâches qui permettent et encouragent l'initiative et l'ingéniosité.

TABLEAU 2: Deux séries d'hypothèses concernant l'être humain travailleur

Théorie X	Théorie Y
1. L'être humain moyen déteste le travail et va faire son possible pour l'éviter.	1. L'effort physique et mental dans le travail est aussi naturel que le jeu ou le repos.
2. Parce qu'ils détestent le travail, la plupart des gens ne feront pas les efforts requis pour permettre à l'entreprise d'atteindre ses objectifs s'ils ne sont pas forcés, contrôlés, dirigés, menacés de punitions.	2. Le contrôle et les menaces ne sont pas les seuls moyens d'amener les employés à contribuer aux objectifs de l'organisation. L'être humain se dirige et se contrôle lui-même lorsqu'il travaille vers des objectifs vraiment acceptés ou internalisés. Cette acceptation des objectifs dépend des récompenses qu'on reçoit pour les atteindre. Les récompenses les plus importantes (la satisfaction des besoins d'estime et d'accomplissement) peuvent découler directement des efforts accomplis pour réaliser les objectifs de l'entreprise.
3. L'être humain moyen préfère être dirigé, veut éviter toute responsabilité, montre peu d'ambition, désire la sécurité par-dessus tout.	3. Placé dans de bonnes conditions, l'être humain apprend non seulement à accepter mais même à rechercher les responsabilités.
	4. La capacité de faire preuve de beaucoup d'imagination, d'ingéniosité et de créativité dans la solution des problèmes de l'organisation se retrouve chez beaucoup d'individus et non pas chez quelques-uns.
	5. Dans l'organisation industrielle moderne, les capacités intellectuelles du travailleur moyen sont sous-utilisées.

Source: McGREGOR, D. ***The Human Side of Enterprise***. New York: McGraw-Hill, 1960.

Dans ses écrits, McGregor cherche à démontrer que les hypothèses de la théorie X, bien qu'adoptées de façon quasi unanime par les administrateurs de tous les temps, ne correspondent pas (ou ne correspondent plus) à la véritable nature de l'être humain. Bien dirigé, celui-ci peut et veut se conduire selon les hypothèses Y. La paresse et l'indifférence que l'on observe chez certains travailleurs ne découlent donc pas de leur nature humaine, mais bien d'une administration qui ne leur fait pas confiance et qui ne sait pas créer les conditions nécessaires à leur intégration dans l'entreprise.

Il n'est pas surprenant que les idées de cet auteur extrêmement populaire, transmises à des dizaines de milliers d'administrateurs à travers les pays industrialisés pendant les années 60 et 70, aient fait de lui le principal porte-parole d'un mouvement favorable à un leadership orienté vers l'individu plutôt que vers la tâche. Il n'est pas surprenant non plus qu'il ait souvent été mal interprété. Par exemple, McGregor n'a jamais dit que tous les mécanismes de contrôle mis en place et supportés par l'autorité formelle devaient être abandonnés; il a au contraire insisté sur le fait que ces mécanismes sont nécessaires partout où les employés ne sont pas suffisamment intégrés à l'entreprise, i.e. n'ont pas adopté et internalisé les objectifs de celle-ci. De plus, il n'a jamais prêché un leadership mou, permissif, complaisant; au contraire, il a affirmé que les employés, étant capables de grandes choses (selon la théorie Y), devaient se voir confier des responsabilités nombreuses et exigeantes. Il convient également de souligner que les idées de McGregor sur le leadership, si elles étaient orientées presque exclusivement vers de saines relations humaines au début de sa carrière, ont évolué vers une meilleure compréhension de la dimension "orientation vers la tâche", à la suite d'une expérience de six ans comme président d'un collège américain:

> "Au début, je croyais qu'un leader peut réussir en agissant comme une sorte de conseiller. Je croyais pouvoir éviter d'agir comme un "patron". Sans m'en rendre compte, je voulais probablement éviter la dure nécessité de prendre des décisions difficiles, d'assumer la responsabilité de choisir entre plusieurs alternatives ambiguës, de faire des erreurs et d'en subir les conséquences. Je croyais pouvoir me faire aimer par tous et éliminer tout conflit par le moyen de bonnes "relations humaines"...
>
> J'étais complètement dans l'erreur! Il m'a fallu une couple d'années pour réaliser qu'un leader ne peut pas plus éviter l'exercice de l'autorité qu'il peut éviter la responsabilité de ce qui se passe dans son organisation"[15].

11.4.2 Les systèmes 1 à 4 de Likert

Contrairement aux écrits de McGregor, ceux de Likert contiennent plusieurs résultats de recherche, résultats sur lesquels il se base pour appuyer ses théories. La plupart de ces recherches ont été faites par l'Université du

---

(15) McGregor, D. ***Leadership and Motivation***. Cambridge, Mass.: M.I.T. Press, 1966, 67.

Michigan, dans le cadre d'un programme visant à identifier les facteurs de leadership (et autres) associés à la productivité. En voici un exemple, réalisé vers 1947 à la compagnie Prudential Insurance. Les chercheurs commencèrent par identifier 12 sections efficaces et comparables en tous points à 12 autres sections moins efficaces. Les sections comprenaient entre 6 et 26 employés cléricaux chacune. Elles offraient le même genre et les mêmes conditions de travail, comprenaient le même pourcentage d'employés expérimentés, étaient soumises aux mêmes politiques générales. On croyait donc avoir éliminé toutes les causes possibles de différences dans les niveaux de rendement, sauf le leadership et les relations interpersonnelles. Des intervieweurs expérimentés rencontrèrent ensuite les 24 chefs de section et les 419 employés. Quelques-uns des résultats obtenus sont présentés dans le tableau 3. Ils démontrent que les chefs des sections les plus productives avaient plus tendance que les autres à adopter un style de leadership démocratique et orienté vers l'employé.

TABLEAU 3: Quelques caractéristiques des leaders de sections plus vs moins productives. Prudential Insurance Company

	Chef des sections	
	Plus productives	**moins productives**
Orientation de la gestion		
1. Gestion orientée vers l'employé	6	3
2. Gestion orientée vers la production	1	7
3. Non mesurée	5	2
Style de leadership		
1. Perçu comme démocratique	11	4
2. Perçu comme autoritaire	0	8
3. Non mesuré	1	0

Source: VITELES, M.S. ***Motivation and Morale in Industry***. New York: W.W. Norton and Company, 1953.

C'est sur la base de plusieurs recherches comme celle-là que Likert en vint à construire son modèle idéal d'organisation, ou système 4 (les systèmes 1, 2 et 3 étant moins "parfaits"). Bien que plusieurs variables autres que le leadership entrent dans la définition de ces systèmes, des études statistiques ont démontré que le leadership y tient une place prépondérante. Il est facile de voir également que l'accent est mis nettement sur les relations humaines ou l'orientation vers l'employé. Voici quelques item qui décrivent le système 4: le patron établit avec chaque employé des relations telles que celui-ci se sent compris, appuyé, valorisé; le supérieur fait preuve d'une confiance totale envers tous ses subalternes et ce dans tous les domaines; les subalternes sont pleinement impliqués dans toutes les décisions concernant leur travail et se sentent parfaitement libres de discuter avec leurs supérieurs; ceux-ci connaissent et comprennent les problèmes de leurs employés; les objectifs de travail sont établis par le groupe et celui-ci participe également à l'évaluation des progrès accomplis. Un seul principe important du système 4 semble indiquer une "orientation vers la tâche": le patron a des objectifs élevés et exige la même chose de ses subalternes. Le tableau 4 présente quelques-uns des item utilisés par Likert pour décrire ses quatre systèmes.

TABLEAU 4: Quelques item descriptifs des systèmes 1 à 4 de Likert

DESCRIPTION DU LEADERSHIP	SYSTEMES			
	1	2	3	4
Dans quelle mesure les supérieurs adoptent-ils une attitude de soutien envers les employés?	Aucunement	Dans certains cas mais de façon paternaliste	La plupart du temps	Attitude de soutien adoptée à fond et ce dans tous les cas
Dans quelle mesure le supérieur cherche-t-il à obtenir et à utiliser les idées de ses subalternes concernant le travail?	Accepte rarement les idées ou suggestions de ses employés	Accepte parfois les idées de ses employés	Essaie ordinairement d'obtenir les idées des employés	Cherche toujours à obtenir et à utiliser les idées et opinions de ses subalternes
Distance psychologique entre supérieurs et subalternes?	Très grande: aucune relation amicale	Assez grande	Assez petite	Très petite; relations amicales et chaleureuses
Importance réelle du travail d'équipe?	Nulle	Faible	Assez grande	Très grande
Le supérieur connaît-il et comprend-il les problèmes de ses employés?	Ne les connaît ni ne les comprend	Les connaît et les comprend un peu	Les connaît et les comprend assez bien	Les connaît et les comprend très bien

Source: Adapté de: LIKERT, R. ***The Human Organization***, New York: McGraw-Hill, 1967.

Bien que McGregor et Likert aient tous deux fait preuve d'une ouverture beaucoup plus grande que certains l'ont cru face aux deux principales dimensions du leadership, leurs idées et surtout l'interprétation que plusieurs en ont donné, ont contribué énormément à favoriser le leadership orienté principalement vers l'individu. Par la suite, plusieurs études devaient démontrer qu'un patron qui est très fort sur cette dimension a effectivement de bonnes chances d'avoir des employés satisfaits, surtout si ceux-ci ont été privés de ce genre de leadership auparavant [16]. D'autres recherches tendaient cependant à prouver qu'il vaut encore mieux être fort sur les deux dimensions du leadership que sur une seule. Ces recherches devaient conduire à la fameuse grille de Blake.

11.5 L'ACCENT SUR LES DEUX DIMENSIONS

11.5.1 La grille managériale de Blake

C'est par l'étude de la grille "managériale" de Blake et Mouton [17] que des milliers d'administrateurs à travers le monde ont pris connaissance des deux grandes dimensions du leadership découvertes par les universités d'Ohio et du Michigan. Ayant rebaptisé ces dimensions "Intérêt pour la production" et "Intérêt pour l'élément humain", Blake les place sur deux axes perpendiculaires divisés arbitrairement en neuf degrés. Pour chaque dimension, le degré 1 indique un intérêt minimum alors que le degré 9 indique un intérêt considérable ou maximum. Cette façon originale de présenter les dimensions permet évidemment un très grand nombre de combinaisons possibles, e.g. 3 degrés d'intérêt pour la production associés à 8 degrés d'intérêt pour l'élément humain, etc. Pour ne pas compliquer inutilement les choses, Blake se concentre cependant sur les extrémités et sur le centre de son graphique. Il en arrive ainsi à définir cinq styles de leadership ou cinq façons de combiner les deux dimensions énumérées plus haut telles que présentées au tableau 5.

TABLEAU 5: Grille à deux dimensions de Blake et Mouton

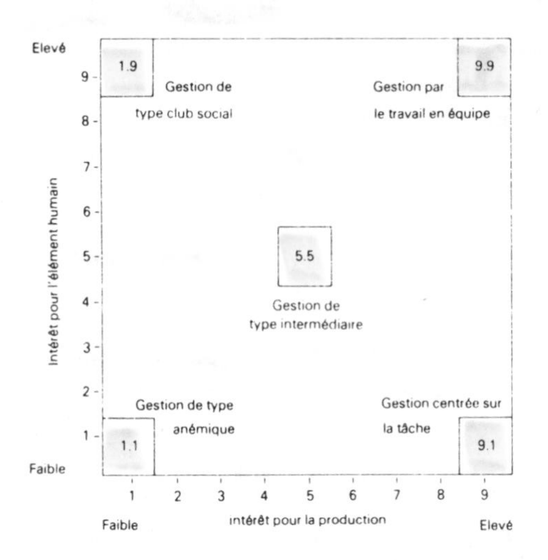

Source: Blake, R.R. et Mouton, J.S., ***The Managerial Grid***, Houston, Texas: Gulf Publishing Company, 1964.

---

(16) Voir par exemple: FILLEY, A.C., HOUSE, R.J. et KERR, S. ***Managerial Process and Organizational Behavior***. Glenview, Illinois: Scott, Foresman and Company, 1976, 219-222.

(17) BLAKE, R.R. et MOUTON, J.S. ***The Managerial Grid***. Houston, Texas: Gulf Publishing Company, 1964.

11.5.2 Cinq styles de leadership

Le style 9.1 (neuf degrés d'intérêt pour la production et un seul degré d'intérêt pour l'élément humain) porte le titre de "Gestion centrée sur la tâche". Le leader qui adopte ce style adopte les attitudes et les comportements suivants: il considère l'employé comme un outil de production, mais un outil qui est foncièrement paresseux, apathique et indifférent; il s'efforce donc de planifier le travail dans les moindres détails, de diriger ses employés d'une main de fer et de contrôler tous les résultats; il prend toutes les décisions et exige que les employés exécutent ses ordres sans rouspéter; il promulgue toutes sortes de règlements, normes et procédures et n'hésite pas à faire appel à des mesures disciplinaires lorsqu'il perçoit un manque de motivation ou d'obéissance. A l'autre extrême, nous avons le style 1.9, la "Gestion de type club social". C'est le patron qui se désintéresse de tout ce qui concerne la production ou le rendement, mais qui tient absolument à maintenir des relations harmonieuses à l'intérieur de son groupe. Il cherche à plaire à tout le monde, ne veut contrarier personne et refuse d'exiger un rendement élevé s'il prévoit de la résistance ou du mécontentement. Il traite tout le personnel avec chaleur et compréhension. Il a horreur des conflits et des affrontements et est prêt à "plier" dans tous les sens pour les éviter. Il exerce peu de contrôle, laisse les employés se diriger eux-mêmes, ne blâme jamais, félicite souvent. Il organise des rencontres informelles pour créer une atmosphère agréable et un esprit de famille.

Entre ces deux extrêmes, il y a le style 5.5, la "Gestion de type intermédiaire". C'est le patron qui cherche un compromis plus ou moins satisfaisant entre les besoins de l'organisation (production) et ceux des employés (relations humaines). Pour maintenir cet équilibre précaire, il cède parfois d'un côté et parfois de l'autre. Il attend un rendement convenable, mais dit aux employés de "ne pas se faire mourir". Il fixe des objectifs relativement faciles et prend la peine d'expliquer ses décisions. Plutôt que de commander, il cherche à convaincre, à motiver et à vendre ses idées. C'est un manipulateur et un bon politicien: en jouant sur les sentiments et en se montrant "raisonnable" dans ses exigences, il obtient un rendement adéquat, sans plus. Dans le coin gauche du graphique, nous avons le style 1.1, la "Gestion de type anémique". C'est le patron qui ne se préoccupe ni de la production ni de l'élément humain. Il évite systématiquement toute situation où il aurait à prendre des décisions ou à s'engager émotivement dans des relations interpersonnelles. Il cherche à passer inaperçu, ne s'impose jamais, demande l'opinion de ses supérieurs face à n'importe quel problème, fait exactement ce qu'on lui dit et se réfugie derrière le manuel des règlements et procédures dans toute situation délicate. Il ne s'occupe des problèmes des employés que s'il voit une menace à sa quiétude. Il attend sa retraite et espère que sa chaise ne se brisera pas entre-temps.

Le héros de Blake, c'est le patron qui utilise le style 9.9 ou la "Gestion par le travail en équipe". Il cherche à obtenir un rendement élevé par le moyen de la participation de tous les membres de l'équipe aux décisions concernant les objectifs à atteindre et les moyens d'y arriver. Il insiste sur la planification, l'organisation et le contrôle du travail, mais cherche à impliquer toute l'équipe dans ce processus. S'il se produit des conflits ou des divergences d'opinion, il n'hésite pas à réunir les personnes concernées de façon à ce que le problème soit discuté ouvertement et réglé rapidement. Il fait confiance aux employés et leur confie des responsabilités à la mesure de leurs capacités. Il utilise la direction par objectifs, mais exige que ceux-ci représentent un défi et fassent appel à toutes les capacités des membres de l'équipe. Il ne tolère pas n'importe quel comportement ou rendement sous prétexte de maintenir des relations amicales avec tout le monde, mais sait écouter les explications de ceux qui ont des difficultés. Ses relations humaines ne sont ni paternalistes ni superficielles (la fameuse tape dans le dos et les questions banales sur la femme et les enfants): ce sont des relations d'adulte à adulte, faites de respect, de support, de compréhension, mais aussi d'exigences réciproques.

Un des avantages qu'il y a pour un patron à se montrer également fort sur les deux dimensions du leadership (style 9.9), c'est qu'il peut souvent satisfaire ainsi les attentes et de ses supérieurs et de ses subalternes. Plusieurs études ont en effet démontré que les membres de la haute direction d'une entreprise préfèrent avoir des chefs de services ou des contremaîtres qui sont davantage orientés vers la production que vers l'élément humain, alors que les employés, eux, préfèrent avoir des patrons orientés surtout vers l'élément humain. De plus, au moins une quinzaine de recherches ont analysé et décrit des situations dans lesquelles les unités les plus productives d'une organisation avaient effectivement des leaders très forts sur les deux dimensions; ces situations impliquaient des officiers de l'armée américaine, des contremaîtres d'une entreprise israëlienne, des directeurs de départements dans une université, etc. D'autres études ont démontré que dans certaines situations, seul un leader qui était fort sur la dimension Considération (orientation vers l'individu) pouvait se permettre d'être exigeant du point de vue Structure (orientation vers la tâche); dans ce cas, un leader se devait donc d'être fort sur les deux dimensions s'il voulait obtenir le rendement désiré [18].

11.6 LE LEADERSHIP PARTICIPATIF OU DEMOCRATIQUE

Jusqu'ici, nous avons montré que:

1° tous les comportements de leadership peuvent être classés dans deux grandes dimensions appelées "Orientation vers l'individu" et "Orientation vers la tâche";

2° la dimension "Orientation vers l'individu" semble avoir recueilli les faveurs de plusieurs auteurs modernes, comme McGregor et Likert;

---

(18) Toutes ces études sont résumées dans le "Handbook" de Stogdill. Voir en particulier: Halpin (1954); Fleishman et Simmons (1970); Hemphill (1955); Oaklander et Fleishman (1964).

3° d'autres auteurs, comme Blake et Mouton, considèrent qu'un bon leader doit trouver le moyen d'être très fort sur les deux dimensions en même temps.

Il faut reconnaître, cependant, que la nature et la composition exacte de ces deux grandes dimensions ne sont pas toujours très claires. Telle que définie par les chercheurs d'Ohio et du Michigan, la dimension "Orientation vers l'individu", par exemple, comprend au moins deux aspects reliés mais différents: 1° des "relations humaines", c'est-à-dire des relations amicales, chaleureuses et respectueuses des droits, des besoins et des sentiments de l'employé; 2° une "gestion participative", par laquelle le patron invite les employés à prendre une part active et importante dans toutes les décisions qui les concernent ou qui concernent leur travail. Blake et Mouton, par contre, n'incluent pas l'aspect participatif dans leur définition du style 1.9 (orienté vers l'élément humain); ils réservent cet élément pour le leader idéal, celui qui sait combiner les deux dimensions en adoptant un style 9.9. Quelle que soit la meilleure façon de conceptualiser le leadership participatif (comme une forme particulière du leadership orientée vers l'individu ou comme une excellente façon de combiner l'intérêt pour l'élément humain avec l'intérêt pour la tâche), ce type de leadership mérite qu'on s'y intéresse. Voici donc un résumé de trois études "classiques" qui ont porté sur le leadership participatif ou démocratique.

11.6.1 Trois études classiques

a) *Lewin, Lippitt et White* [19]

Sans doute la plus connue de toutes les recherches faites sur la participation, cette étude visait à mesurer l'impact de divers styles de leadership sur l'hostilité et l'agression des subalternes. Les sujets de l'étude étaient 20 garçons de 10 et 11 ans qui se réunissaient volontairement après l'école pour fabriquer des masques de théâtre. Les jeunes furent assignés à quatre groupes aussi semblables que possible sur divers facteurs tels que le statut socio-économique, les traits de personnalité, les caractéristiques physiques et intellectuelles des enfants. Quatre adultes furent engagés pour diriger les enfants et reçurent un entraînement intensif sur les comportements suivants: autoritaire, démocratique, laissez-faire. Les leaders furent déplacés d'un groupe à l'autre à toutes les six semaines, ce qui permit à chaque groupe de vivre sous chacun des trois styles.

Si l'on compare simplement les comportements des leaders autoritaires à ceux des leaders démocratiques, l'on note les principales différences suivantes:

1. 45% des phrases prononcées par les autocrates visaient à donner des ordres, vs 3% pour les démocrates;
2. 11% des phrases prononcées par les autocrates consistaient à impo-

---

(19) LEWIN, K., LIPPITT, R. et WHITE, R.K. "Patterns of Aggressive Behavior in Experimentally Created Social Climates". ***Journal of Social Psychology***, 1939, 10, 271-299.

ser une façon de faire qui allait directement contre un voeu exprimé par un enfant, vs 1% pour les démocrates;

3. 6% des énoncés des autocrates visaient à suggérer gentiment une meilleure façon d'agir, vs 24% chez les démocrates;
4. 15% des énoncés des autocrates avaient pour but de donner de l'information technique vs 27% chez les démocrates;
5. 1% des comportements des autocrates cherchaient à aider les jeunes à s'organiser pour prendre leurs propres décisions (e.g. leur montrer comment discuter et voter) vs 16% chez les démocrates.

De façon générale, on peut dire que sous un leader démocrate les jeunes participaient activement à toutes les décisions concernant ce qu'il fallait faire et comment il fallait le faire, alors que sous un régime autoritaire toutes ces décisions étaient prises par le leader. De plus, le leader autocratique allouait seul le travail entre les membres du groupe et décidait avec qui chaque enfant allait travailler; sous un régime démocratique, ces décisions étaient prises en groupe.

Bien que les données recueillies dans cette étude aient été citées des centaines de fois comme une preuve de la supériorité du style démocratique (ou participatif) sur le style autoritaire, les résultats ne furent pas aussi évidents que certains le croient. Voici les principaux points que l'on peut retenir:

1. la quantité de travail accomplie sous un régime autoritaire fut légèrement supérieure à la production obtenue sous les autres régimes;
2. les enfants soumis au régime autoritaire cessaient cependant de travailler lorsque le leader quittait la salle, ce qui n'était pas le cas en régime démocratique;
3. les enfants firent preuve de plus d'originalité et de créativité sous un régime démocratique;
4. dans un groupe sur quatre (et dans un autre groupe au cours d'une étude antérieure) la méthode autoritaire créa beaucoup plus d'agression et d'hostilité (des enfants entre eux et des enfants envers le leader) que les autres méthodes; dans les trois autres groupes, cependant, les enfants placés sous un régime autoritaire adoptèrent une attitude soumise, passive et manifestèrent moins d'agression qu'en régime démocratique;
5. sur les 20 garçons, 19 indiquèrent une préférence marquée pour le leader démocratique (notons cependant que contrairement à la volonté des chercheurs, les leaders démocratiques se montrèrent beaucoup plus jovials et sociables que les autocrates);
6. sous un régime démocratique, les enfants se montrèrent plus amicaux et plus soucieux du groupe et des autres membres que sous un régime autoritaire.

De façon générale, il semble donc permis de dire que les enfants produisirent un peu plus sous un régime autoritaire, mais furent plus intéressés et plus heureux sous un régime démocratique -participatif.

b) ***Coch et French*** [20]

Cette recherche fut faite en Virginie, dans une usine de pyjamas appartenant à la Harwood Manufacturing Corporation et comptant environ 600 employés syndiqués, dont 500 couturières relativement jeunes ($\bar{x}$ = 23 ans) et peu instruites ($\bar{x}$ = 8e année). Pour l'époque (1948), les politiques de gestion du personnel étaient très libérales et éclairées: le président de la compagnie (qui avait un doctorat en psychologie) veillait à ce que les relations employeur-employés et les conditions de travail soient aussi bonnes que possible (les problèmes qui affectaient tous les employés étaient souvent réglés par référendum!). Les employés étaient payés au rendement, selon un taux individuel directement proportionnel au nombre de pièces produites au-delà du standard. La résistance des employés aux changements dans les méthodes de travail constituait le problème majeur de l'entreprise; à chaque fois qu'un tel changement survenait, la résistance se manifestait par une baisse de productivité, une avalanche de griefs, un roulement élevé de la main-d'oeuvre, des cas évidents de restriction volontaire d'output et une hostilité marquée envers la gérance.Une étude portant sur plusieurs centaines de couturières qui avaient subi un changement de méthodes de travail dans le passé démontra que seulement 38% d'entre elles étaient revenues à un niveau normal de production après le changement; les autres n'y arrivèrent jamais et plusieurs quittèrent l'entreprise.

L'entreprise se livra donc à l'expérience suivante. Devant la nécessité et l'imminence d'un autre changement de méthodes, trois groupes d'employés furent constitués et furent soumis à trois niveaux distincts de participation (les chercheurs étaient convaincus que la résistance au changement est un phénomène de groupe et qu'il fallait donc s'attaquer à des groupes d'employés et non à des individus). Le groupe I, un groupe contrôle, composé de 18 presseurs, fut simplement avisé du changement prévu et reçut les explications habituelles concernant la nécessité et les modalités du changement, ainsi que les nouveaux arrangements quant au taux à la pièce. Le groupe II (13 plieurs de pyjamas) participa par délégation, c'est-à-dire qu'à la suite d'une réunion préliminaire d'information avec l'ensemble des employés, le groupe délégua quelques membres qui collaborèrent étroitement avec la gérance à planifier et à préciser les changements prévus et à établir les nouveaux taux à la pièce. Les groupes III et IV (8 et 7 inspecteurs respectivement) furent soumis à une expérience de participation totale, c'est-à-dire que tous les membres furent impliqués dans l'élaboration du changement et furent invités à soumettre des suggestions, ce qu'ils firent avec tellement d'empressement que la secrétaire de la réunion n'arrivait pas

---

(20) COCH, L. et FRENCH, J.P.R. "Overcoming Resistance to Change". ***Human Relations,*** 1948, 1, 512-532.

à toutes les noter (en sténo!). Les quatre groupes étaient relativement semblables quant à la productivité antérieure au changement, l'ampleur du changement envisagé et le degré de cohésion observé à l'intérieur du groupe. Notons ici que la nécessité du changement fut présentée de façon beaucoup plus élaborée et dramatique dans les groupes II,III et IV que dans le groupe I.

Il n'est sans doute pas exagéré de dire que les résultats de cette étude sont connus dans plusieurs pays occidentaux, tellement ils ont reçu de publicité. En gros, ils se résument à ceci: dans le groupe I (aucune participation) les phénomènes suivants furent observés:

1. baisse considérable de productivité (on passe de ± 60 unités par heure à environ 47 et on reste à ce bas niveau indéfiniment);
2. la résistance se fait sentir aussitôt que le changement est appliqué et se manifeste par des conflits avec l'ingénieur industriel, par des expressions d'hostilité envers le contremaître, par une restriction volontaire du rendement, par un manque évident de coopération avec la gérance;
3. 17% des employés quittent l'entreprise dans les 40 premiers jours;
4. plusieurs griefs sont soumis relativement au nouveau taux à la pièce, griefs qui s'avèrent par la suite sans aucun fondement: le taux était en fait un peu plus généreux qu'il aurait dû l'être.

Dans le groupe II (participation par délégation), la productivité commença par tomber de ± 60 à environ 43 unités par heure, mais après 14 jours la moyenne du groupe était remontée à 61; de façon générale, les membres de ce groupe collaborèrent très bien avec l'ingénieur et les autres cadres: un seul "acte d'agression" fut rapporté dans les 40 premiers jours et aucun employé ne quitta l'entreprise. Dans les groupes III et IV (participation totale), la productivité commença par baisser légèrement (de ± 60 à environ 55), mais elle remonta à son niveau original dès le deuxième jour et se maintint par la suite à environ 14% au-dessus du niveau antérieur au changement; il n'y eut aucun départ dans ces deux groupes et aucun signe d'hostilité envers la gérance.

c) *Morse et Reimer* (21)

Dirigée par des chercheurs de l'Université du Michigan, cette étude expérimentale visait à vérifier les deux hypothèses suivantes:

1. un accroissement de la participation aux décisions augmente le niveau de satisfaction des employés impliqués, et une baisse de participation diminue leur satisfaction;

---

(21) MORSE, N.C. et REIMER, E. "The Experimental Change of a Major Organizational Variable". ***Journal of Abnormal and Social Psychology***, 1956, 56, 120-129.

2. ces variations dans le niveau de participation affectent également la productivité.

Cette étude fut faite dans quatre divisions d'une entreprise industrielle non syndiquée, auprès d'environ 200 femmes pour la plupart jeunes et ayant complété le cours secondaire; leur travail était de nature cléricale et passablement routinier. Les divisions n'avaient aucun contrôle sur la quantité de travail qu'elles devaient faire, mais elles pouvaient augmenter leur productivité en diminuant le nombre d'employées requises pour le faire. Deux divisions furent choisies pour faire partie du groupe "participatif" et les deux autres furent assignées au groupe "autocratique". Ces deux groupes étaient semblables, au départ, sur divers facteurs pertinents tels que le niveau de participation, la satisfaction des employées, la productivité, le genre de travail, les caractéristiques du personnel, la structure hiérarchique. Notons, enfin, que l'entreprise était passablement autocratique au point de départ, i.e. avant le début de l'expérience.

L'étude s'échelonna sur 18 mois. Pendant les six premiers mois, les supérieurs immédiats (premier niveau) furent entraînés à bien jouer le rôle qui leur avait été assigné: participatif ou autocratique. Ce nouveau rôle découlait (tout naturellement, semblait-il aux employées...) d'une réorganisation structurelle au cours de laquelle les chefs de divisions avaient ou bien concentré plus de pouvoirs au sommet de la hiérarchie ou bien délégué plus de pouvoirs vers le bas. Au cours des 12 mois suivants, les supérieurs immédiats jouèrent leur rôle et les employées vécurent donc sous deux régimes différents. Dans le groupe participatif, les employées prirent part à toutes sortes de décisions concernant les méthodes de travail et certains aspects de la gestion du personnel, comme l'allocation des périodes de repos et les problèmes causés par les retardataires. Dans l'autre groupe, les employées furent de moins en moins capables de contrôler leurs propres activités; par exemple, des experts établirent et imposèrent des normes de rendement pour chaque employée. Des questionnaires distribués au cours de l'étude démontrèrent que les deux groupes d'employées percevaient vraiment leurs supérieurs et le degré d'influence qu'elles avaient sur les décisions comme les chercheurs l'avaient planifié.

Les résultats furent d'abord compilés pour plusieurs types de satisfaction. Des mesures prises avant et après l'expérience démontrèrent que la participation était associée à une plus grande satisfaction quant au développement personnel que l'on retire de son travail, quant à la supervision que l'on reçoit, quant à la compagnie en général. Contrairement à ce que l'on avait prévu, cependant, les employées du groupe participatif ne se déclarèrent pas plus satisfaites de leur travail lui-même après l'expérience qu'avant. Malgré cela, il semble permis de conclure que la première hypothèse fut généralement confirmée par l'étude. En ce qui concerne la deuxième hypothèse, les chercheurs eurent la surprise de constater que la productivité avait augmenté de façon statistiquement significative dans les quatre divisions, et qu'elle avait même augmenté un peu plus dans le groupe autocratique que dans le groupe participatif. Notons enfin que sur neuf employées qui quittèrent l'entreprise pendant l'expérience (pour un autre emploi), huit provenaient du groupe autocratique.

11.6.2 Autres études

A la suite des études "classiques" résumées ci-dessus, des centaines de recherches ont porté sur la gestion participative ou démocratique et sur ses conséquences en termes de satisfaction, motivation, productivité, absentéisme, etc. Les résultats, résumés dans plusieurs "revues de la littérature" (22), sont loin d'être aussi clairs et définitifs que certains le voudraient. Stogdill, par exemple, rapporte dix études qui ont découvert une relation positive entre le leadership participatif et la productivité... et dix études où une relation tout aussi positive a été trouvée entre le leadership directif ou autocratique et la productivité (comme c'est d'ailleurs le cas dans deux des trois études classiques décrites ci-haut). De leur côté, Filley, House et Kerr rapportent les résultats suivants: sur 23 études, 16 ont découvert une relation positive entre le leadership participatif et la productivité, alors que 19 études sur 20 démontrent une relation positive entre ce type de leadership et la satisfaction des subalternes. S'il semble donc permis d'affirmer que le leadership participatif-démocratique est très généralement associé à la satisfaction des subalternes, il faut être plus prudent lorsqu'on parle de la relation entre ce type de leadership d'une part et la motivation et/ou la productivité des employés d'autre part.

11.7 CONCLUSION

Ces conclusions prudentes et nuancées quant au leadership participatif peuvent en fait être appliquées à l'ensemble du chapitre et des points de vue qui y sont exprimés. Quel que soit le genre de leadership suggéré par un auteur ou adopté par un administrateur (orientation vers l'individu **ou** orientation vers la tâche, **ou** intégration des deux orientations), il est possible de trouver plusieurs études qui "démontrent" la supériorité de ce point de vue sur les autres... et d'autres études qui "démontrent" le contraire! La clé de ce mystère tient évidemment au fait que le leadership doit être adapté ou approprié à chaque situation; et qu'un style participatif, par exemple, peut accomplir des merveilles dans une situation et mener droit au désastre dans une autre. Ce qu'il faut faire, c'est donc énumérer et décrire les éléments de la situation qui doivent déterminer le genre de leadership approprié, pour ensuite arriver à dire: lorsque tels ou tels

---

(22) Voir: FILLEY, A.C., HOUSE, R.J. et KERR, S. ***Managerial Process and Organizational Behavior***, Glenview, Illinois: Scott, Foresman and Company, 1976, 222-229; LOWIN, A. "Participative Decision Making: A Model, Literature Critique and Prescription for Research". ***Organizational Behavior and Human Performance***, 1968, 3, 68-106; MEYER, G.D.***Participative Decision Making: An Analysis and Review***. Monograph Series no. 15, College of Business Administration, University of Iowa, 1970; SALES, S"Supervisory Style and Productivity: Review and Theory". ***Personnel Psychology***, 1966, 19, 275-286; VROOM, V.H. "Industrial Social Psychology", dans: LINDZEY, G. et ARONSON, E. (eds), ***Handbook of Social Psychology***. Vol. 5, Reading, Mass.: Addison-Wesley, 1970.

éléments sont présents dans la situation, il faut utiliser tel genre de leadership. C'est à cette tâche énorme que se sont attaqués les auteurs et que nous verrons dans le prochain chapitre.

SUJETS D'ÉTUDE ET DE DISCUSSION

1. Pensez à quelqu'un que vous avez connu et qui était un "vrai leader". Avait-il des traits personnels particuliers? En quoi ses comportements étaient-ils différents de ceux des autres? Exerçait-il son leadership dans plusieurs groupes différents?

2. Expliquez la distinction que vous faites entre "pouvoir", "autorité", "management", "leadership".

3. En quoi les recherches qui ont porté sur les traits personnels des leaders se sont-elles avérées décevantes? Pourquoi ne peut-on pas parler d'échec total?

4. Expliquez le contenu des deux grandes dimensions du leadership auxquelles sont arrivés les chercheurs des universités d'Ohio et du Michigan. Quelle importance y a-t-il à concevoir ces deux types de leadership comme deux dimensions distinctes et non pas comme les deux extrêmes d'un même continuum?

5. "Tout le monde sait que le style participatif ou démocratique est nettement supérieur au style autocratique". Commentez cette phrase à partir des trois études "classiques" résumées dans ce chapitre.

6. Qu'y a-t-il de commun et de différent entre le "leadership" d'un homme politique comme Hitler ou Napoléon et le "leadership" d'un gamin de huit ans qui joue avec ses copains? Devrait-on utiliser des mots différents pour décrire ces deux "choses" ou s'agit-il vraiment d'un même phénomène?

BIBLIOGRAPHIE SUPPLÉMENTAIRE

ALUTTO, J.A. et BELASCO, J.A. "A Topology for Participation in Organizational Decision-Making". ***Administrative Science Quarterly***, 1972, 17, 117-125.

ARGYRIS, C. ***Participation et organisation.*** Paris: Dunod, 1970.

BARROW, J.C. "The Variables of Leadership: A Review and Conceptual Framework". ***Academy of Management Review***, 1977, 2, 231-251.

BENNIS, W.G. "Leadership Theory and Administration Behavior: The Problem of Authority". ***Administrative Science Quarterly***, 1959, 4, 259-301.

BLAKE, R.R. et MOUTON, J.S. ***Les Deux Dimensions du Management***. Paris: Les éditions d'organisations, 1969.

BLAKE, R.R. et MOUTON, J.S. "Some Effects of Managerial Grid Seminar Training on Union and Management Attitudes Toward Supervision". ***Journal of Applied Behavior Science,*** 1966, 2 (4), 387-400.

BURSH et BLODGETT, ***Les fonctions humaines du cadre dirigeant***. Montréal: McGraw-Hill, 1973.

DIVERREZ, J. ***Pratique de la direction participative***. Paris: Entreprise Moderne d'édition, 1971.

FLEISHMAN, E.A. et HARRIS, E.F. "Patterns of Leadership Behavior Related to Employee Grievances and Turnover". ***Personnel Psychology***, 1962, 15, 43-56.

GIBB, C.A. "Leadership" in: G. Lindzey, (ed.). ***Handbook of Social Psychology***. Cambridge, Mass.: Addison-Wesley, 1954.

La participation au management. Montréal: Centre des dirigeants d'entreprise, 1976, Étude préparée par Pierre Turcotte, Faculté d'administration, Université de Sherbrooke.

La participation des travailleurs aux décisions dans l'entreprise. Genève: Bureau international du Travail, 1969.

JACOBS, T.O. ***Leadership and Exchange in Formal Organizations.*** Alexandria, Vermont: Human Research Organization, 1971.

LARSON, L.L., HUNT, J.G. et OSBORN, R.N. "The Great Hi-Fi Leader Behavior Myth: A Lesson from Occam's Razor". ***Academy of Management Journal***, 1976, 19, 628-641.

LOCKE, E.A. "The Supervisor as Motivator: His Influence on Employee Performance and Satisfaction" in: BASS. B.M. (eds). ***Managing for Accomplishment***. Lexington, Mass.: Heath and Company, 1970.

MILES, R.E. "Human Relations or Human Resources". ***Harvard Business Review***, Juillet-août, 1965.

MUCCHIELLI, R. ***Psychologie de la relation d'autorité***. Paris: Entreprise Moderne d'édition, 1976.

SALLERON, L. ***Autorité et commandement dans l'entreprise***. Paris: Entreprise Moderne d'édition, 1976.

SHAW, M.E. "A Comparison of Two Styles of Leadership in Various Communications Nets". ***Journal of Adnormal and Social Psychology***, 1955, 50, 127-134.

STRAUSS, G. "Some Notes on Power Equalization" in: LEAVITT, H.J. (ed.). ***The Social Science of Organizations.*** Englewood Cliffs, N.J.: Prentice-Hall, 1963.

TANNENBAUM, A.S. ***Control in Organizations***. New York: McGraw-Hill, 1968.

VROOM, V.H. "Leadership" in: DUNNETTE, M. (ed.). ***Handbook of Organizational Psychology.*** Chicago: Ran McNally, 1973.

WEISSENBERG, P. et KAVANAGH. "The Independance of Initiating Structure and Consideration: A Review of the Evidence". ***Personnel Psychology***, 1972, 25, 119-130.

YUKL, G. "Toward a Behavioral Theory of Leadership". ***Organizational Behavior and Human Performance***, 1971, 6, 414-440.

ZIMMERMAN, D.K. "Participative Management: A Reexamination of the Classics". ***Academy of Management Review,*** 1978, 3, 896-901.

CHAPITRE **12**

LE LEADERSHIP II:

APPROCHES SITUATIONNELLES*

12.1 INTRODUCTION

Tous les auteurs dont il sera question dans ce chapitre ont **une chose** en commun: ils ne croient pas en la supériorité universelle d'un style particulier de leadership, que ce style consiste à utiliser une seule des deux dimensions habituelles ou bien une combinaison des deux. Malheureusement, cette approche situationnelle constitue pratiquement **la seule chose** qu'ils ont en commun, ce qui complique considérablement la tâche du lecteur. Pour simplifier cette tâche autant que possible, nous ferons certains regroupements.

Nous regroupons d'abord deux théories qui portent surtout sur le leadership participatif ou démocratique (Tannenbaum et Schmidt; Vroom et Yetton). Comme nous l'avons mentionné dans le chapitre précédent, ce type de leadership peut être considéré soit comme un aspect ou une facette de la dimension "Orientation vers l'individu", soit comme une façon de combiner les deux dimensions. Un bref résumé portant sur cette première section tente de préciser quelque peu les circonstances dans lesquelles le leadership participatif semble être le plus approprié.

Apparaissent ensuite deux théories (Reddin, Hersey et Blanchard) qui ont ceci en commun: elles utilisent comme point de départ une grille, semblable à celle de Blake, qui permet de combiner les deux dimensions habituelles (Orientation vers l'individu et Orientation vers la tâche) et de créer ainsi quatre styles distincts: un style faible sur les deux dimensions, un style faible sur une mais fort sur l'autre, etc. Ces théories sont évidemment plus complexes, car elles essaient d'indiquer dans quelles situations chacun des quatre styles est approprié. Les deux théories suivantes (House et Fiedler) portent sur les mêmes dimensions de base mais sans chercher à les combiner: on essaie simplement d'indiquer dans quelles circonstances il faut mettre l'accent sur une dimension ou sur l'autre. Un second résumé porte donc sur les situations dans lesquelles chaque dimension semble la plus appropriée. Le chapitre se termine par quelques remarques sur deux problèmes associés aux études sur le leadership.

---

* Chapitre rédigé par Jean-Louis Bergeron.

12.2 TANNENBAUM ET SCHMIDT

L'article de ces auteurs, publié en 1958, représentait à l'époque une première tentative importante d'approcher tout le problème du leadership sous un angle situationnel ([1]). Cet article devait acquérir une popularité immédiate et la conserver jusqu'à ce jour: il a été traduit en plusieurs langues et reproduit à des dizaines de milliers d'exemplaires.

12.2.1 Etapes sur le chemin de la participation

Ce qu'on y présente, c'est d'abord un continuum sur la dimension "participation": sept styles de leadership qui vont d'une absence totale de participation des subalternes aux décisions jusqu'à une participation complète. Ce continuum est reproduit au tableau 1.

12.2.2 Comment choisir le style approprié

Ayant présenté les sept alternatives du tableau 1, les auteurs expliquent ensuite que pour arriver à choisir le style approprié l'administrateur devra tenir compte de trois types de "forces" ou facteurs:

1) **Les forces qui agissent en lui**

   a) Ses valeurs et ses convictions personnelles: certains croient qu'ils ont le "devoir" de prendre seuls le fardeau des décisions; d'autres se font une "obligation" de former leurs subalternes en leur donnant des responsabilités, etc.

   b) La confiance qu'il a envers ses subalternes: les croit-il capables de contribuer à la qualité des décisions? (Il s'agit ici d'une perception... pas nécessairement de la réalité).

   c) Sa préférence personnelle pour un certain style: certains sont très à l'aise dans un rôle autoritaire, d'autres aiment beaucoup mieux travailler d'égal à égal au sein d'une équipe.

   d) Sa capacité de vivre avec l'inquiétude produite par le style participatif: il demeure "responsable", mais quelqu'un d'autre prend ou influence des décisions qui peuvent amener le succès... ou l'échec.

2) **Les forces qui agissent chez les subalternes**

   a) Leur besoin d'indépendance et d'autonomie: certains préfèrent obéir et exécuter plutôt que de prendre leurs propres décisions.

---

(1) TANNENBAUM, R. et SCHMIDT, W.H. "How to Choose a Leadership Pattern". ***Harvard Business Review***. Mars-Avril 1958. Voir également une réimpression de cet article avec commentaires des auteurs, dans la série HBR Classic. ***Harvard Business Review***, Mai-juin 1973, 162-180.

TABLEAU 1: Continuum des styles de leadership (sur la dimension "participation")

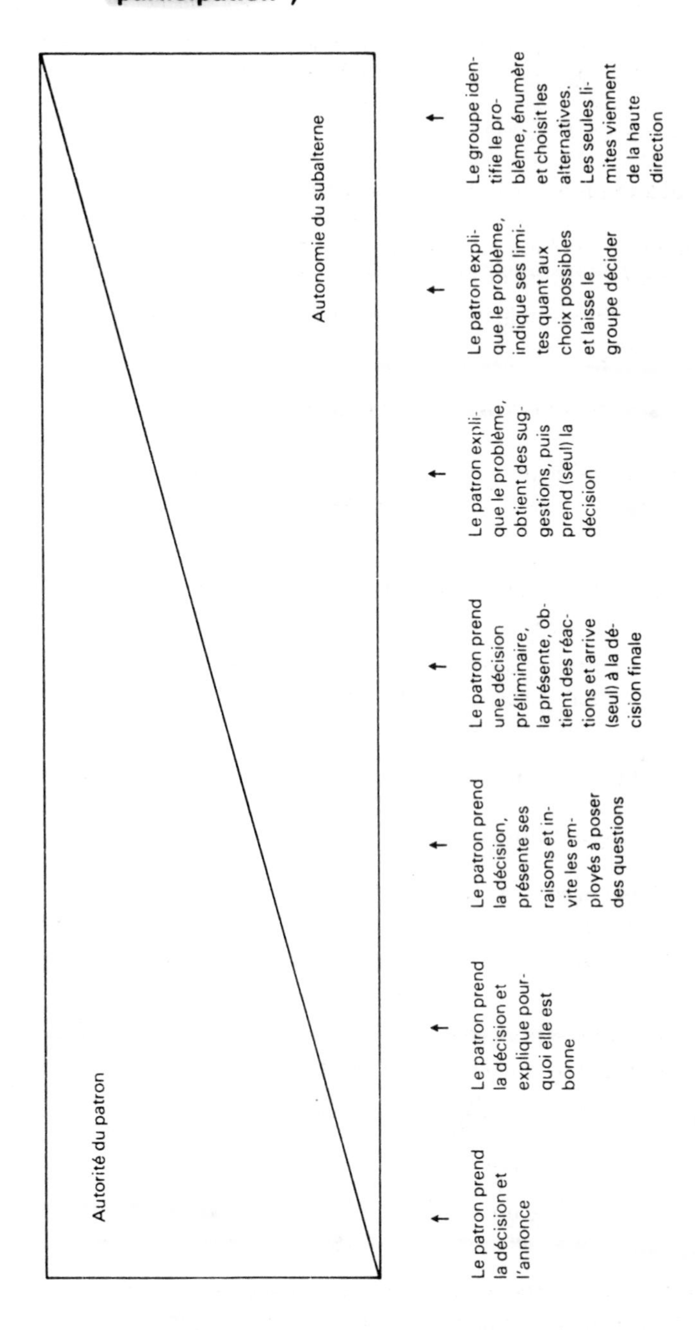

Source: Adapté de: TANNENBAUM, R. et SCHMIDT, W.H. "How to Choose a Leadership Pattern". ***Harvard Business Review***, Mars - Avril 1958.

b) Leur désir d'assumer des responsabilités supplémentaires: certains disent "c'est mon patron qui est payé pour prendre ces décisions... qu'il les prenne!"

c) L'intérêt qu'ils portent à un problème particulier: certains ne veulent participer qu'aux décisions qui les affectent directement.

d) Leur compréhension des objectifs de l'organisation et leur adhésion à ces objectifs: il serait sans doute imprudent de laisser certaines décisions entre les mains de subalternes qui se désintéressent totalement d'objectifs comme l'efficacité, la productivité, la croissance, le profit.

e) Leurs connaissances, leur expérience, leur expertise face au problème.

f) Leurs attentes et leurs désirs quant au style de leadership du patron.

3) **Les forces qui proviennent de la situation**

a) Le genre d'organisation, ses traditions, ses coutumes, sa philosophie: s'agit-il d'une prison, d'une association de personnes charitables, d'un camp d'été? Il faudrait également considérer des facteurs structurels tels que la taille de l'organisation et de ses départements, la dispersion géographique des unités, etc.

b) La capacité du groupe (celui des subalternes) à travailler ensemble de façon efficace et harmonieuse.

c) La nature du problème lui-même, sa complexité, le niveau d'expertise requis pour le résoudre et l'endroit où se loge cette expertise dans l'organisation.

d) Le temps dont on dispose pour prendre la décision.

12.2.3 Quelques faiblesses

S'il avait l'avantage (énorme) d'ouvrir la voie aux approches situationnelles et de laisser entrevoir l'absurdité de la recherche d'un style unique valable partout et toujours, cet article présentait cependant certaines faiblesses évidentes:

1) Il mélangeait pêle-mêle des forces qui **peuvent** influencer le choix d'un style mais qui ne devraient peut-être pas le faire (e.g. les opinions et préférences personnelles du leader) avec d'autres facteurs qui **doivent** l'influencer (e.g. la nature du problème et la compétence réelle des subalternes);

2) Il ne tenait pas compte des innombrables interrelations et contradictions possibles entre tous les facteurs (e.g. les employés **veulent décider**, mais le problème est très **au-dessus de leur compétence!**);

3) Il se contentait en grande partie d'énumérer plusieurs facteurs et de dire aux administrateurs: "arrangez-vous avec cela", sans préciser dans quelles conditions il faut choisir tel ou tel style;

4) Il était purement spéculatif (i.e. basé sur le bon sens... ce qui est déjà beaucoup!) et ne reposait sur aucune recherche. Il fallut attendre 15 ans pour qu'apparaisse une tentative formelle et structurée de corriger certaines de ces faiblesses.

12.3 VROOM ET YETTON

Ces auteurs se sont efforcés d'établir une série de règles assez précises pour aider les administrateurs à décider jusqu'à quel point ils doivent impliquer leurs subalternes dans les décisions (2). Cette implication des subalternes peut évidemment varier beaucoup; pour les besoins de leur exposé, les auteurs identifient cinq niveaux de participation définis de la façon suivante (pour les problèmes qui concernent tout le groupe):

12.3.1 Cinq niveaux de participation

AI. Le supérieur prend la décision seul et règle le problème lui-même, utilisant l'informationn dont il dispose à ce moment-là (3).

AII. Le supérieur obtient de ses subalternes toute l'information dont il a besoin pour prendre une décision, et ensuite il la prend seul.

CI. Le supérieur communique les éléments du problème à ses subalternes, mais sur une base individuelle et non pas en groupe. Il obtient leurs idées, commentaires et suggestions, mais ensuite prend seul une décision qui peut refléter ou non les conseils des subalternes.

CII. Le supérieur réunit ses subalternes en groupe et leur communique les éléments du problème. Après avoir obtenu leurs idées, commentaires et suggestions, il prend seul une décision qui peut refléter ou non les conseils des subalternes.

GII. Le supérieur réunit ses subalternes en groupe et leur communique les éléments du problème. Le groupe au complet suggère et évalue les différentes alternatives ou solutions possibles et cherche à atteindre un consensus sur la solution idéale. Le supérieur agit comme président d'assemblée; il n'impose pas ses idées et accepte n'importe quelle solution qui reçoit l'assentiment de tout le groupe.

---

(2) VROOM, V.H. et YETTON, P.W. ***Leadership and Decision-Making***. Pittsburgh: University of Pittsburgh Press, 1973. Voir également: VROOM, V.H. et JAGO, A.G. "On the validity of the Vroom-Yetton model". ***Journal of Applied Psychology***, Avril 1978, 151-162.

(3) La lettre A indique qu'il s'agit d'un comportement autocratique, sous deux versions différentes: I et II. Les lettres C et G indiquent des comportements consultatifs et de groupe, respectivement. Pour respecter la nomenclature des auteurs, nous attribuons le chiffre romain II à la décision de groupe, même si elle n'apparaît que sous une seule version; les auteurs réservent en effet le GI à des problèmes individuels (et non de groupe) qui ne sont pas considérés ici.

Si l'on donne les valeurs 0 et 10 aux deux extrêmes de ce continuum, des méthodes mathématiques permettent d'attribuer la valeur .625 à AII, 5.0 à CI et 8.125 à CII, ce qui donne l'échelle suivante:

AI	AII	CI	CII	GII
0	.625	5.0	8.125	10

Il apparaît donc très clairement que les cinq niveaux de participation décrits ci-haut ne sont pas équidistants les uns par rapport aux autres, contrairement à ce qu'on pourrait croire à première vue.

Comment choisir l'approche la plus appropriée? Il faut d'abord et surtout considérer la nature du problème au sujet duquel on doit prendre une décision. Parmi tous les éléments de ce qu'on appelle "la situation" (laquelle doit suggérer l'approche ou le style idéal), c'est donc le problème lui-même qui constitue le facteur déterminant et il est plus important que tous les autres facteurs situationnels tels que le genre d'entreprise, le style de leadership des cadres supérieurs, etc. Ce problème, il faut l'examiner sous sept aspects ou attributs.

12.3.2 Points à considérer dans le choix du style approprié

A. L'importance de la qualité (ou rationalité) de la décision qu'il faut prendre. Cette importance peut être presque nulle (en ce sens qu'une décision même mauvaise n'empêcherait pas l'organisation d'atteindre ses objectifs de façon efficace), ou très grande. Dans le premier cas, la direction se soucie peu de la décision qui sera prise et elle est prête à l'accepter pourvu que cette décision obtienne l'adhésion de ceux qui doivent la mettre en pratique. Un problème de ce genre: décider lequel de cinq chauffeurs compétents se verra attribuer le nouveau camion que l'entreprise vient d'acheter; la "qualité" de la décision est tellement secondaire ici que le problème pourrait même être réglé par un tirage au sort! Quant aux problèmes qui exigent une solution de la plus haute qualité, ils sont évidemment très nombreux: décisions quant au lancement d'un nouveau produit, quant à l'emplacement d'une nouvelle usine, quant à l'offre finale qu'il faut faire au syndicat devant une menace de grève, etc.

B. Le point auquel le leader possède l'information ou l'expertise nécessaire pour prendre seul une décision de haute qualité. Il s'agit ici des connaissances requises pour recueillir et évaluer les différentes alternatives de façon à choisir la meilleure.

C. Le point auquel le problème est structuré (ou programmé). Un problème structuré en est un dont on connaît les alternatives ou solutions possibles, ou encore les façons de les découvrir et de les évaluer. Il faut donc recueillir l'information qu'on sait être pertinente et prendre une décision sur cette base. Dans le cas d'un problème non structuré, on ne sait pas très bien quelle information il faut obtenir, ni comment l'obtenir. Il faut donc soumettre le problème à tous ceux qui pourraient avoir des idées à ce sujet. La méthode du brainstorming est un bon exemple d'une approche souvent utile face à un problème non structuré.

D. Le point auquel l'acceptation ou l'endossement par les subalternes de la solution choisie est essentiel à l'exécution rapide et efficace de cette solution. Bien qu'une acceptation sincère et même enthousiaste soit souvent cruciale, il existe plusieurs situations où ce n'est pas le cas, e.g.:

   a) lorsque la décision est mise en application par les cadres eux-mêmes ou par des gens autres que les subalternes;

   b) lorsque la mise en application requiert non pas l'enthousiasme des subalternes mais simplement une exécution mécanique que l'entreprise a le pouvoir d'obtenir (par récompense et/ou punition).

E. La probabilité qu'une décision autocratique du leader soit véritablement acceptée ou endossée par les subalternes. Contrairement à une opinion très répandue dans notre société démocratique, il y a de nombreux cas où une décision très autoritaire peut être très bien acceptée par les subalternes: lorsqu'il y a une urgence, lorsque le leader est perçu comme un grand expert ou lorsqu'il a un pouvoir charismatique, lorsque les subalternes se sentent peu sûrs d'eux-mêmes par manque d'expérience, de compétence, etc. Par contre, il existe évidemment plusieurs situations ou toute solution imposée d'en haut serait tout-à-fait inacceptable aux yeux des subalternes.

F. Le point auquel les subalternes sont motivés à atteindre les objectifs de l'organisation et à solutionner le problème d'une façon qui contribue à ces objectifs. Il est évident que pour des problèmes tels que fixer le taux de salaire, établir la charge de travail, déterminer la durée de la semaine de travail, etc., les subalternes pourraient être beaucoup plus intéressés à atteindre leurs objectifs personnels que ceux de l'organisation.

G. Le point auquel les subalternes sont susceptibles d'être en désaccord sur le choix des solutions idéales. Si un tel désaccord est à prévoir, il faudra favoriser les rapprochements et les discussions de groupe, pour que ces divergences puissent être exprimées et résolues.

12.3.3 Arbre de décision

A partir de ces caractéristiques du problème (présentées sous forme de questions) et d'une série de règles que nous reproduisons au tableau 2, Vroom et Yetton en arrivent à bâtir l'arbre de décision reproduit au tableau 3. Cet arbre "se lit" de gauche à droite. Les numéros placés au bout des "branches" réfèrent à ceux que l'on retrouve au tableau 4 et indiquent quelles méthodes ou niveaux de participation seraient acceptables pour chacun des 14 types de problèmes. Lorsque plusieurs méthodes sont acceptables, les auteurs recommandent cependant d'adopter les premières en liste, car elles permettent des décisions plus rapides. Cette méthode recommandée est également indiquée sur le tableau 3.

TABLEAU 2: Résumé des règles visant à protéger la qualité et l'acceptation des décisions

Règles de décision

1. Information. Si:
   - la qualité de la décision est importante
   - le leader ne possède pas l'information nécessaire

   AI est éliminé comme choix possible.

2. Confiance. Si:
   - la qualité de la décision est importante
   - les subalternes se fichent des objectifs de l'organisation

   GII est éliminé.

3. Structure. Si:
   - la qualité de la décision est importante
   - le leader ne possède pas l'information nécessaire
   - le problème n'est pas structuré

   AI, AII, CI sont éliminés.

4. Acceptation. Si:
   - la décision doit être acceptée par les subalternes
   - une décision autocratique ne serait pas acceptée

   AI et AII sont éliminés.

5. Conflit. Si:
   - la décision doit être acceptée par les subalternes
   - une décision autocratique ne serait pas acceptée
   - les subalternes sont susceptibles d'être en désaccord sur la solution idéale

   AI, AII et CI sont éliminés.

6. Justice. Si;
   - la qualité de la décision n'est pas importante
   - la décision doit être acceptée par les subalternes
   - une décision autocratique ne serait pas acceptée

   AI, AII, CI, et CII sont éliminés.

7. Priorité à l'acceptation. Si:
   - la décision doit être acceptée par les subalternes
   - une décision autocratique ne serait pas acceptée
   - les subalternes se préoccupent des objectifs de l'organisation

   AI, AII, CI et CII sont éliminés.

Source: VROOM, V.H. et YETTON, P.W. ***Leadership and Decision-Making***. Pittsburgh: University of Pittsburgh Press, 1973.

TABLEAU 3: Un arbre de décision pour la participation

A. La qualité (rationalité) de la décision est-elle importante?

B. Ai-je assez d'information pour prendre une décision de haute qualité?

C. Le problème est-il structuré?

D. L'acceptation de la décision par les subalternes est-elle cruciale?

E. Si je prends la décision seul, sera-t-elle acceptée par mes subalternes?

F. Les subalternes partagent-ils les objectifs de l'organisation sur ce problème?

G. Les subalternes seront-ils en désaccord sur la solution à prendre?

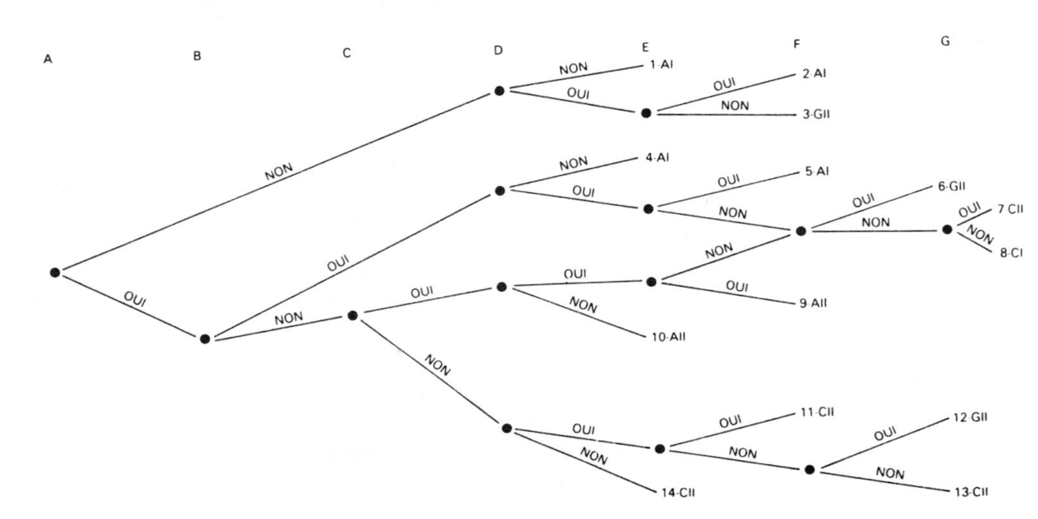

Source: VROOM et YETTON, ***op. cit.***

TABLEAU 4: Solutions acceptables pour divers types de problèmes

Types de problèmes	Solutions acceptables
1	AI, AII, CI, CII, GII
2	AI, AII, CI, CII, GII
3	GII
4	AI, AII, CI, CII, GII*
5	AI, AII, CI, CII, GII*
6	GII
7	CII
8	CI, CII
9	AII, CI, CII, GII*
10	AII, CI, CII, GII*
11	CII, GII*
12	GII
13	CII
14	CII, GII*

* acceptable seulement si la réponse à la question F est positive.

Source: VROOM et YETTON. *op. cit.*

Cette question de la rapidité des décisions constitue en fait le troisième élément dont il faut tenir compte pour qu'une décision ait un maximum d'efficacité (les deux autres sont: la qualité technique ou rationalité de la décision et son acceptation enthousiaste par ceux qui doivent l'appliquer).

UN EXEMPLE:

Voici un exemple qui illustre cette approche. Supposons le problème suivant. Vous êtes l'assistant d'un directeur de division et vous travaillez sur toutes sortes de problèmes administratifs et techniques. On vous demande de développer une méthode uniforme, qui sera utilisée dans cinq usines différentes, pour lire, enregistrer et transmettre au siège social des renseignements fournis par divers cadrans, sur un grand nombre de machines. A venir jusqu'à ce jour, il y a eu beaucoup d'erreurs soit dans la lecture, soit dans la transmission de tous ces renseignements. Les méthodes de cueillette des données et le taux d'erreurs varient beaucoup d'une usine à l'autre. Vous ne connaissez pas en détail les méthodes utilisées dans chaque usine et vous ne savez pas pourquoi ces méthodes sont différentes. Ces données sont utilisées dans plusieurs décisions importantes et toutes bénéficieraient d'une précision accrue. Votre "contact", dans chaque usine, est le responsable de la qualité: ces gens sont consciencieux, compétents et dévoués, mais ils ont horreur que la haute direction vienne se mettre le nez dans leurs affaires. Vous soupçonnez également que toute solution qui ne recevrait pas l'accord des directeurs d'usine serait vouée à l'échec. L'analyse du problème se fait par les questions et réponses suivantes:

A: La qualité est nécessaire? oui

B: Le leader possède l'information suffisante? non

C: Le problème est structuré? non

D: La décision doit être acceptée par les subalternes? oui

E: Une décision autoritaire serait acceptée? non

F: Les subalternes acceptent les objectifs de l'organisation? oui

G: Les subalternes sont probablement en désaccord sur la méthode idéale? oui (ou non, peu importe dans ce cas-ci).

Type de problème: 12

Solution recommandée: GII

12.4 RÉSUMÉ: L'APPROCHE SITUATIONNELLE EN CE QUI CONCERNE LA PARTICIPATION

Sur la base des auteurs cités plus haut et de plusieurs recherches que nous ne pouvons pas rapporter ici (4), il semble permis de recommander l'approche participative ou démocratique dans les circonstances suivantes:

1. Lorsque les subalternes peuvent et veulent contribuer à la **qualité de la décision** (à cause de leur expertise, de leur expérience, de leur connaissance réelle du problème et des solutions susceptibles de le régler).
2. Lorsque la participation peut augmenter le niveau **d'acceptation de la décision** et que cette acceptation est importante. Quelques études ont en effet démontré que la participation aux décisions augmente l'acceptation et la motivation de ceux qui sont impliqués (5).

---

(4) Voir par exemple: SALES, S.M. "Supervisory Style and Productivity: Review and Theory". ***Personnel Psychology***, 1960, 13, 125-140; WHITE, J.K. "Generalizability of Individual Difference Moderetors of the Participation in Decisions-Making - Employee Response Relationship". ***Academy of Management Journal***, 1978, 21, 36-43.

(5) Sur ce sujet, voir: BERGERON, J.L. "Un cadre théorique pour l'étude de la relation entre la participation et la motivation au travail". ***Relations industrielles***, 1979, vol. 34, no. 3.

3. Lorsque la tâche que le groupe doit accomplir est complexe, ambiguë, difficile et que tous doivent mettre leurs contributions en commun pour arriver au succès.

4. Lorsque les subalternes veulent vraiment arriver à la solution la meilleure pour l'efficacité, la survie et la croissance de l'organisation, plutôt que de chercher uniquement la solution qui ferait leur affaire et leur permettrait de travailler le moins possible.

5. Lorsque le groupe ne se trouve pas dans une situation d'urgence, de stress, de danger immédiat: dans de telles situations, les membres du groupe acceptent ou exigent ordinairement un leadership très autoritaire... mais très compétent!

12.5 REDDIN

William J. Reddin, de l'Université du Nouveau-Brunswick, utilise les termes "Orientation vers la tâche" et "Orientation vers les relations", pour décrire les deux grandes dimensions du leadership dont il a été question dans le chapitre précédent (6). La combinaison de ces deux dimensions crée quatre styles de base, styles auxquels l'auteur attribue des noms aussi neutres que possible, car il ne croit pas que certains de ces styles soient intrinsèquement ou universellement meilleurs que les autres. Le mot "séparation" sert à désigner un style faible sur les deux dimensions, parce que le leader qui agit ainsi se réfugie souvent dans les règles, les procédures, les précédents, etc. Le terme "relation" désigne évidemment un style orienté vers l'individu, alors que le mot "dévotion" s'applique au leader qui se préoccupe surtout de la tâche et des résultats à obtenir. Le terme "intégration" est utilisé pour le style qui combine les deux dimensions et cela à un degré élevé.

Selon Reddin, chacun de ces styles peut être très efficace s'il est utilisé au bon endroit et au bon moment. L'auteur ajoute donc une troisième dimension au modèle original de Blake, celle de l'efficacité. Sur ce nouveau modèle, les quatre styles de base prennent des noms à consonnance positive s'ils sont efficaces, c'est-à-dire s'ils sont utilisés de façon appropriée. S'ils sont utilisés à mauvais escient, les styles héritent de noms plutôt péjoratifs, e.g. missionnaire, déserteur. Le tableau 5 reproduit le modèle de Reddin et démontre bien pourquoi cette théorie est connue sous le nom de "Théorie à trois dimensions du leadership efficace". Il faut bien noter ici que l'auteur n'ajoute pas une troisième dimension aux comportements de leadership: cette troisième dimension réfère moins aux comportements eux-mêmes qu'à une certaine harmonie ou compatibilité entre les comportements choisis par le leader et les exigences de la situation dans laquelle il se trouve.

---

(6) REDDIN, WILLIAM J. ***Managerial Effectiveness***. New York: mcGraw-Hill, 1970.

TABLEAU 5: Grille à trois dimensions de W.J. Reddin

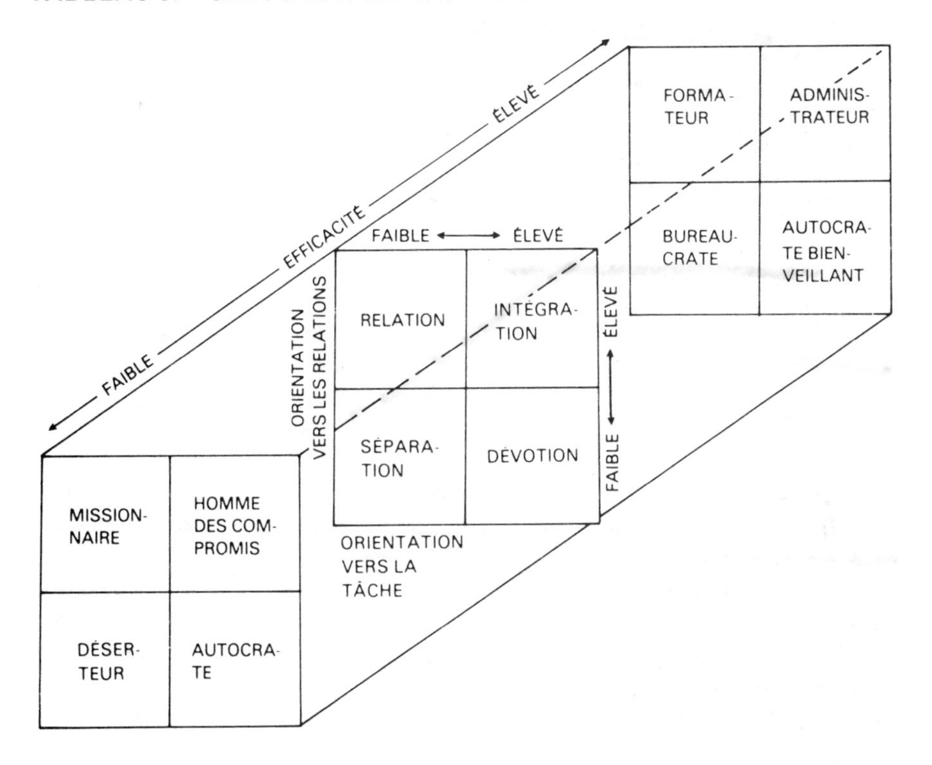

Source: REDDIN, W.J. ***Managerial Effectiveness***, New York: McGraw-Hill, 1970.

Pour être efficace, le leader doit donc maîtriser trois habiletés distinctes:

a) savoir analyser une situation donnée pour en déduire qu'elle demande tel style plutôt que tel autre;

b) être suffisamment flexible dans ses comportements pour pouvoir adopter le style qui convient le mieux à la situation;

c) pouvoir changer la situation si cela s'avère nécessaire.

De plus, puisque "la situation" devient un facteur primordial dans le choix du style approprié, chaque leader doit savoir ce que ce terme implique. Selon Reddin, cinq éléments composent la situation:

a) la philosophie de l'organisation, laquelle se manifeste par des politiques et des procédures, par une façon de vivre et de faire les choses différentes de ce qu'on trouve dans les autres organisations;

b) la technologie, c'est-à-dire la façon dont le travail se fait;

c) le supérieur hiérarchique;

d) les collègues de même niveau;

e) les subalternes.

Puisque nous nous retrouvons avec cinq éléments de la situation, que chacun de ces éléments comprend plusieurs facettes et que tout ceci doit permettre un choix entre quatre styles différents, la théorie devient rapidement très complexe: nous ne pouvons pas aller plus loin ici, mais le lecteur intéressé trouvera un exposé clair et intéressant dans le livre de Reddin.

12.6 HERSEY ET BLANCHARD

Comme Blake et Reddin, ces auteurs utilisent les dimensions Structure et Considération (rebaptisées comportements de tâche et comportements de relations) comme point de départ[7]. Comme bien d'autres, ils présentent au départ un tableau qui permet d'identifier quatre styles formés par la combinaison des deux dimensions du leadership. Ils empruntent à Reddin son idée d'une troisième dimension qui tient compte de l'efficacité des styles de leadership et reconnaissent également que cette efficacité dépend de la capacité qu'a le leader d'adopter le style qui convient le mieux à la situation. Ceci les amène d'ailleurs à produire un graphique à trois dimensions en tous points identique à celui de Reddin, c'est-à-dire contenant quatre styles de base qui sont neutres au départ mais qui peuvent devenir efficaces ou inefficaces selon qu'ils sont utilisés à bon ou à mauvais escient. De plus, ils définissent la situation ou l'environnement à peu près dans les mêmes termes que leur collègue canadien: l'organisation, les supérieurs, les collègues, les subalternes, les exigences de la tâche.

Contrairement à Reddin, Hersey et Blanchard se concentrent cependant sur une seule des composantes de l'environnement: les subalternes. De plus, ils s'attachent à une seule caractéristique de ces derniers: leur niveau de "maturité", défini comme "la capacité de s'imposer des objectifs élevés mais réalisables, la volonté et la capacité d'assumer des responsabilités, le niveau d'instruction et/ou d'expérience". La maturité dont parlent les auteurs est donc une variable multidimensionnelle qui inclut les éléments suivants: le besoin d'accomplissement (tel que défini par McClelland), la volonté de contribuer aux objectifs de l'organisation et la compétence nécessaire pour le faire. Selon la "théorie situationnelle du leadership" des auteurs, le leader devrait insister beaucoup sur la dimension "tâche" et très peu sur la dimension "relations" (style direction), lorsqu'il fait face à un individu ou à un groupe qui, pour un travail donné, démontre très peu de maturité. Le leader devrait ensuite diminuer ses comportements de tâche et augmenter ses comportements de relations (style persuasion) à mesure que le ou les subalternes s'approchent d'un niveau moyen de maturité. Lorsque la maturité des subalternes se situe au-dessus de la moyenne et se dirige vers le maximum, le leader devrait diminuer graduellement l'accent placé sur

---

(7) HERSEY, P. et BLANCHARD, K.H. ***Management of Organizational Behavior: Utilizing Human Resources***. Englewood Cliffs, N.J.: Prentice-Hall, 1977.

les deux dimensions (style participation) pour arriver finalement à une situation où les subalternes, ayant beaucoup de maturité, n'ont plus besoin ni des comportements de tâche ni des comportements de relations du leader (style délégation). Ceci est résumé dans le tableau 6 qui démontre que, pour chaque niveau de maturité des subalternes, le leader peut choisir le style idéal en traçant une droite qui va de la ligne de maturité à la "courbe normale".

TABLEAU 6: Théorie situationnelle de P. Hersey et K.H. Blanchard

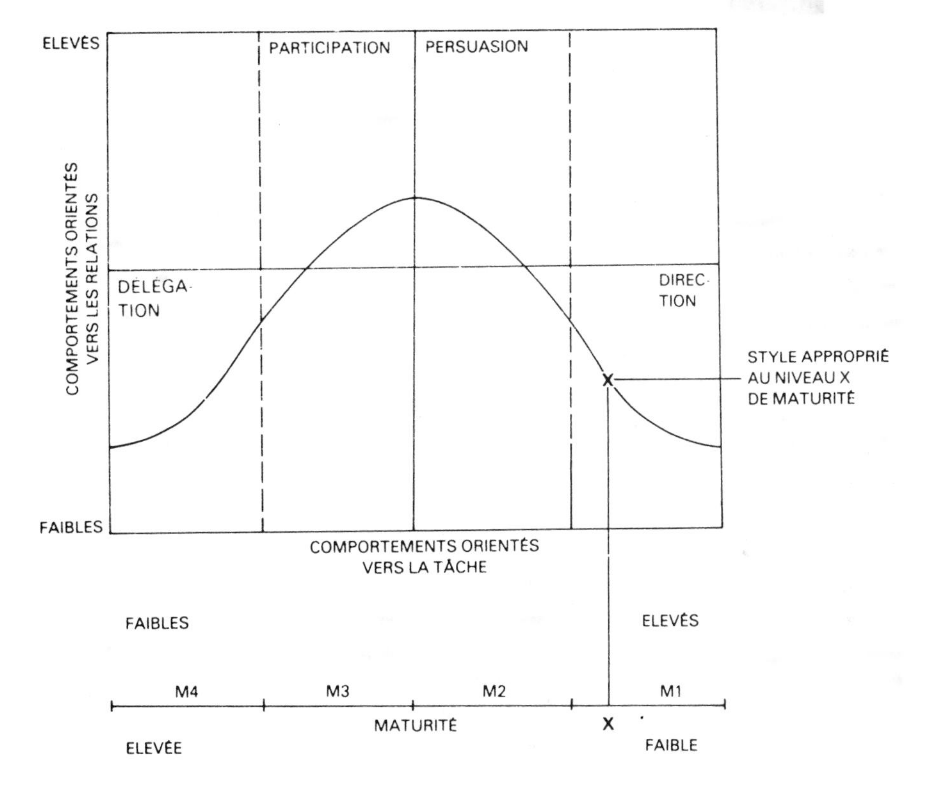

Source: HERSEY, P. et BLANCHARD, K.H.: ***Management of Organizational Behavior: Utilizing Human Resources***. Englewood Cliffs, New Jersey: Prentice-Hall, 1977.

Pour bien faire comprendre leur message, les auteurs fournissent quelques exemples. C'est ainsi qu'un professeur voulant faire connaître un sujet pour lequel les étudiants manifestent peu d'intérêt et de connaissance (maturité M1) pourrait enseigner de façon très magistrale au début (direction). Par la suite, lorsque les étudiants ont atteint le niveau M2, il pourrait organiser et diriger une discussion sur le sujet (persuasion). Au niveau M3 de maturité correspondrait un séminaire dans lequel le professeur fournirait non plus des directives mais bien un support et des conseils (participation). Lorsque les étudiants atteindraient un niveau d'intérêt et de connaissance tel qu'ils puissent et veulent agir seuls (M4), le professeur deviendrait une personne-ressource que le groupe consulte lorsqu'il le juge à propos (délégation). Selon les auteurs, une étude a démontré la supériorité d'une telle méthode d'enseignement, adaptée aux niveaux progressifs de maturité des étudiants, sur les méthodes traditionnelles. Parmi les problèmes reliés à cette théorie (mais qui ne seront pas développés ici), il faudrait mentionner le caractère arbitraire (et l'allure un peu trop symétrique...) de la courbe normale qui paraît dans le tableau 6, ainsi que le sens parfois ambiguë attribué par les auteurs aux deux dimensions du leadership.

12.7 HOUSE

Robert J. House, actuellement à l'Université de Toronto, a développé vers 1971 une théorie du leadership [8] qui prend comme point de départ la théorie de la motivation que nous avons appelée "théorie de l'expectance" [9]. Pour motiver et satisfaire un employé, le supérieur doit agir sur une ou plusieurs des composantes de ce modèle: expectance, instrumentalité, valence. Il peut, par exemple, enlever certains obstacles qui empêchent l'employé d'atteindre un haut rendement, en clarifiant ses exigences, en fournissant l'équipement requis, en aidant l'employé de diverses façons (action sur E, Expectance). Il peut également augmenter la quantité et la qualité des récompenses qui accompagnent le rendement élevé et faire en sorte que le lien rendement → récompense soit perçu de façon très claire par les employés (action sur I, Instrumentalité). Finalement, il peut choisir les récompenses qui correspondent le plus possible aux désirs des employés ou encore augmenter le désir des employés pour les récompenses dont il dispose (action sur V, Valence). Ces comportements du leader devraient non seulement motiver mais aussi satisfaire l'employé, puisqu'ils lui permettent (moyennant effort et rendement) d'obtenir les récompenses qu'il désire.

Jusqu'ici, cette théorie n'a rien de "situationnelle". Elle le devient cependant lorsque l'auteur affirme que le leader doit adopter le style qui est le plus susceptible de combler les déficiences de l'environnement en ce qui concerne E, I et V. Par exemple, l'employé qui ne croit pas qu'un effort de sa part va l'amener à faire du bon travail (faible sur E, Expectance), parce qu'il est nouveau et inexpérimenté, peut avoir grandement besoin d'un leadership directif, d'une surveillance étroite pour augmenter sa confiance en soi (et donc E); une caractéristique personnelle du subalterne sert donc ici à déterminer le style approprié. Dans une autre situation, nous pourrions avoir des employés dont la tâche est très "structurée", c'est-à-dire connue, précise, routinière, invariable. On pourrait supposer que dans ce cas un style directif serait superflu (et mal reçu), car les employés savent exactement quoi faire et comment le faire pour obtenir un bon rendement; une caractéristique de la tâche elle-même sert ici à déterminer le style approprié.

---

(8) HOUSE, R.J. "A Path-Goal Theory of Leader Effectiveness". ***Administrative Science Quarterly***, 1971, 16, 321-328. Voir également: FILLEY, A.C., HOUSE, R.J. et KERR, S. ***Managerial Process and Organizational Behavior***. Scott, Foresman and Company, 1976, 252-260.

(9) Voir le chapitre sur la motivation.

D'autres exemples pourraient être apportés pour I (Instrumentalité) et V (Valence), mais le principe reste toujours le même: le leader doit combler les déficiences de l'environnement lorsque celui-ci ne contribue pas à créer un haut niveau de motivation et de satisfaction. Si son intervention se situe en deçà ou au-delà de ce qui est requis par la situation, son comportement de leadership n'est pas approprié.

Les éléments de "la situation" auxquels l'auteur s'intéresse plus particulièrement sont:

a) les caractéristiques personnelles des subalternes;

b) le genre de tâches qu'ils doivent accomplir;

c) le système formel d'autorité de l'organisation;

d) le groupe primaire de travail.

En ce qui concerne les comportements de leadership, l'auteur a utilisé au départ les deux dimensions auxquelles nous sommes habitués (rebaptisées "leadership instrumental" et "leadership de support"). Par la suite, il a ajouté le leadership participatif et le leadership orienté vers l'accomplissement. Depuis quelques années, la théorie de House a donné lieu à plusieurs dizaines de recherches empiriques [10]. Les résultats ne sont pas tous positifs, cependant, et il faudra attendre encore un peu avant de pouvoir évaluer l'utilité réelle de cette façon d'envisager le leadership.

12.8 FIEDLER

Fred E. Fiedler, longtemps associé à l'Université d'Illinois, étudie le leadership depuis une vingtaine d'années et ce auprès de plusieurs centaines de groupes divers: officiers de marine, membres d'un orchestre, joueurs de ballon-panier, employés d'usine, équipages de bombardiers, prêtres catholiques, etc. [11]. Essentiellement, sa théorie se résume à ceci: lorsque le leader se trouve dans une situation qui lui est très favorable ou très défavorable, il devrait utiliser un style orienté vers la tâche plutôt que vers l'individu; par contre, lorsque la situation lui est plus ou moins favorable, il devrait utiliser un style orienté vers l'individu. Il est évident que ceci demande quelques explications.

Disons d'abord que Fiedler s'intéresse surtout aux groupes intradépendants, c'est-à-dire aux groupes dont les membres doivent travailler ensemble, se compléter, pour produire un résultat collectif. Un orchestre, une équipe de

---

(10) Voir par exemple: HOUSE, R.J. et DESSLER, G. "The Path-Goal Theory of Leadership: Some Post Hoc and A Priori Tests", dans HUNT, J.G. et CARSON, L.L. (eds.). ***Contingency Approaches to Leadership***. Carbondale, Illinois: Southern Illinois University Press, 1974. SCHRIESHEIM, C. et VON GLINOW, M.A. "The Path-Goal Theory of Leadership: A Theoretical and Empirical Analysis". ***Academy of Management Journal***, 1977, 20, 398-405.

(11) FIEDLER, F.E. ***A Theory of Leadership Effectiveness***. New York: McGraw-Hill, 1967.

hockey, sont des groupes intradépendants. Une autre caractéristique distinctive des travaux de Fiedler, c'est qu'il utilise pour déterminer le style de leadership d'un individu une mesure assez bizarre et très controversée: le score LPC (Least Preferred Coworker). Ce score est obtenu en présentant à l'individu une vingtaine d'adjectifs favorables et défavorables aux deux extrémités d'un continuum, comme par exemple:

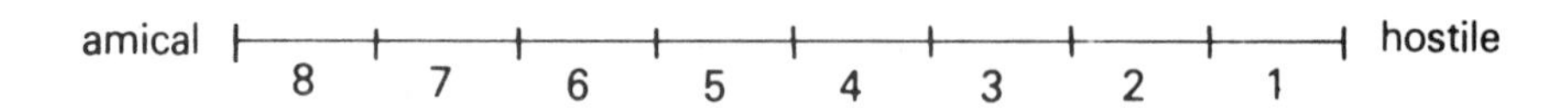

On demande alors au répondant de penser à tous les collègues de travail qu'il a connus dans sa carrière et d'évaluer, à l'aide de l'échelle LPC, l'individu avec lequel il a eu le plus de difficulté à travailler, i.e. celui qu'il a le moins aimé comme co-travailleur. Un score élevé (environ 5 ou plus) indique donc que le répondant attribue toutes sortes de bonnes qualités à une personne par ailleurs très peu appréciée en tant que collègue de travail. Un score faible (environ 2 ou moins) indique évidemment le contraire: le répondant attribue toutes sortes de défauts à cette personne peu appréciée en tant que collègue de travail. La signification exacte du score LPC est loin d'être claire, mais pour les fins du présent exposé nous nous en tiendrons à l'opinion la plus courante: un score faible indique une prédisposition à un style de leadership orienté vers la tâche, un score élevé indique un style orienté vers l'individu.Le raisonnement serait à peu près le suivant: lorsqu'un individu ne voit que des défauts à une personne avec laquelle il n'a pas pu travailler (score LPS faible), cela indique que pour lui l'aspect travail ou tâche est primordial; il déclare en fait: Je ne peux pas travailler avec lui, il n'a donc aucune qualité personnelle valable ou intéressante. Par contre, celui qui a un score LPC élevé dirait: Je ne peux pas travailler avec lui, mais ça ne l'empêche pas d'être un type formidable!

L'autre point qui demande à être éclairci, c'est ce que Fiedler entend par "situation favorable" ou "défavorable" au leader. Pour l'auteur, les trois éléments principaux qui constituent la situation sont les suivants: (a) le genre de relations interpersonnelles qui existent entre le leader et les autres membres du groupe; (b) le degré de structure ou de précision qui existe dans la tâche que le groupe doit accomplir; (c) le pouvoir formel associé à la position que le leader occupe. Une situation favorable au leader (favorable en ce sens qu'elle lui procure pouvoir et influence), serait donc celle où (a) le leader est accepté et respecté par le groupe; (b) la tâche à accomplir est claire et précise; (c) le poste occupé par le leader lui confère une grande autorité formelle, e.g. il peut engager, déplacer, congédier, récompenser, punir, augmenter ou diminuer les salaires, etc.

TABLEAU 7: Corrélation entre le score LPC du leader et le rendement de son groupe selon que la situation est très, moyennement ou très peu favorable

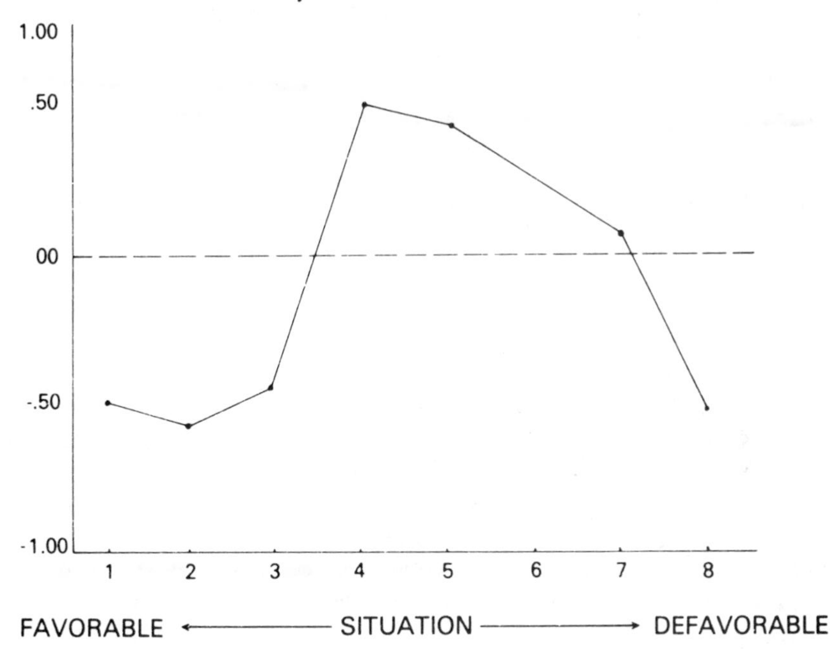

-Relations:	Bonnes	Bonnes	Bonnes	Bonnes	Pauvres	Pauvres	Pauvres	Pauvres
-Tâche:	Structurée	Structurée	Non-struct.	Non-struct.	Structurée	Structurée	Non-struct.	Non-struct.
-Pouvoir:	Elevé	Faible	Elevé	Faible	Elevé	Faible	Elevé	Faible

Source: FIEDLER, F.E. "Validation and Extension of the Contingency Model of Leadership Effectiveness: A Review of Empirical Findings". ***Psychological Bulletin***, 1971, 76, 128-148.

C'est en mesurant le score LPC de milliers de leaders, le caractère favorable ou non de leur situation, ainsi que l'efficacité réelle de leur groupe, et en plaçant tous ces résultats sur un graphique tel que celui du tableau 7, que Fiedler a élaboré sa théorie. En général, ce tableau démontre que lorsque la situation du leader lui est très favorable ou très défavorable (octants 1 et 8), il y a une corrélation négative entre le score LPC et l'efficacité du groupe. Autrement dit, dans de telles situations, un style orienté vers l'individu mène à l'échec: ce n'est pas le style approprié. Par contre, lorsque la situation est plus ou moins favorable (octants 4 et 5), le même style est approprié puisqu'il est en corrélation alors avec l'efficacité du groupe. Une explication possible de ces résultats serait la suivante: lorsque la situation lui est très favorable, le leader orienté vers la tâche réussit très bien, car les gens acceptent facilement ses directives, ses ordres, etc. Le même genre de leader réussit bien lorsque la situation est défavorable, car le groupe s'effondrerait s'il n'y avait pas quelqu'un pour prendre les choses en mains et agir avec force. Par contre, lorsque la situation est plus ou moins favorable, il faut un leader capable de composer, de convaincre, etc.: la situation n'est ni assez bonne ni assez mauvaise pour que les subalternes acceptent un leadership fort et autoritaire. Notons en passant que pour Fiedler il est plus facile de changer la situation que le style de leadership d'un individu [12]. Notons, enfin, que la liste de ses critiques est très longue [13]. On lui reproche en particulier de considérer comme concluantes des corrélations souvent non significatives, d'utiliser des échantillons trop petits, de ne pas savoir ce qu'il mesure exactement avec son fameux LPC, de considérer les styles "orientation vers la tâche" et "orientation vers l'individu" comme les deux extrémités d'un même continuum, une position rejetée par au moins deux grandes traditions de recherche, celles d'Ohio et du Michigan.

12.9 RÉSUMÉ: L'APPROCHE SITUATIONNELLE EN CE QUI CONCERNE LES DEUX DIMENSIONS "ORIENTATION VERS L'INDIVIDU" ET "ORIENTATION VERS LA TÂCHE"

Sur la base des théories résumées ici et des recherches auxquelles elles ont donné lieu, il semble permis de croire que "l'Orientation vers l'individu" aura ses plus heureuses conséquences dans les circonstances suivantes:

1. Avec des subalternes qui ont un "besoin d'affiliation" élevé, i.e. qui attachent une grande importance aux relations amicales, chaleureuses.

2. Avec des subalternes qui sont en train d'apprendre un nouveau travail ou de se familiariser avec de nouvelles responsabilités et qui ont besoin de support, de conseils, d'encouragement, de félicitations.

3. Lorsque la tâche elle-même ne procure aucune satisfaction intrinsèque, parce qu'elle est monotone, routinière, accomplie dans un environnement désagréable, etc.

4. Lorsque le subalterne travaille dans un état de stress et de frustration et cela sur une longue période.

5. Lorsque le groupe est petit et que le leader et les subalternes travaillent côte-à-côte ou sont en contact fréquent les uns avec les autres.

6. Lorsque la situation est plus ou moins "favorable" au leader (voir Fiedler).

---

(12) Voir: FIEDLER, F.E. "Engineer the Job to Fit the Manager". ***Harvard Business Review***. 1965, 43, (5), 115-122. "Leadership Experience and Leader Performance", 1970, 5, 1-14.

(13) Voir: GREAN, G., ORRIS, J.. et ALVARES, K.M. "Contingency Model of Leadership Effectiveness: Some Methodological Issues". ***Journal of Applied Psychology***. 1971, 55, 205-210. ASHOUR, A.S. "The Contingency Model of Leader Effectiveness: An Evaluation". ***Organizational Behavior and Human Performance,*** 1972, 9, 339-355.

Le leadership orienté vers la tâche, par contre, devrait produire ses meilleurs effets dans les situations suivantes:

1. Le leader possède des connaissances et une expertise nettement au-dessus de celles des subalternes en ce qui concerne le problème qui préoccupe le groupe.
2. Le subalterne est nouveau, inexpérimenté, insécure; il manifeste peu de confiance en soi et en ses capacités de bien réussir.
3. Le groupe est relativement grand et les contacts sont assez rares entre le leader et les subalternes.
4. La tâche du subalterne est vague, ambiguë, peu structurée: il ne sait pas exactement quoi faire et comment le faire pour obtenir un bon rendement (il s'agit cependant d'un travail intrinsèquement satisfaisant, justement à cause du faible degré de structure).
5. Pour toutes sortes de raisons, les subalternes s'attendent à ce que le supérieur adopte un style directif et autoritaire et acceptent cela comme normal et allant-de-soi. Ces raisons peuvent tenir à la personnalité des subalternes (e.g. la personnalité dite "autoritaire", qui aime commander mais accepte très bien d'obéir), au genre d'organisation (l'armée), etc.
6. Il s'agit d'une situation d'urgence (un feu, une bataille, un sauvetage, etc.) et les subalternes ont confiance en l'expertise et le jugement du leader.
7. Le supérieur est "fort" sur la dimension "Orientation vers l'individu". Plusieurs études ont en effet démontré que les subalternes tolèrent un degré beaucoup plus élevé de leadership directif de la part des supérieurs qui se montrent en même temps très préoccupés par le côté humain.
8. La situation est très (ou très peu) "favorable" au leader (voir Fiedler).

12.10 QUELQUES PROBLÈMES PARTICULIERS

12.10.1 Le leadership: cause ou effet?

Toutes nos discussions jusqu'ici étaient basées sur l'hypothèse que le style de leadership utilisé par le patron exerce une influence assez considérable sur la satisfaction, la motivation, le rendement du subalterne. Il serait bon cependant que le lecteur soit au courant de deux autres lignes de pensée:

a) Il y a d'abord ceux qui croient que le leadership, quel qu'il soit, ne change pas grand-chose au succès ou à l'échec d'une organisation ou d'un département [14];

---

[14] A ce sujet, voir: HALL, R.M. ***Organizations: Structure and Process***. Englewood Cliffs, N.J.: Prentice-Hall, 1972, 248.PFEFFER, J. "The Ambiguity of Leadership", dans: McCALL, M.W. et LOMBARDO, M.M. (eds.). ***Leadership: Where Else Can We Go?*** Durham, N.C.: Duke University Press, 1978.

b) Il y a ensuite ceux qui croient que le style de leadership du patron dépend du comportement des subalternes, et non pas (ou non pas seulement) vice-versa.

Cette dernière hypothèse, qui peut surprendre les administrateurs, apparaît de plus en plus plausible aux chercheurs car eux savent que dans neuf études sur dix, la relation entre les comportements du leader et ceux des subalternes a été démontrée par simple corrélation, ce qui ne nous renseigne en rien sur la direction de la causalité. De plus, la logique ou le "bon sens" semble favoriser tout aussi bien une direction que l'autre: il semblerait normal, par exemple, qu'un leader qui découvre beaucoup de compétence et de bonne volonté chez un subalterne se montre plus amical et moins directif envers lui qu'envers un employé incompétent et hostile.

Plusieurs auteurs se sont intéressés à cette question et ont voulu obtenir des réponses basées sur la recherche. Lowin et Craig, par exemple, ont imaginé une situation expérimentale assez complexe que l'on peut cependant résumer de la façon suivante[15]. En réponse à une campagne de recrutement faite dans un journal et auprès d'un service de placement étudiant, 52 hommes firent application pour agir comme surveillants d'un groupe d'employés cléricaux. Au moment de l'entrevue de sélection, l'intervieweur expliqua à chacun des candidats la nature de l'emploi offert, ainsi que le genre de travail qui serait accompli par les employés cléricaux. Il annonça également au candidat (accepté) qu'un de ses futurs subalternes avait déjà été engagé et se trouvait dans la pièce voisine, en train de dactylographier des lettres. Sous prétexte qu'il devait s'absenter pour une heure, l'intervieweur demanda ensuite au nouveau surveillant s'il pouvait voir à ce que tout fonctionne bien pendant ce temps, puis il fit venir le subalterne pour le lui présenter. Le subalterne arrive, remet à l'intervieweur des lettres qu'il vient de taper, puis retourne dans le bureau voisin.

L'intervieweur fait alors certains commentaires sur la qualité et la quantité du travail accompli par le subalterne, remet les lettres au nouveau surveillant, puis s'en va. Dans l'heure qui suit, le subalterne vient voir son nouveau surveillant à plusieurs reprises et prend l'initiative d'un nombre considérable de communications, planifiées dans les moindres détails par les chercheurs. Par exemple: il demande combien de lettres il devra taper par jour; il demande la permission d'aller chercher des cigarettes au restaurant voisin; il déclare qu'il en a assez de ce travail et commence à lire une revue qui traîne sur la table; il demande de l'aide pour trouver une chambre ou un logement. Ces comportements et quelques dizaines d'autres n'avaient évidemment qu'un seul but: observer et enregistrer les réponses et réactions du nouveau surveillant, la seule personne qui n'était pas de connivence avec les chercheurs. Les résultats démontrent l'influ-

---

(15) LOWIN, A. et GRAIG, J.R. "The influence of Level of Performance on Managerial Style: An Experimental Object-Lesson in the Ambiguity of Correlational Data". ***Organizational Behavior and Human Performance***. 1978, 3, 440-458.

ence marquée de la compétence du subalterne sur le leadership du patron. Lorsque le surveillant perçoit le subalterne comme incompétent (à cause des lettres remises au début et des commentaires de l'intervieweur), il le dirige de beaucoup plus près, se montre fort sur la dimension Structure et faible sur la dimension Considération. Par exemple: il refuse d'accorder une pause-café ou limite sa durée à moins de 10 minutes; il va voir le subalterne à plusieurs reprises dans son bureau; il examine la façon dont il s'y prend pour écrire; il considère ses suggestions comme non valables; il critique sa façon d'agir et ses arrêts de travail; il refuse de le laisser utiliser le téléphone pour des appels interurbains personnels.

TABLEAU 8: Influence du rendement antérieur des subalternes sur le comportement actuel des leaders

Comportements DU LEADER	Rendement antérieur DES SUBALTERNES	
	Élevé	**Faible**
1. Se montre sensible aux besoins et aux sentiments des employés	5.1	4.2[a]
2. Félicite le groupe lorsque le travail est bien fait	4.2	2.9
3. Fait confiance aux employés	5.1	4.2
4. Critique le travail du groupe	1.8	3.6
5. Exerce des pressions exagérées pour améliorer le rendement	2.8	3.5
6. Maintient des standards de rendement élevés	5.1	3.9
7. Encourage les membres à être fiers du groupe	4.6	3.1
8. Laisse beaucoup de liberté et d'autonomie aux employés	4.8	4.1
9. Encourage les employés à parler et les écoute avec respect	5.5	4.9
10. Communique clairement et efficacement	4.8	4.1
11. Encourage le travail en équipe	4.0	3.3

(a) Note: Toutes les différences rapportées ici sont significatives à $p < .05$ ou mieux.

Source: Adapté de: FARRIS, G.F. et LIM, F.G. "Effects of Performance on Leadership, Cohesiveness, Influence, Satisfaction and Subsequent Performance", ***Journal of Applied Psychology***, 1969, 53, 490-497.

Des résultats semblables ont été obtenus auprès de 200 étudiants du M.I.T. divisés en 50 groupes de travail. Les leaders des 20 groupes à qui on avait dit que leurs subalternes étaient nettement plus productifs que la moyenne se montrèrent plus amicaux, confiants, démocratiques, ouverts à la discussion, etc., que les leaders de 20 groupes supposément peu productifs (voir le tableau 8). Une autre étude, auprès d'étudiants de l'Université d'Indiana cette fois-ci, a démontré qu'un rendement faible chez les subalternes causait chez le leader un comportement plus punitif, plus autoritaire, plus exigeant et moins orienté vers l'individu (16). Cependant, comme d'autres études expérimentales ont démontré que le leadership peut vraiment être une cause de comportement des subalternes et non seulement un effet, nous en sommes réduits à cette conclusion peu reluisante: selon les circonstances, le leadership peut être soit une cause, soit un effet, soit même les deux à la fois (ce qui est probablement le cas le plus fréquent).

12.10.2 Le leadership: combien de dimensions?

Tout comme le chapitre précédent, celui-ci portait essentiellement sur les deux grandes dimensions identifiées par les universités d'Ohio et du Michigan: Orientation vers l'individu et Orientation vers la tâche (la Participation étant perçue comme une facette de la première ou comme une façon de combiner les deux). Il se trouve, cependant, de plus en plus d'auteurs pour critiquer fortement cette conception du leadership, conception qui découle principalement d'une méthode statistique (l'analyse factorielle). Voici quelques citations sur ce sujet:

> "Nous sommes pendus au crochet de ces deux dimensions, quels que soient les noms qu'on leur donne et nous (les chercheurs) sommes les seuls à blâmer pour cet état de chose" (17).

> "Invariablement, lorsque j'ai essayé d'enseigner les théories du leadership à des administrateurs, ils se sont rebiffés devant les contraintes imposées par le petit nombre d'alternatives offertes en termes de comportements" (18).

---

(16) BARROW, J.C. "Worker Performance and Task Complexity as Causal Determinants of Leader Behavior Style and Flexibility". ***Journal of Applied Psychology***, 1976, 61, 433-440. Voir également:

GREENE, C.N. "The Reciprocal Nature of Influence between Leader and Subordinate". ***Journal of Applied Psychology***, 1975, 60, 187-193.

(17) KARMEL, B. "Leadership: A Challenge to Traditional Research Methods and Assumptions". ***Academy of Management Review,*** 1978, 3, 478.

(18) PONDY, L.R. "Leadership is a Language Game", dans: McCALL, M.W. et LOMBARDO, M.M. (eds.). ***Leadership: Where Else Can we Go?*** Durham. N.C.: Duke University Press, 1978, 90.

TABLEAU 9: Les dimensions du leadership telles que vues par plusieurs auteurs

	Fleishman, Harris et Burtt 1955	Kahn 1956	Kahn et Katz 1960	Cartwright et Zander 1960	Likert 1961	Bowers et Seashore 1966	Yukl 1971	Bass et Valenzi 1974	House 1976	Solution suggérée
Orientation vers la tâche	Structure	Orientation vers la tâche	Différenciation de rôle	Recherche des objectifs	Facilitation de la tâche des subalternes	Facilitation du travail	Structure	Direction	Leadership instrumental	Direction et encadrement
	Accent sur le rendement				Établissement d'objectifs élevés	Orientation vers les objectifs			Orientation vers les objectifs	Encouragement à l'excellence
Orientation vers l'individu	Considération	Orientation vers l'employé	Orientation vers l'employé		Relations de support	Relations de support	Considération	Manipulation	Leadership de support	Relations humaines
			Surveillance générale		Réceptivité quant aux suggestions. Participation		Participation	Consultation Participation Délégation	Participation	Participation
	Perception des rapports sociaux		Relations de groupe	Création d'un groupe cohésif	Gestion orientée sur le groupe	Aide à l'interaction				Encouragement au travail d'équipe

Source: BERGERON, J.L. "Les dimensions conceptuelles du leadership et les styles qui en découlent". ***Relations industrielles***, 1979, vol. 34, n° 1, p. 22-40.

> "La plupart des études sur le leadership se sont bornées à seulement deux de ses dimensions. Intuitivement, on peut dire que cette approche ne peut pas être supportée et elle a effectivement reçu de nombreuses critiques" [19].
>
> "La pratique du leadership et la formation des leaders exigent une solution à plus que deux facteurs" [20].

Le tableau 9 résume 25 années de théorie et de recherche sur cette question du nombre et de la nature des "dimensions du leadership". Pour tenir compte de l'insatisfaction démontrée par les citations rapportées ci-dessus, il propose également une solution qui consisterait à subdiviser les deux grandes dimensions habituelles (à gauche du tableau) en cinq dimensions plus précises (à droite du tableau). Quelques-uns des item utilisés dans une recherche pour mesurer ces cinq dimensions apparaissent au tableau 10, ce qui devrait permettre au lecteur de mieux saisir la définition ou la mesure exacte de chaque dimension. Il faut bien noter, cependant, le caractère "expérimental" de tout ceci: la preuve n'a pas encore été faite que les subalternes sont capables de séparer toutes ces dimensions (dans leur esprit... et sur un questionnaire) lorsqu'ils décrivent les comportements de leur supérieur [21].

---

(19) SCHRIESHEIM, C.A. et KERR, S. "Theories and Measures of Leadership: A Critical Appraisal of Current and Future Directions", dans: HUNT, J.G. et LARSON, L.L. (eds). ***Leadership: The Cutting Edge***. Carbondale, Illinois: Southern Illinois University Press, 1977, 43.

(20) BASS, B.M., FARROW, D.L., VALENZI, E.R. et SOLOMON, R.J. "Management Styles Associated with Organizational Contingencies". ***Journal of Applied Psychology***, 1975, 60, 720-729.

(21) Pour avoir l'opinion de quelqu'un qui croit que cela n'a aucune importance, voir la référence n° 20 ci-dessus.

TABLEAU 10: Quelques-uns des item utilisés pour mesurer cinq dimensions du leadership.

1. **Direction et encadrement**

   a) Il indique clairement aux employés ce qu'il attend d'eux;
   b) Il organise et coordonne le travail de son département;
   c) Il établit un plan ou programme précis pour le travail à faire;
   d) Il exige que les employés observent les règlements établis;
   e) Il fait respecter des standards de qualité et de rendement bien précis.

2. **Relations humaines**

   a) Il est juste et honnête envers les employés;
   b) Il est amical et facile à approcher;
   c) Il se préoccupe du bien-être et des besoins des employés;
   d) Il traite tous les employés comme ses égaux;
   e) Si un changement doit être fait, il prévient les employés longtemps d'avance.

3. **Encouragement à l'excellence**

   a) Il exige que les employés fournissent un rendement élevé;
   b) Il encourage les employés à travailler fort et à donner le meilleur d'eux-mêmes;
   c) il donne lui-même l'exemple d'un travail constant et bien fait;
   d) Il essaie d'amener les employés à travailler aussi bien qu'ils en sont capables.

4. **Encouragement au travail d'équipe**

   a) Il encourage ses subalternes à travailler ensemble et à former une équipe unie;
   b) Il convoque des rencontres au cours desquelles lui et les employés peuvent discuter de tous les problèmes;
   c) Il essaie de régler les problèmes et les conflits qui peuvent survenir entre les employés;
   d) Il essaie de créer un "esprit de corps" ou un sentiment de groupe dans son département.

5. **Participation**

   a) Lorsqu'il fait face à un problème, il consulte ses subalternes;
   b) Avant de faire un changement, il demande l'opinion des employés;
   c) Il invite les employés à participer aux décisions qui les concernent.

Source: BERGERON, J.L. "La satisfaction au travail: résultats d'une recherche effectuée en milieu hospitalier". ***Administration hospitalière et sociale***, Mai-juin 1978, 35-41.

SUJETS D'ÉTUDE ET DE DISCUSSION

1. Expliquez les différences fondamentales qu'il y a entre les auteurs vus dans ce chapitre-ci et ceux dont il a été question dans le chapitre précédent.
2. Décrivez cinq situations qui pourraient se produire à l'usine, au bureau et à l'université et où un leadership participatif ne serait pas approprié.
3. Quelles distinctions fondamentales faites-vous entre Blake et Reddin? Entre House et Fiedler?
4. Selon Fiedler, un administrateur devrait être fortement orienté vers la tâche lorsque la "situation" lui est très défavorable. Croyez-vous que cela a du sens?
5. Tous les auteurs de ce chapitre parlent de l'importance de la "situation". Comparez leurs diverses façons de définir celle-ci, i.e. quels éléments ils y incluent.
6. Dans une classe universitaire, le "style de leadership" du professeur détermine-t-il le comportement des étudiants... ou est-ce l'inverse?

BIBLIOGRAPHIE SUPPLÉMENTAIRE

CALDER, B.J. "An Attribution Theory of Leadership" dans: STAW. B et SALANCIK, G. (eds). ***New Directions in Organizational Behavior***. Chicago: St-Clair Press, 1976.

DOWNEY, H.K., SHERIDAN, J.E. et SLOCUM, J.W. "The Path-Goal Theory of Leadership: A longitudinal Analysis". ***Organizational Behavior and Human Performance***, 1976, 16, 156-176.

FIEDLER, F.E. et CHEMERS, N.M. ***Leadership and Effective Management***. New York: Scott Foresman, 1974.

FIELD, R.H. "A Critique of the V·oom-Yetton Contingency Model of Leadership Behavior". ***Academy of Management Review***, 1979, 4, 249-257.

FLEISHMAN, E.A. et HUNT, J.G. (eds). ***Current Developments in the Study of Leadership Behavior,*** Carbonale: Southern Illinois University Press, 1973.

GRIFFIN, R.W. "Task Design Determinants of Effective Leader Behavior". ***Academy of Management Review,*** 1979, 4, 215-224.

HALAL, W.E. "Toward a General Theory of Leadership". ***Human Relations,*** 1974, 27, 401-416.

HELLER, F. et YUKL, G. "Participation,Managerial Decision-Making, and Situational Variables". ***Organizational Behavior and Human Performance***, 1969, 4, 227-241.

HILL, W.A. "Leadership Style: Rigid or Flexible". ***Organizational Behavior and Human Performance,*** 1973, 9, 35-47.

HUNT, J.G. et LARSON, L.L. (eds). ***Contingency Approaches to Leadership***. Carbondale, Illinois: Southern Illinois University Press, 1974.

HUNT, J.G. et LARSON L.L. (eds). ***Leadership Frontiers.*** Carbondale, Illinois: Southern Illinois University Press, 1975.

HUNT, J.G. et LARSON, L.L. (eds). ***Leadership: The Cutting Edge***. Carbondale, Illinois: Southern Illinois University Press, 1977.

KERR, S., SCHRIESCHEIM, C.A., MURPHY, C.J. et STOGDILL, R.M. "Toward a Contingency Theory of Leadership Based upon the Consideration and Initiating Structure Literature". ***Organizational Behavior and Human Performance***, 1974.

KORMAN, A.K. "On the Development of Contengincy Theories of Leadership: Some Methodological Considerations and a Possible Alternative". ***Journal of Applied Psychology***, 1973, 58, 384-387.

McCALL, N.W. et LOMBARDO, M.M. ***Leadership: Where Else Can we Go?*** Durham, N.C.: Duke University Press, 1978.

PFEFFER, J. "The Ambiguity of Leadership". ***Academy of Management Review***, 1977, 2, 104-112.

REDDIN, W.J. "The Three-Dimentional Grid". ***The Canadian Personnel and Industrial Relations Journal,*** 1966, 13, 13-20.

SCHRIESHEIM, C.A. et MURPHY, C.J. "Relationship Between Leader Behavior, Subordinate Satisfaction and Performance: a Test of some Situational Moderators". ***Journal of Applied Psychology,*** 1976, 61, 634-641.

CHAPITRE 13

LE CLIMAT ORGANISATIONNEL ET LA SATISFACTION AU TRAVAIL*

13.1 LE CLIMAT ORGANISATIONNEL

13.1.1 Une définition

Il arrive assez souvent que l'on entende des remarques du genre "je quitte cette entreprise parce que le climat est insoutenable" ou encore "j'aime travailler dans ce département parce que l'atmosphère y est formidable". Bien que ces phrases décrivent souvent l'état des relations interpersonnelles dans une organisation ou dans une unité de cette organisation, on peut supposer que bien d'autres facteurs entrent en jeu pour créer un "climat" bon ou mauvais: les politiques de rémunération et de promotion, la répartition du pouvoir décisionnel entre les départements et entre les niveaux hiérarchiques, la nature du travail, les conditions physiques telles que le bruit ou la chaleur, etc. Il apparaît donc clairement que le climat organisationnel est un concept multidimensionnel, c'est-à-dire composé de plusieurs facettes ou éléments (comme la personnalité par exemple).

Parmi les autres caractéristiques du climat organisationnel, il faut également mentionner les suivantes. (a) Bien que le climat d'une organisation ou d'un département puisse être changé par divers moyens, il conserve ordinairement un certain "air de permanence": il ne change pas à tous les jours ni même à tous les mois; il confère en fait une certaine "personnalité" à l'organisation et la distingue des autres d'une façon assez stable (ceci vaut également pour la "personnalité" d'un individu). (b) Bien que le climat d'une organisation décrive ordinairement certaines caractéristiques objectives et observables de celle-ci, il ne faut jamais oublier que ces caractéristiques sont rapportées par des individus qui, la plupart du temps, sont des membres de l'organisation: il s'agit donc d'un phénomène de "perception", avec tous les biais que cela suppose. (c) On admet ordinairement que la perception du climat que se font les employés exerce une influence considérable sur leurs comportements: décision de quitter l'entreprise

---

* Chapitre rédigé par Jean-Louis Bergeron.

ou d'y rester, niveau de rendement, qualité du travail accompli, nombre de griefs, etc.; si on étudie le climat d'une organisation, ça n'est donc pas par simple curiosité intellectuelle ou scientifique.

A partir de ces éléments (et d'une dizaine de définitions suggérées par divers auteurs), on peut donc définir le climat organisationnel comme suit: un ensemble de caractéristiques objectives et relativement permanentes de l'organisation, décrites telles que perçues par les membres de l'organisation, et qui servent à donner une certaine personnalité à l'organisation tout en influençant le comportement et les attitudes des membres. Il faut bien admettre, cependant, que cette définition "cache" plusieurs problèmes difficiles qui méritent qu'on s'y attache plus longuement. Parmi ceux-ci, il y a la question de "la perception vs la réalité", les dimensions du climat organisationnel, les conséquences d'un bon ou d'un mauvais climat sur le rendement et sur la satisfaction au travail.

13.1.2 La perception vs la réalité du climat organisationnel

Le problème qui se pose ici, c'est que lorsque nous demandons aux membres d'une organisation de décrire le climat de celle-ci, ils décrivent non pas ce qui "est" mais ce qu'ils "voient". Il devient évident, à ce moment-ci, que divers groupes d'employés peuvent percevoir différents "climats", sans qu'il soit possible de mettre le doigt sur le climat réel et objectif de l'entreprise.

Pour illustrer ceci, un auteur (1) a séparé les employés d'une entreprise de conseillers en administration en deux blocs distincts: ceux qui avaient entre six mois et deux ans d'ancienneté et ceux qui étaient dans l'entreprise depuis trois ans ou plus. Ayant demandé à tous ces gens de décrire le climat de l'organisation, il a obtenu des réponses très différentes sur plusieurs points. Les "jeunes" voyaient l'organisation comme beaucoup plus rigide et impersonnelle; ils percevaient également une structure autoritaire et hiérarchique dans l'allocation du pouvoir de décision; finalement, ils considéraient que l'organisation était beaucoup plus préoccupée de ses besoins (efficacité, rendement, profits) que des besoins de ses membres. Les "vieux", par contre, décrivaient l'organisation comme flexible, fortement orientée vers l'individu et les relations interpersonnelles, non autoritaire et préoccupée de l'intégration des objectifs des membres avec ceux de l'entreprise. Dans une autre entreprise, d'autres chercheurs (2) ont comparé le climat tel que perçu par les cadres avec le climat tel que perçu par les employés. L'entreprise décrite par les cadres était plus démocratique, plus amicale et plus ouverte à l'innovation que celle décrite par les employés. Après avoir examiné une dizaine d'études de ce genre, deux autres auteurs en sont arrivés à

---

(1) JOHNSON, H.R. "A New Conceptualization of Source of Organizational Climate". ***Administrative Science Quarterly***, 1976, 21, 95-103.

(2) PAYNE, R. et MANSFIELD, R. "Relationships of Perceptions of Organizational Climate to Organization Structure, Context, and Hierarchical Position". ***Administrative Science Quarterly***, 1973, 18, 515-526.

la conclusion que la perception d'un climat différent à différents niveaux de la hiérarchie est un phénomène courant et bien démontré (3), même s'il n'est pas universel (4).

A partir d'études de ce genre, certains auteurs en sont arrivés à dire que le climat organisationnel n'existe pas en tant que réalité objective et que tout se passe dans la tête de l'employé. D'autres se sont demandés s'il n'y avait pas finalement autant de "climats" qu'il y a de membres dans l'organisation. Nous croyons que ces positions sont trop extrêmes et ne tiennent pas compte de toutes les recherches qui ont été faites sur le sujet. Deux auteurs, par exemple, ont procédé de la façon suivante: ils ont identifié deux organisations qui étaient manifestement et "objectivement" très différentes sur plusieurs critères mesurables (le nombre et la précision des règlements de toutes sortes, le nombre de niveaux hiérarchiques, la présence ou l'absence de décisions de groupe, etc); ayant ensuite demandé aux employés des deux organisations de décrire le climat, ils ont obtenu des réponses très différentes et reliées de près aux mesures objectives: un climat démocratique dans un cas, autoritaire dans un autre (5).

Pour essayer d'échapper au dilemme "perception vs réalité", il faut d'abord reconnaître **qu'il existe une réalité objective** qui caractérise chaque organisation dans son ensemble et qui la distingue des autres: sa structure (e.g. le nombre de niveaux hiérarchiques), ses politiques (e.g. de rémunérations, de promotions), ses bénéfices marginaux (e.g. pension, assurances), sa technologie (e.g. travail à la chaîne vs travail de bureau). Il existe également une autre réalité objective qui se situe au niveau de chaque section ou département et entre ceux-ci: le style de leadership propre à chaque patron, la présence ou l'absence de conflits de personnalité et de rôle, etc. Dans la plupart des cas, ces réalités objectives devraient influencer la perception qu'ont les gens du climat dans lequel ils vivent, et il devrait donc y avoir convergence ou similarité entre la réalité et la perception. Il faut reconnaître que cette convergence ne sera jamais parfaite, cependant, et ceci pour deux raisons: (a) les observateurs de la réalité ne sont pas tous placés au même endroit et par conséquent ils observent des facettes différentes (tout comme les témoins d'un accident); (b) les observateurs ne possèdent pas tous les mêmes "lunettes" (i.e. valeurs, attitudes, attentes,

---

(3) HELLRIEGEL, D. et SLOCUM, J.W. "Organizational Climate: Measures, Research and Contingencies". ***Academy of Management Journal***, 1947, 17, 255-280.

(4) Notons, par exemple, cette autre étude au cours de laquelle aucune différence significative n'a été découverte entre le climat d'un hôpital tel que perçu par les administrateurs et par les infirmières: LYON, H.L. et IVANCEVICH, J.M. "An Exploratory Investigation of Organization Climate and Job Satisfaction in a Hospital". ***Academy of Management Journal***, 1974, 17, 635-648.

(5) PAYNE, R. et PHEYSEY, D. "G.G. stern's Organizational Climate Index: A Reconceptualization and Application to Business Organizations". ***Organizational Behavior and Human Performance,*** 1971, 6, 77-98.

besoins): certaines de ces lunettes colorent la réalité en rose, d'autres la colorent en noir!

Finalement, il faut bien garder à l'esprit que si la réalité influence la perception, c'est la perception qui influence le comportement. Toute perception négative (et assez généralisée) doit donc être modifiée, même si elle ne réflète pas parfaitement la réalité objective. Comme point de départ, il faut cependant nous attacher aux dimensions objectives qui peuvent influencer le climat et rendre celles-ci aussi adéquates que possible pour que **la majorité** des membres perçoivent le climat comme sain.

13.1.3 Les dimensions du climat organisationnel

Si tous les auteurs sont d'accord pour dire que le climat organisationnel perçu par l'employé résulte d'une évaluation (plus ou moins consciente) qu'il fait de plusieurs facteurs, tous ne sont pas d'accord sur l'identification exacte de ces facteurs ou dimensions. Voici donc quelques-uns de ces auteurs et leurs "dimensions préférées".

1. Litwin et Stringer (6):
   a. ***Structure***, i.e. les règles, procédures et contraintes bureaucratiques imposées par l'organisation;

   b. ***Responsabilité***, i.e. l'autonomie laissée à l'employé et les possibilités qu'il a d'être son propre patron;

   c. ***Récompenses***, i.e. la relation entre l'effort, le rendement et les récompenses accordées par l'entreprise;

   d. ***Risque***, i.e. les défis que le travail présente et que l'employé peut ou doit relever;

   e. ***Chaleur et support***, i.e. le niveau de confiance mutuelle dans l'entreprise et l'aide réciproque que les gens s'accordent;

   f. ***Tolérance***, .i.e. la possibilité d'exprimer son opinion même si elle diffère de celles des autres;

   g. ***Objectifs***, i.e. la présence d'objectifs élevés et de standards exigeants;

   h. ***Identité***, i.e. l'impression de faire partie d'une équipe et d'y apporter une contribution importante.

2. Pritchard et Karasick (7):
   a. ***Autonomie***, i.e. la liberté laissée aux gens de travailler comme ils l'entendent;

---

(6) LITWIN, G.H. et STRINGER, R.A. ***Motivation and Organizational Climate***. Boston: Harvard University Press, 1968.

(7) PRITCHARD, R.D. et KARASICK, B.W. "The Effects of Organizational Climate on Managerial Job Performance and Job Satisfaction". ***Organizational Behavior and Human Performance,*** 1973, 9, 126-146.

b. ***Conflit vs coopération***, i.e. la compétition ou la collaboration qui existe entre individus et départements;

c. ***Relations sociales***, i.e. le point auquel l'atmosphère est amicale et chaleureuse;

d. ***Structure***, i.e. l'abondance des règlements, procédures, manuels d'opération, etc.;

e. ***Niveau des récompenses***, i.e. salaires, bénéfices marginaux, etc.;

f. ***Lien rendement-récompenses***, i.e. le point auquel les récompenses sont justes, impartiales et données à ceux qui les méritent par leur rendement;

g. ***Motivation à l'excellence***, i.e. la recherche, par l'organisation et par ses membres, de l'excellence et de la supériorité sur les concurrents;

h. ***Différenciation de statut***, i.e. la présence de distinctions assez nettes entre les niveaux hiérarchiques quant aux signes extérieurs et psychologiques de statut ou de prestige;

i. ***Flexibilité et innovation***, i.e. la volonté d'essayer de nouvelles façons de faire les choses, d'expérimenter des nouvelles méthodes, des nouveaux produits;

j. ***Centralisation des décisions***, i.e. la présence ou l'absence d'un effort de délégation et de gestion participative;

k. ***Support***, i.e. le point auquel l'organisation s'intéresse aux gens, à leurs projets et à leurs besoins.

Plutôt que d'allonger cette liste inutilement, mentionnons simplement quelques dimensions qui n'apparaissent pas ci-dessus, mais qui ont été suggérées par d'autres (8):

a. ***l'équipement*** et le matériel fournis aux employés;

b. ***l'espace*** physique accordé à chaque employé;

c. ***la compétence*** et le professionalisme des cadres et des employés;

d. ***les valeurs*** des cadres et des employés.

Il existe évidemment plusieurs façons de regrouper tous ces éléments.

---

(8) Voir par exemple: NEWMAN, J.E. "Development of a Measure of Perceived Work Environment (PWE)". ***Academy of Management Journal***, 1977, 20, 520-534. HALPIN, A.W. et CROFT, D.B. ***The Organizational Climate of Schools***. University of Chicago Press, 1963. SCHNEIDER, B. et BARTLETT, C.J. "Individual Differences and Organizational Climate. I. The Research Plan and Questionnaire Development". ***Personnel Psychology***, 1968, 21, 323-334.

La plus connue est sans doute celle de Campbell, Dunnette, Lawler et Weick [9] qui considèrent que la plupart des item mentionnés pourraient être intégrés à l'une ou l'autre des quatre dimensions suivantes:

a. Autonomie dans le travail

b. Structure et règlements

c. Récompenses

d. Relations interpersonnelles.

Une autre classification possible serait la suivante [10]:

a. Les gens

b. La structure

c. La tâche

d. La technologie

Finalement, nous pourrions également utiliser les blocs suivants [11]:

a. Les comportements (e.g. le style de leadership).

b. La structure (e.g. le nombre de niveaux hiérarchiques).

c. Les processus (e.g. l'évaluation du rendement, la prise de décision, les modes de rémunération).

Bien que tout ceci soit déjà assez complet (et assez compliqué...) nous ne pouvons pas "résister à la tentation" de suggérer notre propre série de dimensions susceptibles de déterminer le climat organisationnel:

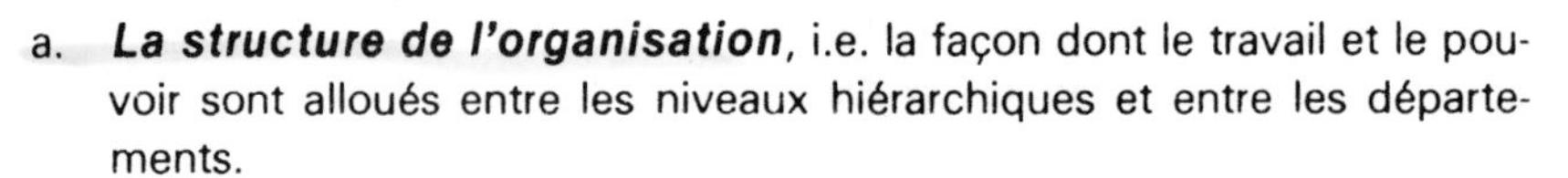

a. ***La structure de l'organisation***, i.e. la façon dont le travail et le pouvoir sont alloués entre les niveaux hiérarchiques et entre les départements.

b. ***Les politiques et procédures de l'organisation*** concernant les salaires, les promotions, l'allocation des ressources, les bénéfices marginaux, etc.

c. ***Le leadership*** et l'importance attachés aux cinq dimensions mentionnées précédemment: Direction et Encadrement, Relations humaines, Participation, etc. (voir chapitre "Leadership II").

---

(9) CAMPBELL, J.P., DUNNETTE, M.D., LAWLER, E.E. et WEICK, K.E. ***Managerial Behavior, Performance and Effectiveness***. New York: McGraw-Hill, 1970. Voir chapitre 16: "Environmental Variation and Managerial Effectiveness".

(10) HELLRIEGEL et SLOCUM, ***op. cit.***, 261.

(11) GIBSON, J.L., IVANCEVICH, J.M. et DONNELLY, J.H. ***Organizations: Behavior, Structure, Process***. Dallas, Texas: Business Publications Inc., 1979, 525.

d. ***Les relations interpersonnelles et intergroupes.***

e. ***Le travail lui-même*** et les conditions dans lesquelles il s'effectue.

13.1.4 Conséquences du climat organisationnel

Il faut séparer ces conséquences en deux blocs: impact sur le rendement d'une part, sur la satisfaction d'autre part.

1. ***Impact sur le rendement***

L'une des premières études sur ce sujet fut faite, en laboratoire, par Litwin et Stringer [12]. Ces auteurs créèrent trois "entreprises" de 15 membres chacune dont la tâche consistait à concevoir, à construire et à vendre des modèles réduits fabriqués à partir d'un jeu de meccano. Les trois "présidents" reçurent instruction de créer, par leur style de leadership, trois climats très différents: (a) un climat autoritaire et bureaucratique (on insiste sur des descriptions de tâches précises, sur les règlements, sur le sérieux et l'ordre, sur les communications formelles, sur la discipline); (b) un climat démocratique et amical (on insiste sur les bonnes relations, sur la coopération et l'esprit d'équipe, sur la participation aux décisions, sur les rencontres informelles); (c) un climat de dépassement et d'excellence (on insiste sur l'établissement d'objectifs élevés pour le groupe et pour chaque individu, on encourage la créativité et l'innovation, on encourage un rendement élevé par toutes sortes de récompenses: approbation, promotions, augmentations des salaires. Le "jeu" dura deux semaines. En termes de productivité, d'innovations, de coûts et de profits, c'est la troisième entreprise (climat de dépassement et d'excellence) qui l'emporta. Retenons cependant(pour la section suivante sur la relation climat-satisfaction), que ce sont les employés de la deuxième entreprise qui furent les plus satisfaits (climat démocratique et amical).

Dans une autre étude très différente, Schneider [13] demanda aux clients d'une banque d'évaluer le climat organisationnel de la banque tel qu'ils le percevaient (e.g. l'atmosphère est amicale, les employés s'aident entre eux, ils ont l'air heureux, etc.). Il découvrit ensuite que l'intention des clients de changer ou de ne pas changer de banque dépendait plus de leur perception du climat que de d'autres données "objectives" telles que la proximité de la banque, la longueur des files d'attente, etc. Dans une troisième étude faite auprès des cadres d'une chaîne américaine, Pritchard et Karasick [14] découvrirent que les branches ou unités les plus efficaces avaient un climat différent de celui des autres branches:

---

(12) LITWINet STRINGER, ***op. cit.***

(13) SCHNEIDER, B. "The Perception of Organizational Climate: The Customer's view". ***Journal of Applied Psychology***, 1973, 57, 248-256.

(14) PRITCHARD et KARASICK. ***op. cit.***

moins de Structure, plus de Flexibilité-Innovation, moins de Centralisation des décisions, etc.

Une dizaine d'autres études ont obtenu des résultats semblables [15]. Ce qu'il faut bien noter, cependant, c'est l'aspect "situationnel" de la relation climat-rendement. Ce que cela veut dire, c'est qu'un climat qui produit de bons résultats avec certains groupes et certains types d'employés peut s'avérer beaucoup moins efficace dans d'autres circonstances. Il serait donc erroné d'affirmer qu'un certain type de climat est "meilleur" partout et toujours (la même conclusion s'appliquait, on s'en souvient, au style de leadership).

2. *Impact sur la satisfaction*

Un grand nombre d'études ont permis de découvrir une corrélation entre le climat organisationnel et la satisfaction au travail. De là à dire que le climat "cause" la satisfaction, il y a cependant un grand pas qui n'est pas franchi aussi facilement, et ce pour deux raisons: (a) Il y a d'abord certains auteurs qui prétendent que le climat (tel que perçu par les employés) est à toutes fins pratiques "la même chose" que la satisfaction. Le principal argument de ces auteurs (et il est de taille!), c'est que les questions que l'on utilise pour mesurer le climat sont souvent empruntées à des questionnaires construits pour mesurer la satisfaction: il n'est donc pas surprenant que les deux mesures soient reliées entre elles. (b) D'autres auteurs perçoivent le climat et la satisfaction comme deux choses distinctes, mais prétendent que c'est la satisfaction qui "cause" la perception du climat: lorsqu'on est satisfait, "on voit la vie en rose" et on en conclut que la structure, les politiques, le leadership de l'organisation sont très convenables!

Cette discussion peut devenir rapidement très technique (et sans doute très ennuyante pour l'administrateur qui a d'autres soucis que les disputes académiques!). La position adoptée ici (et supportée par certaines recherches [16]) est la suivante: (a) il existe, comme nous l'avons dit plus tôt, **une "réalité objective"** constituée de la structure, des politiques, etc., de l'organisation; (b) **la perception** que les gens se font de cette réalité et **la description** qu'ils en donnent constituent le climat de l'organisation; (c) **l'évaluation** qu'ils font de ce climat (en fonction de leurs attentes, de leurs désirs, de leurs besoins) détermine leur niveau de satisfaction. Nous maintenons donc une distinction conceptuelle

---

(15) Voir HELLRIEGEL et SLOCUM. ***op. cit.***, 263, pour la liste de ces études.

(16) Voir la recherche de LITWIN et STRINGER, ***op. cit.,*** ainsi que: SCHNEIDER, B. et SYNDER, R.A. "Some Relationships Between Job Satisfaction and Organizational Climate". ***Journal of Applied Psychology,*** 1975, 60, 318-328. HAND, H.H., RICHARDS, M.D. et SLOCUM, J.W. "Organizational Climate and the Effectiveness of a Human Relations Training Program".***Academy of Management Journal***, 1973, 16, 185-195. LA FOLETTE, W.R. et SIMS, H.P. "Is Satisfaction Redundant with Organizational Climate?". ***Organizational Behavior and Human Performance,*** 1975, 13, 257-278.

(et empirique) entre climat et satisfaction et nous suggérons une relation de cause à effet entre le climat et la satisfaction (avec certaines réserves, car ceci demeure non prouvé). Le tableau 1 résume cette position.

TABLEAU 1: Relations entre "la réalité", "le climat" et "la satisfaction au travail"

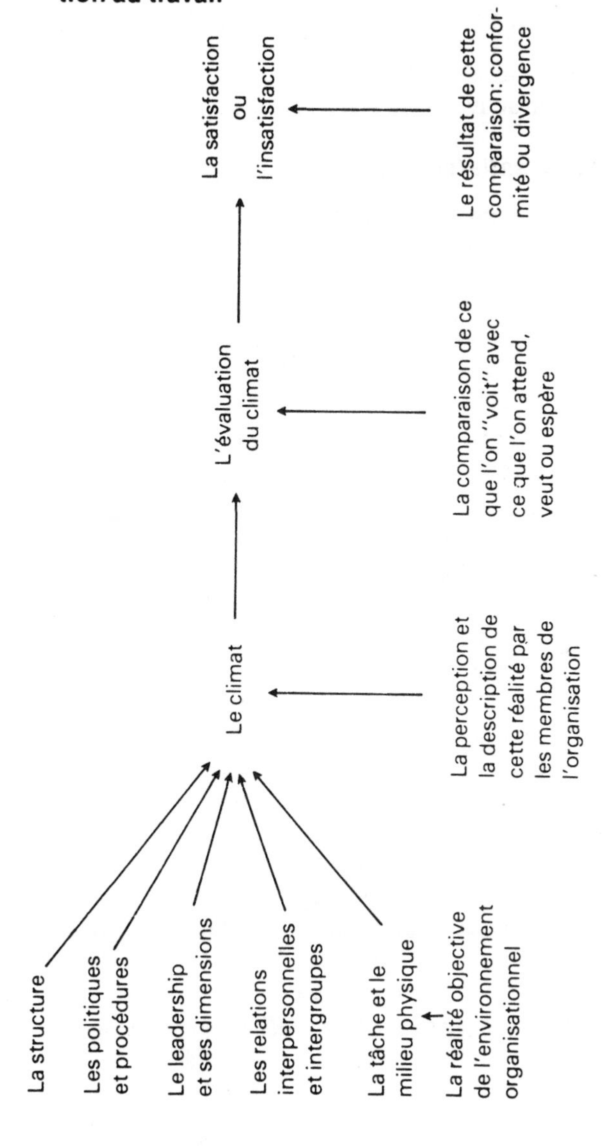

Source: BERGERON, J.L. "Le climat organisationnel et la satisfaction au travail dans un bureau régional du ministère des Transports (Province de Québec)". Document de recherche non-publié, Université de Sherbrooke, 1976.

13.2 LA SATISFACTION AU TRAVAIL

A première vue, il semblerait que ce sujet ne représente aucun problème particulier: demandons aux employés s'ils sont satisfaits (tout le monde sait ce que cela veut dire), corrigeons les aspects sur lesquels ils ne le sont pas et nous aurons alors un personnel satisfait et, (cela va de soi), productif! Malheureusement, les choses sont loin d'être aussi simples, comme nous le verrons dans les sections suivantes.

13.2.1 La nature de la satisfaction au travail

En premier lieu, il faut bien admettre que "tout le monde" n'est pas du tout d'accord sur le sens exact de l'expression "être satisfait" et sur les causes immédiates de cet état psychologique. Pendant un certain temps, on a cru que la satisfaction par rapport à une facette de l'emploi (e.g. le salaire) était proportionnelle à la "quantité" de cette facette: un employé qui gagne $15,000. par année serait donc nécessairement plus satisfait de son salaire qu'un employé qui gagne $12,000. Il est bien évident que ceci est faux et qu'il faut faire entrer un autre élément dans l'équation: cet élément, c'est **la comparaison** entre ce qui existe (e.g. le salaire reçu) et... quelque chose d'autre. C'est sur ce "quelque chose" que les auteurs se sont pas d'accord.

Pour certains, la satisfaction résulte d'une comparaison faite par l'employé entre **ce qu'il reçoit** de son emploi et **ce qu'il lui faut pour combler ses besoins** physiques et psychologiques. Cette approche est rejetée par plusieurs, pour les raisons suivantes: (a) Les employés sont rarement conscients de leurs besoins réels, i.e. de ce qu'il leur faut vraiment pour survivre et pour s'épanouir sur les plans physique et psychologique. Rares sont les adultes qui "ressentent" un besoin de vitamine C, ou les enfants qui "ressentent" le besoin d'une certaine discipline, même si ces deux choses sont essentielles à l'existence et à un développement normal. (b) Cette façon de concevoir la satisfaction ne semble pas correspondre à ce que nous observons tous les jours: des gens dont tous les vrais besoins semblent être comblés et qui pourtant se déclarent insatisfaits (le cadre qui se plaint de son salaire de $40,000. par année); et l'inverse, des gens dont le travail ruine la santé et la vie familiale et qui pourtant se disent satisfaits de leur emploi. Les besoins, lorsque le terme est pris dans son sens strict, ne semblent donc pas être un point de comparaison valable. Un autre point de comparaison rejeté par plusieurs est le suivant: **ce que j'ai** (dans mon emploi) vs **ce que j'aimerais avoir**. Si cela était accepté, il faudrait en conclure que tout le monde est insatisfait, car rares sont ceux qui "n'aimeraient" pas avoir $100,000. par année!

Bien d'autres formulations ont été proposées: **ce que j'ai** vs **ce à quoi je m'attends** (l'employé qui "s'attend" à recevoir le salaire minimum et qui le reçoit effectivement serait donc tout à fait satisfait!); **ce que j'ai** vs **ce qui m'est dû**, etc. Le problème est donc loin d'être résolu, mais il semble bien que la solution devra faire appel aux éléments suivants: (a) L'équité: les employés ne sont pas satisfaits de leurs conditions de travail lorsqu'ils perçoivent que celles-ci ne correspondent pas à leurs contributions et à leurs efforts, compte tenu de ce que d'autres reçoivent et de "ce qui se fait ailleurs". (b) Les valeurs, i.e. ce à quoi les employés attachent de l'importance parce qu'ils y voient un moyen d'augmenter leur bien-être physique ou psychologique. Une façon (un peu simpliste...) de résumer cela serait de dire que ma satisfaction au travail dépend d'une comparaison entre **ce que j'ai** et **ce que je veux**, soit parce que c'est équitable ou parce que c'est désirable pour moi (et raisonnable compte tenu des circonstances) (17).

13.2.2 Les dimensions ou facettes de la satisfaction

Avant de demander aux employés s'ils sont satisfaits, il faut répondre à la question "par rapport à quoi". Il existe une possibilité quasi infinie de domaines au sujet desquels ils peuvent être plus ou moins satisfaits: leur supérieur immédiat, le fonds de pension, la nourriture servie à la cafétéria, la couleur des murs, la grandeur du terrain de stationnement, etc. Il faut donc chercher à identifier certaines facettes de la situation de travail qui semblent plus importantes que d'autres. Sur ce point, comme sur bien d'autres, les auteurs sont loin d'être d'accord. Le questionnaire le plus souvent utilisé aux Etats-Unis pour mesurer la satisfaction (le "Job Description Index" (18)), comporte cinq dimensions: le travail lui-même, la supervision, les collègues, le salaire, les chances d'avancement. Par contre, "l'Inventaire de satisfaction au travail", de Viateur Larouche (19), comprend 18 dimensions. La plupart des autres instruments de mesure utilisés aujourd'hui se situent quelque part entre ces deux pôles. Le tableau 2 présente une façon intéressante de regrouper plusieurs des dimensions qui apparaissent le plus souvent.

---

(17) Ceux qui voudraient approfondir toute cette question peuvent consulter les auteurs suivants: LOCKE, E.A. "The Nature and Causes of Job Satisfaction", dans Dunnette, M.D., (ed.), ***Handbook of Industrial and Organizational Psychology***. Chicago: Rand McNally, 1976, LAROUCHE, V., DELORME, F. et LEVESQUE, A. ***Satisfaction au travail: théorie et mesure.*** Ecole de relations industrielles, Université de Montréal, tiré à part no. 6, 1975. WANOUS, J.P. et LAWLER, E.E. "Measurement and Meaning of job Satisfaction". ***Journal of Applied Psychology***. 1972, 56, 95-105.

(18) SMITH, P.C., KENDALL, L.M. et HULIN, C.L. ***The Measurement of Satisfaction in Work and Retirement***. Chicago: Rand McNally, 1969.

(19) LAROUCHE, V. "Inventaire de satisfaction au travail". École de relations industrielles, Université de Montréal, 1977. Les dimensions couvertes par ce questionnaire sont les suivantes: affectation du personnel, attrait au travail, autonomie, autorité, avancement, communication I, communication II, conditions de travail, degré de responsabilité, innovation, reconnaissance, politique de l'organisation, salaire, sécurité au travail, supervision humaine, supervision technique, variété.

TABLEAU 2: Les principales dimensions de la satisfaction au travail

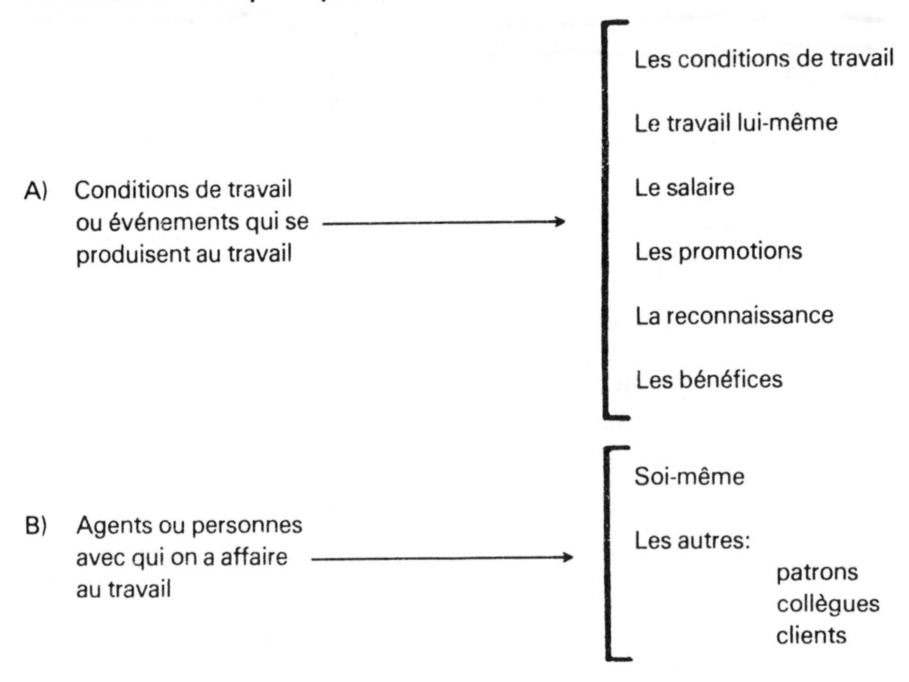

Source: LOCKE, E.A. "The Nature and Causes of Job Satisfaction", dans: M.D. Dunnette, (ed.), ***Handbook of Industrial and Organizational Psychology***. Chicago: Rand McNally, 1976.

13.2.3 Les conséquences de la satisfaction au travail

1. *Sur la motivation et le rendement*

Tout le monde "sait" que si les employés sont satisfaits ils seront plus motivés et par conséquent plus productifs. Le seul problème avec cet énoncé (qui implique une relation de cause à effet entre la satisfaction et le rendement)... c'est qu'il est généralement faux! Plusieurs centaines de recherches ont démontré que la corrélation entre la satisfaction d'une part et la motivation ou le rendement d'autre part est généralement faible [20]. Par ailleurs, plusieurs de ceux qui ont trouvé une corrélation positive entre ces phénomènes sont portés à croire que la direction de la causalité va dans le sens inverse de ce qu'on pense:

---

(20) Plusieurs de ces recherches sont résumées dans les textes suivants: BRAYFIELD, A.H. et CROCKETT, W.H. "Employee Attitudes and Employee Performance". ***Psychological Bulletin***. 1955, 52, 396-424. HERZBERG, F., MAUSNER, B., PETERSON, R.O. et CAMPBELL, D.F. ***Job Attitudes: Review of Research and Opinion.*** Pittsburg: Psychological Service of Pittsburg, 1957. VROOM, V.H. ***Work and Motivation***. New York: Wiley, 1964.

c'est le rendement (élevé) qui serait cause de satisfaction. Examinons cette question d'un peu plus près.

Il est certain que pendant toute la première moitié du 20e siècle (et particulièrement à la suite des études Hawthorne de 1929-1935), les théoriciens et chercheurs ont cru que la satisfaction "devait" influencer le rendement. Ce qui est moins clair, cependant, c'est la raison pour laquelle il devrait en être ainsi. En fait, le processus de base de la motivation (insatisfaction → action → satisfaction) suggère une conclusion tout à fait différente: puisqu'un besoin satisfait ne motive pas (Maslow), il s'en suit que ce sont les employés **insatisfaits** qui devraient être motivés à faire quelque chose (e.g. travailler fort) pour améliorer leur situation! C'est ce genre de raisonnement qui a amené plusieurs auteurs à renverser la direction de la causalité. Le processus serait alors le suivant: l'employé est insatisfait → il travaille fort pour améliorer son rendement (il est "motivé") → ce rendement supérieur lui procure plusieurs récompenses (augmentation de salaire, promotion, sentiment d'accomplissement et de compétence, etc.) → ce qui le rend satisfait. Pour compliquer les choses, d'autres auteurs ont commencé récemment à se demander si les deux phénomènes "satisfaction" et "motivation" ne seraient pas tout à fait indépendants l'un de l'autre mais causés tous deux par un troisième facteur (inconnu pour le moment). Tout ceci est extrêmement complexe et il vaut mieux, pour le moment, laisser les experts se disputer entre eux (21).

2. ***Sur d'autres attitudes et comportements***

Il existe, heureusement, d'autres conséquences de la satisfaction ou de l'insatisfaction pour lesquelles les recherches sont plus positives. En voici quelques-unes (22):

a) ***Le roulement de la main-d'oeuvre et l'absentéisme***. Après avoir étudié une soixantaine de recherches sur ce sujet, deux auteurs

---

(21) Ceux qui veulent participer à cette dispute peuvent consulter les auteurs suivants: WANOUS, J.P. "A Causal-Correlational Analysis of the Job Satisfaction and Performance Relationship". ***Journal of Applied Psychology***, 1974, 59, 139-144. ORGAN, D.W. "A reappraisal and Reinterpretation of the Satisfaction - Causes - Performance Hypothesis". ***Academy of Management Review***, 1977, 2, 46-53. SCHWAB, D.P. et CUMMINGS, L.L. "Theories of Performance and Satisfaction: a Review". ***Industrial Relations***, 1970, 9, 408-430. LAWLER, E.E. et PORTER, L.W. "The Effect of Performance on Job Satisfaction". ***Industrial Relations***, 1967, 7, 20-28, GREENE, C.N. et SLOCUM, J. (eds). ***Organizational Behavior: A Reader***. St-Paul, Minnesota, West, 1977.

(22) Toutes ces études sont résumées dans: LOCKE, E.A. "The Nature and Causes of Job Satisfaction". ***op. cit***. Voir aussi: LESAGE, P.B. et RICE, J.A. "Le sens du travail et le gestionnaire". ***Gestion***, Novembre 1978, 6-15. LAROUCHE, V. "Les conséquences de la satisfaction au travail". Conférence présentée à la 40e assemblée annuelle de la Société canadienne de psychologie, Québec, 13-15 juin 1979.

en sont venus à la conclusion qu'il existe définitivement une relation entre l'insatisfaction d'une part et le roulement et l'absentéisme d'autre part [23].

b) ***La santé physique***. Plusieurs auteurs ont trouvé des relations frappantes entre l'insatisfaction au travail et certains phénomènes physiques tels que les maux de tête, la perte d'appétit, les indigestions, les nausées, les ulcères, les maladies du coeur, etc. Un auteur a même découvert que la satisfaction au travail était le meilleur prédicteur possible de la longévité (meilleur que le fait de s'abstenir du tabac!) .

c) ***La santé mentale***. Dans une étude auprès des travailleurs de l'industrie automobile, Kornhauser [24] a trouvé une relation étroite entre la satisfaction au travail et un indice de santé mentale composé des éléments suivants: l'anxiété et la tension, l'estime de soi, l'hostilité, la sociabilité, la satisfaction générale dans la vie, l'optimisme. La relation la plus forte de toutes fut trouvée entre la "satisfaction quant aux possibilités d'utiliser mes capacités" et la santé mentale.

d) ***Les plaintes et les griefs***. Cela va de soi, puisque par définition ces actions sont prises à la suite d'une insatisfaction.

e) ***Attitude envers la vie et envers soi-même***. Plusieurs études ont trouvé une corrélation positive entre la satisfaction au travail et la satisfaction dans la vie en général. D'autres ont démontré que des expériences enrichissantes et satisfaisantes au travail peuvent augmenter considérablement l'estime de soi et la confiance en ses propres capacités.

Même si la satisfaction n'a "peut-être" aucun effet sur la productivité, il existe donc plusieurs autres bonnes raisons pour chercher à avoir des employés satisfaits! Notons, cependant, que dans les études rapportées ci-dessus, la direction de la causalité n'a pas toujours été établie: il se pourrait, par exemple, qu'une attitude favorable envers la vie en général amène les gens à se déclarer satisfaits de leur travail, et non pas l'inverse.

13.2.4 La satisfaction au travail dans la société

Depuis plusieurs années, la plupart des pays industrialisés se lancent périodiquement dans de grandes enquêtes auprès de leurs citoyens pour voir jusqu'à quel point ils sont satisfaits de leur travail (les plus connues sont sans

---

(23) PORTER, L.W. et STEERS, R.M. "Organizational, Wok, and Personal Factors in Employee Turnover and Absenteeism". ***Psychological Bulletin***. 1973, 80, 151-176.

(24) KORNHAUSER, A.W. ***Mental Health of the Industrial Worker: a Detroit Study***. New York: McGraw-Hill, 1971.

doute celles de l'Institut Gallup, mais il y en a bien d'autres). Les questions utilisées sont ordinairement très générales et s'attachent à la satisfaction globale plutôt qu'à un aspect particulier tel que le salaire, e.g. "Jusqu'à quel point êtes-vous satisfait de votre emploi?" ou encore "D'une façon générale, que pensez-vous de votre travail?". Les chercheurs qui se livrent à ce genre d'exercice s'intéressent à deux choses: (a) le niveau global de la satisfaction au travail; (b) l'évolution de ce niveau au cours des années: est-il à la hausse, à la baisse ou demeure-t-il stable?

Comme l'indiquent les tableaux 3 et 4, les réponses obtenues vers 1972-1974 laissent entendre que de 75% à 90% des répondants se déclarent assez ou très satisfaits de leur travail, les jeunes étant un peu moins satisfaits que l'ensemble de la population.

TABLEAU 3: Résultats d'enquêtes nationales sur la satisfaction au travail

Pays et date de l'enquête	% exprimant un minimum de satisfaction	% exprimant un vif mécontentement	Taille de l'échantillon
Australie (1973)	83	2	2,000
Belgique (1974)	86	1	2,180
Canada (1974)	82	2	1,978
Royaume-Uni (1973)	86	2	14,041
Etats-Unis (1973)	90	2.3	2,153
Japon (1974)	54	8	39,093

Source: THURMAN, J.E. "La satisfaction au travail: aperçu international". ***Revue internationale du travail***. Vol. 116, No. 3. Novembre-Décembre 1977. ***Note:*** A cause de procédures d'enquêtes différentes d'un pays à l'autre, il faut considérer ces pourcentages comme très approximatifs.

Pour ce qui est de l'évolution du niveau de satisfaction, les choses sont un peu moins claires. Une étude réalisée auprès de 98,000 employés de Sears-Roebuck aux Etats-Unis [25] a démontré que le niveau de satisfaction de ces employés avait diminué légèrement de 1963 à 1972 (sauf en ce qui concerne le salaire et la nature du travail). Pour ce qui est des enquêtes Gallup, toujours aux Etats-Unis, 89% des répondants se sont déclarés satisfaits en 1963, vs 88% en

(25) SMITH, F.J., ROBERTS, K.H. et HULIN, C.L. "Ten Year Job Satisfaction Trends in a Stable Organization". ***Academy of Management Journal***, 1976, 19, 462-469.

TABLEAU 4: La Satisfaction au travail parmi les jeunes de 18 à 24 ans (échantillon: environ 2000 par pays) 1972

Pays	Satisfaits (1)	Plus ou moins satisfaits (2)	Total des colonnes (1) et (2) (3)	Plus ou moins mécontents (4)	Mécontents (5)	Total des colonnes (4) et (5) (6)
Allemagne (Rep. Fed.)	23.2%	57.7%	80.9%	13.7%	2.3%	16%
Brésil	56.6	33.8	86.4	6.1	5.1	11.2
Etats-Unis	47.8	34.6	82.4	11.2	6.1	17.3
France	45.2	28.8	74	12.9	11.9	24.8
Inde	41.8	33.3	75.1	10	12.2	22.2
Japon	19.9	39.6	59.5	27.7	12.3	40
Philippines	46	28.1	74.1	16.5	9.3	25.8
Royaume-Uni	53.8	31.8	85.6	5.2	9.2	14.4
Suède	62.9	28.2	91.1	6.3	2.2	8.5
Suisse	49.8	39.3	89.1	5.8	4.9	10.7
Yougoslavie	47.9	37.4	85.3	5.9	8.8	14.7

Source: THURMAN, J.E. "La satisfaction au travail: aperçu international". ***Revue internationale du Travail***. Vol. 116, N° 3, novembre-décembre 1977.

1973; pour les années intermédiaires, ces chiffres ont varié entre 86% et 92%. D'autres enquêtes, réalisées par les universités du Michigan et de la Californie, rapportent 14% d'insatisfaits en 1969 et 11% en 1972. Finalement, une étude sérieuse (et compliquée) de toute cette question devait conclure que le niveau de satisfaction, aux Etats-Unis, est demeuré à peu près stable de 1947 à 1976 (26). Il semble bien que cela soit également vrai pour les autres pays.

Il semble bien, également, qu'il n'y a pas lieu de s'en faire, que la grande majorité des travailleurs sont satisfaits et que tout va pour le mieux dans le meilleur des mondes! Il se pourrait, cependant, que la situation soit beaucoup moins rose qu'on serait porté à le croire...

---

(26) ORGAN, D.W. "Inferences About Trends in Labor Force Satisfaction: A causal-Correlational Analysis". ***Academy of Management Journal***, 1977, 20, 510-519.

13.2.5 Satisfaction vs adaptation

Plusieurs auteurs considèrent qu'une bonne partie des travailleurs qui se déclarent "satisfaits" de leur emploi transmettent simplement le message suivant: "puisqu'il faut bien travailler, cet emploi n'est pas pire que bien d'autres; j'ai fini par m'y adapter, par accepter l'inévitable et je me contente de mon sort". Comme le soulignait le rapport "Work in America", les travailleurs qui se disent "satisfaits" veulent souvent dire qu'ils ne sont pas "insatisfaits", dans le sens que Herzberg donne à ce terme: ils sont neutres, indifférents, blasés, résignés ([27]). Voici quelques raisons qui peuvent justifier cette opinion:

a) Dans presque toutes les études, on note une corrélation assez forte entre le niveau de satisfaction d'une part et l'âge ou l'ancienneté d'autre part. Cela pourrait indiquer que les jeunes se rebiffent au début mais finissent par s'accommoder de leur situation par la suite.

b) Bien que la situation des femmes au travail soit souvent "objectivement" moins favorable que celle des hommes, plusieurs enquêtes démontrent qu'elles expriment autant de satisfaction que les hommes. Il se pourrait donc qu'elles se soient adaptées ou résignées à leur sort elles aussi (nous parlons ici d'enquêtes réalisées en 1972-1974; la situation peut avoir changé depuis...).

c) Bien que les conditions de travail soient souvent très différentes d'un pays à l'autre, le pourcentage d'employés dits "satisfaits" ne varie pas beaucoup entre les pays et se situe aux environs de 80% presque partout. Cela pourrait vouloir dire que les travailleurs de l'Inde, du Brésil, etc., finissent eux aussi par "s'adapter".

d) Comme nous l'avons déjà mentionné, les travailleurs se déclarent souvent satisfaits de conditions qui "objectivement" sont déplorables parce qu'elles abrègent leur existence, minent leur santé, détruisent leur vie familiale, etc. Eux aussi finissent par croire que cela est normal, inévitable, dans l'ordre des choses.

e) Quelques temps avant la "révolution" de mai 1968, en France, plusieurs entreprises avaient mesuré "la satisfaction" de leurs employés et obtenu le 80% habituel de "satisfaits". Quelques semaines ou quelques mois plus tard, ces mêmes employés occupaient leurs usines et menaçaient de "faire sauter le système". Il se pourrait donc que le phénomène d'adaptation, si généralisé soit-il, demeure dans le fond assez superficiel et cache souvent une profonde insatisfaction qui couve sous les cendres.

([27]) ***Work in America***, rapport spécial présenté au gouvernement américain, Cambridge, Mass.: M.I.T. Press, 1973.

Selon un auteur américain, professeur à l'Université du Michigan (28), cette adaptation se produit parce que l'être humain ne peut pas logiquement supporter d'occuper pendant longtemps un emploi qui ne serait pas "satisfaisant". Même si l'auteur ne le dit pas dans ces termes, il s'agit ici d'un phénomène de "dissonance cognitive" (voir chapitre sur les valeurs et attitudes): le besoin de percevoir une conformité entre nos comportements et nos attitudes. Si je garde volontairement un certain emploi pendant plusieurs années (comportement), je dois me convaincre qu'il n'est pas si mal après tout (attitude).

Il s'ensuit donc qu'un employé qui se déclare insatisfait aujourd'hui a de fortes chances de se dire satisfait dans un an ou deux, parce qu'entre-temps il aura adopté l'une ou l'autre des stratégies d'adaptation suivantes:

a) Changer l'environnement: accéder à un autre emploi par démission, promotion, transfert ou encore réussir à faire modifier ses conditions de travail.

b) Modifier ses attentes, ses désirs, ses objectifs pour qu'ils soient plus conformes à la réalité vécue. Se convaincre qu'on n'a pas "vraiment" besoin d'un salaire de $15,000. par année.

c) Changer sa perception des choses: se convaincre que le salaire minimum est normal pour ce genre d'emploi, qu'une tâche routinière permet de travailler sans stress, que le patron qui "m'engueule" a bon coeur malgré tout, etc.

d) Se résigner, en disant qu'il n'y a rien à faire et que c'est "tout le système qui est pourri".

e) Devenir agressif, fomenter des troubles, faire du sabotage (ou plus simplement et plus légalement: créer un syndicat ou y participer activement).

f) Se retirer psychologiquement: essayer de ne plus penser à rien pendant les heures de travail et mettre toute son énergie dans des activités de loisir.

De ses études et réflexions sur la satisfaction au travail, Seashore tire les conclusions suivantes:

a) Il y a, d'années en années, 20% des travailleurs qui ne sont pas satisfaits, mais ce ne sont jamais les mêmes;

b) Le niveau de satisfaction exprimé par les employés n'est pas un bon indice de la "qualité" réelle de la vie au travail, car ceux-ci s'adaptent à peu près à

---

(28) SEASHORE, S.E. "Defining and Measuring the Quality of Working Life", dans: L.E. DAVIS et A.B. CHERNS. (eds). ***The Quality of Working Life***. New York: The Free Press, 1975, 105-118. Egalement: "Job Satisfaction: A Dynamic Predicator of Adaptive and Defensive Behavior". ***Studies in Personnel Psychology***, 1973, 5(1), 7-20.

n'importe quoi. Pour mesurer la véritable qualité de la vie au travail, il faut donc recourir à des mesures plus objectives [29].

c) "There is just too damn much job satisfaction around"(Intraduisible...). C'est l'insatisfaction qui pousse à agir, à améliorer les choses.

Tout le phénomène de la résignation semble ressortir également, lorsqu'on compare les tableaux 3 et 4 avec le tableau 5. Dans les deux premiers, les gens se disent généralement satisfaits (ou résignés?); dans le troisième, plusieurs classes de travailleurs disent que si c'était à refaire, ils choisiraient un autre emploi...

TABLEAU 5: Pourcentage de personnes qui choisiraient le même genre de travail "si c'était à refaire"

Professionnels et Collets-blancs	%	Ouvriers qualifiés et non qualifiés	%
Professeurs d'universités (non confessionnelles)	93	Travailleurs qualifiés dans l'imprimerie	52
Mathématiciens	91	Travailleurs des papeteries	42
Physiciens	89	Travailleurs qualifiés dans l'automobile	41
Biologistes	89	Travailleurs qualifiés dans la métallurgie	41
Chimistes	86	Travailleurs du textile	31
Avocats	83	Manoeuvres dans la métallurgie	21
Journalistes	82	Manoeuvres dans l'automobile	16
Professeurs d'universités (confessionnelles)	77		
Un échantillon divers de collets-blancs (incluant des professionnels)	43	Un échantillon divers de collets-bleus	24

Source: ***Work in America***. Rapport spécial soumis au gouvernement américain. Cambridge, Mass.: M.I.T. Press, 1973, p. 87.

---

(29) Sur ce sujet, voir un excellent article de ROUSTANG, G. "Enquêtes sur la satisfaction au travail, ou analyse directe des conditions du travail". ***Revue internationale du travail***, 1977, 115, 295-310.

Voici (peut-être) un autre indice de la véritable satisfaction au travail. Lorsqu'on demande à des professeurs d'université ce qu'ils feraient des deux heures supplémentaires si les journées avaient 26 heures, environ 70% répondent qu'ils les consacreraient à leur travail. Chez un échantillon de travailleurs non professionnels, ce chiffre tombe à 5%! [30].

Pour terminer sur une note plus optimiste, disons que la majorité des études faites jusqu'ici démontrent que les gens qui se disent satisfaits de leur emploi "en général", n'hésitent pourtant pas à se dire insatisfaits de certaines facettes de cet emploi: le salaire, le patron, les chances d'avancement, etc.

Il semble donc que les enquêtes de satisfaction qui portent sur des points précis (comme cela se fait ordinairement dans les entreprises) sont beaucoup moins sujettes au phénomène de résignation et donc beaucoup plus valides que celles qui posent la question "êtes-vous satisfait de votre emploi?" (comme cela se fait ordinairement dans les enquêtes nationales).

13.3 CONCLUSION 

Nous avons voulu, dans ce chapitre, attirer l'attention du lecteur sur deux concepts importants mais difficiles à cerner: le climat et la satisfaction. Le climat organisationnel, c'est la perception que les employés se font de l'environnement dans lequel ils évoluent: la structure et les politiques de l'organisation, le leadership de leurs supérieurs et les relations interpersonnelles, le travail lui-même et les conditions dans lesquelles il est accompli. Ayant perçu cet environnement, les employés ne peuvent s'empêcher de l'évaluer en fonction de leurs valeurs, de leurs désirs, de ce qu'ils considèrent juste et équitable. Le résultat de cette évaluation subjective, c'est le niveau de satisfaction, lequel exerce à son tour une influence certaine sur des phénomènes comme le roulement de la main-d'oeuvre et l'absentéisme, et une influence problématique et ambiguë sur la motivation et le rendement. Quoi qu'il en soit, l'employé ne peut pas rester "éternellement insatisfait" de son emploi: il s'adapte, il se résigne et finit par se déclarer "satisfait" de conditions qui objectivement sont souvent déplorables ou néfastes. C'est ce phénomène d'adaptation qui explique en partie que d'année en année les enquêtes nationales rapportent environ 80% d'employés dits "satisfaits".

Que peut faire l'administrateur devant tout cela? Il peut essayer de créer un environnement qui "objectivement" soit de nature à satisfaire la plupart des membres de l'organisation. A la suite d'une longue "revue de la littérature" sur ce sujet, Locke (***op. cit.*** 1976) en arrive à la conclusion que cet environnement devrait comprendre les éléments suivants:

---

(30) ***Work in America***, 88.

a) Un travail "enrichissant", c'est-à-dire qui permet à l'employé d'utiliser et de développer ses capacités mentales et physiques dans la résolution de problèmes ou de défis qui ne dépassent cependant pas ses forces;

b) Des récompenses équitables (i.e. qui tiennent compte du rendement et de "ce qui se fait ailleurs"), administrées de façon ouverte et impartiale et conformes aux aspirations légitimes des travailleurs;

c) Des conditions matérielles et physiques de travail qui sont compatibles avec les besoins de l'être humain et qui favorisent l'atteinte des objectifs de travail de chaque individu;

d) Un environnement social (patrons et collègues) qui supporte et encourage l'individu et qui permet à chacun de se sentir important, considéré, respecté.

SUJETS D'ÉTUDE ET DE DISCUSSION

1. Expliquez la différence entre "la réalité objective de l'environnement", "le climat organisationnel" et "la satisfaction au travail".

2. Enumérez les dimensions que l'on pourrait inclure dans un questionnaire visant à mesurer le "climat organisationnel" dans lequel vivent les étudiants de l'université.

3. Pensez à un moment où vous avez été très satisfait de votre sort comme étudiant ou comme employé. Expliquez les causes et les conséquences de cette situation. Faites la même chose avec un moment de grande insatisfaction.

4. Présentez la question suivante à 15 personnes de votre entourage qui occupent un emploi quelconque: "Dans quelle mesure êtes-vous satisfait de votre emploi actuel?" Réponses possibles: 1. Très insatisfait; 2. Plutôt insatisfait; 3. Indifférent; 4. Plutôt satisfait; 5. Très satisfait. Compilez les résultats et voyez si vous obtenez entre 80% et 90% des réponses dans les cases 4 et 5.

5. Trouvez un étudiant de votre classe (ou un employé de votre département) qui se dit très satisfait de son sort et un autre qui se dit très insatisfait. Expliquez ces différences, compte tenu du fait que les deux personnes vivent dans le même "climat organisationnel".

6. Commentez le syllogisme suivant:

   a) Un besoin satisfait ne motive pas (Maslow).

   b) Or les spécialistes en gestion des ressources humaines dans une entreprise font tout ce qu'ils peuvent pour que les besoins des employés soient satisfaits.

   c) Donc ces spécialistes sont dangereux pour l'entreprise car ils risquent de miner la motivation des travailleurs.

7. Expliquez par quel raisonnement on peut arriver à dire que c'est le rendement qui cause la satisfaction et non pas l'inverse.

BIBLIOGRAPHIE SUPPLÉMENTAIRE

BARBASH, J. ***Enquête sur les attitudes concernant la satisfaction au travail.*** Paris: O.C.D.E.: Document polycopié MS/1R/74.31, 1974.

BERGERON, J. -L. et MORIN, J.-L. "L'influence des besoins supérieurs sur la réaction de l'employé à certaines caractéristiques de sa tâche". Document de recherche no. 78-15, 1978, Faculté d'administration, Université de Sherbrooke.

BURSTEIN, M. et collaborateurs. ***Les Canadiens et le travail***. Ottawa: Main-d'oeuvre et immigration, 1975.

Centre des dirigeants d'entreprise. ***Le malaise des cadres: une réévaluation***. Travail-Québec, 1977.

DOWNEY, H.K., HELLRIEGEL, D., PHELPS, M. et SLOCUM, J.W. "Organizational Climate and Job Satisfaction: A Comparative Analysis". ***Journal of Business Research***, 1974, 2, 233-248.

DYER, L. et THERIAULT, R. "The Determinants of Pay Satisfaction". ***Journal of Applied Psychology***, 1976, 61, 596-604.

FRIEDLANDER, F. et MARGULIES, N. "Multiple Impacts of Organizational Climate and Individual Value Systems upon Jop Satisfaction". ***Personnel Psychology***, 1969, 22, 171-183.

GRAND'MAISON, J. ***Des milieux de travail à réinventer***. Montréal: P.U.M., 1975.

GUION, R.M. "A Note on Organizational Climate". ***Organizational Behavior and Human Performance***, 1973, 9, 120-125.

HERMAN, J.B. et HULIN, C.L. "Managerial Satisfactions and Organizational Roles". ***Journal of Applied Psychology***, 1973, 57, 118-124.

IRIS, B. et BARRETT, G.V. "Some Relations Between Job and Life Satisfaction and Job Importance". ***Journal of Applied Psychology***, 1972, 56, 301-304.

JAMES, L.R. et JONES, A.P. "Organizational Climate: A Review of Theory and Research". ***Psychological Bulletin***, 1974, 81, 1096-1112.

KAHN, R.L. "Productivity and Satisfaction". ***Personnel Psychology***, 1960, 13, 275-286.

LAWLER, E.E., HALL, D.T. et OLDHAM, G.R. "Organizational Climate: Relationship to Organizational Structure, Process and Performance". ***Organizational Behavior and Human Performance***, 1974, 11, 139-155.

LOCKE, E.A. "What is Job Satisfaction?" ***Organizational Behavior and Human Performance***, 1969, 4, 309-336.

LOCKE, E.A. "Job Satisfaction and Job Performance: A Theoretical Analysis". ***Organizational Behavior and Human Performance***, 1969, 4, 484-500.

MIRVIS, P.H. et LAWLER, E.E. "Measuring the Impact of Employee Attitudes". ***Journal of Applied Psychology***, 1977, 62, 1-8.

NEAR, J.P., RICE, R.W. et HUNT, R.G. "Work and Extra-Work Correlates of Life and Job Satisfaction". ***Academy of Management Journal, 1978, 21, 248-264.***

PAYNE, R. et PUGH, D.S. "Organizational Structure and Climate" dans: M. DUNNETTE. (ed). ***Handbook of Industrial and Organizational Psychology***, Chicago: Rand McNally, 1976.

PETIT, A. "La satisfaction au travail: définition et déterminants". ***Working Paper,*** N° 79-9, Faculté d'Administration, Université de Sherbrooke, 1979.

PORTER, L.W. et LAWLER, E.E. "Properties of Organization Structure in Relation to Job Attitudes and Job Behavior". ***Psychological Bulletin,*** 1965, 64, 23-31.

PORTIGAL, A.H. ***Pour la mesure de la satisfaction au travail.*** Paris: O.C.D.E., Etudes spéciales, no. 1, 1976.

SCHNEIDER, B. "Organizational Climates: An Essay". ***Personnel Psychology,*** 1975, 28, 447-479.

WEAVER, C.N. "Sex Differences in the Determinants of Job Satisfaction". ***Academy of Management Journal***, 1978, 21, 265-274.

WOODMAN, R.W. et KING, D.C. "Organizational Climate: Science or Folklore?". ***Academy of Management Review***, 1978, 3, 816-826.

CHAPITRE 14

LE DÉVELOPPEMENT DES ORGANISATIONS ET LA QUALITÉ DE LA VIE AU TRAVAIL: UN TOUR D'HORIZON *

14.1 LE DÉVELOPPEMENT ORGANISATIONNEL: UNE OCCASION POUR UNE ORGANISATION DE SE REMETTRE EN CAUSE

Les organisations de travail se présentent comme des systèmes complexes d'activités coordonnées et différenciées dont l'accomplissement suppose la collaboration des individus et des groupes en vue de la réalisation des objectifs précis. Cette "collaboration nécessaire" est d'autant plus difficile à obtenir et à maintenir que les individus et les groupes, aux différents paliers de la hiérarchie, épousent des schémas de valeurs et poursuivent des objectifs qui ne sont pas toujours compatibles avec ceux de l'organisation. Un auteur tel qu'Argyris soutient même que les exigences actuelles des organisations (exigences qui découlent des objectifs et qui sont traduits dans le partage des responsabilités et de l'autorité) sont dans l'ensemble incompatibles avec les caractéristiques propres au développement de la personnalité. Un tel diagnostic ajouté à ceux qu'établissent les critiques de la grande organisation ont incité nombreux dirigeants à corriger cette situation en mettant de l'avant une multitude d'actions ponctuelles: amélioration des communications, de la prise de décisions, implantation d'un style de leadership plus approprié aux situations administratives, plan de partage des profits, restructuration des tâches, appréciation du rendement, plan de carrière, etc.

Ces initiatives extrêmement variées dont la plupart s'inscrivent dans des programmes ad hoc de formation des cadres ou de motivation des employés ne

* Chapitre rédigé par Laurent Bélanger.

produisent pas tous les effets qu'on anticipe normalement. En même temps qu'on offre aux individus des occasions de développement personnel, ou qu'on crée un milieu de travail plus satisfaisant, les contextes culturels, technologiques, économico-politiques dans lesquels baignent les organisations changent également; d'où la nécessité pour l'organisation de bouger, de s'adapter à un contexte toujours changeant si l'on veut retirer plus des investissements que l'on fait au plan du développement des ressources humaines. Il faut donc que l'organisation dans son ensemble et dans chacune de ses composantes développe une capacité de se remettre en cause, d'effectuer des revisions périodiques. Pour donner une cohérence et une continuité aux efforts de développement et d'implication individuels, ces révisions nécessaires et périodiques doivent s'intégrer dans un processus global de changement que nous appelons "développement organisationnel". En d'autres termes, une stratégie globale de développement organisationnel prend comme cible toute une entreprise en essayant d'en changer la "culture", de modifier la nature des rapports formels et informels, de réduire la résistance au changement et d'accroître la créativité de l'organisation" (1).

Le développement organisationnel vu sous l'angle d'une réflexion et d'une action sur la structure et le fonctionnement d'une organisation suppose le cheminement d'une situation actuelle vers une situation nouvelle dont les caractéristiques ne sont pas définies habituellement au départ, mais qui se précisent au fur et à mesure que les individus à tous les niveaux s'impliquent dans l'effort de revitalisation de l'organisation. On peut cependant, à l'aide des connaissances que nous possédons sur les organisations actuelles et à l'aide de modèles proposés, établir des profils du point de départ et du point d'arrivée.

14.1.1 Le point de départ: l'organisation actuelle

En observant le fonctionnement des organisations actuelles, on peut déceler, chez un bon nombre d'entre elles, les caractéristiques qui suivent:

1- La prise de décision demeure centralisée entre les mains de quelques personnes au sommet de la hiérarchie. Ceci accentue la séparation entre le petit nombre de personnes responsables de la planification, de l'organisation et du contrôle et le grand nombre de personnes responsables de l'exécution.

2- La centralisation rend difficile la création de centres de décisions relativement autonomes à tous les paliers de la pyramide de l'autorité. D'où l'impossibilité pour les cadres intermédiaires et subalternes de faire preuve de plus d'initiative et de prendre de nouvelles responsabilités.

3- La division très élaborée des tâches, dans tous les secteurs d'activité, au

---

(1) BÉLANGER, L. "Les stratégies de développement organisationnel". ***Relations industrielles.*** Qué: vol. 27, no 4, 1972, 634.

sein des organisations, de même que l'exercice de l'autorité fondée sur le rang hiérarchique accentuent la dépendance entre supérieurs et subordonnés, créant ainsi un milieu de travail où les individus peuvent difficilement donner leur pleine mesure et développer leur potentiel humain. La spécialisation des tâches et la départementalisation des entreprises incitent les cadres à transformer leur domaine limité en une "réserve", une sorte de chasse-gardée, à un point tel qu'ils perdent de vue leur contribution exacte à la bonne marche générale de toute l'entreprise.

4- La constitution de "réserves" et le climat de méfiance engendrent des difficultés sur le plan des communications. Les subalternes ont tendance à communiquer vers le haut des informations filtrées, et seulement sur demande. L'information circule surtout du haut vers le bas sans possibilité de vérifier sur le champ la manière dont elle est acceptée par ceux qui la reçoivent. L'information entre collègues d'un même service ou de services différents circule peu lorsqu'il existe entre eux une certaine concurrence pour la reconnaissance d'un statut.

5- La réglementation des activités et des comportements devient de plus en plus ramifiée et lourde, de façon à contenir certains individus qui cherchent à s'éloigner des sentiers battus ou à expérimenter de nouveaux modes de comportement.

6- La participation demeure encore une notion galvaudée tant sur le plan des principes que sur le plan de la pratique. Beaucoup de dirigeants acceptent l'idée de participation pour ne pas accuser un retard culturel vis-à-vis des nouvelles valeurs qu'elle véhicule. Il ne faut donc pas s'étonner si beaucoup de réunions de travail se transforment en réunions d'information où sont communiquées unilatéralement les décisions prises.

C'est là, il va sans dire, un tableau plutôt sombre de la nature des organisations puisqu'il en fait ressortir beaucoup plus les malaises que le bon fonctionnement. Cependant, beaucoup d'auteurs, en particulier les théoriciens des sciences du comportement, ont essayé d'imaginer un modèle idéal d'organisation qui pourrait se rapprocher de celui souhaité par les individus et les groupes impliqués dans un effort systématique de développement de leur organisation. Nous retenons, ici, un profil tracé par Warren J. Bennis et P.E. Slater [2].

14.1.2 Caractéristiques de l'organisation idéale

1. "Des communications authentiques, ouvertes, sans tenir compte du rang hiérarchique et des différences de pouvoir".
2. La solution des conflits par l'obtention d'un consensus au lieu d'un recours

---

(2) BENNIS, W.J. et SLATTER, P.E. ***The Temporary Society***. New York: Harper and Row, 1968.

aux formes traditionnelles de coercition et de compromis.

3. L'idée d'une influence basée plutôt sur la compétence technique et la connaissance que sur l'arbitraire personnel ou les prérogatives du pouvoir.
4. Une atmosphère qui permet et encourage l'expression des sentiments au même titre que les actes orientés vers la réalisation d'une tâche.
5. Un biais fondamentalement humain qui accepte le caractère inévitable du conflit entre l'organisation et l'individu, mais qui s'exprime aussi par une volonté de résoudre le conflit sur une base rationnelle.

14.2 LE DÉVELOPPEMENT ORGANISATIONNEL: UN CONTENU ET UNE DÉMARCHE

Comme stratégie globale d'intervention dans l'organisation, le développement organisationnel peut être envisagé sous deux aspects: celui d'un contenu et d'une démarche. Le contenu d'un programme de D.O. se réfère aux éléments de diagnostic de la situation existante et aux cibles d'intervention, **ce sur quoi vont porter les changements**. Les changements peuvent se situer au plan des objectifs, des politiques, de la structure formelle de l'organisation (division du travail, délégation de l'autorité formelle, réglementation interne). Ils peuvent également porter sur des comportements à adopter au plan des communications, de la prise de décisions, de l'exercice du commandement, des mécanismes de solutions des conflits. L'adoption de comportements nouveaux suppose au préalable une remise en cause de la culture même de l'organisation, c'est-à-dire des valeurs et des normes (philosophie managériale, aspirations des individus, etc.) qui informent ou guident les comportements à tous les niveaux de la pyramide sociale de l'organisation.

Reconnaître les cibles d'intervention pour donner une direction au changement est un aspect important de D.O. Cependant, le D.O. est avant tout une démarche, c'est-à-dire une manière d'introduire des changements. Au lieu de confier l'étude des changements à faire à un groupe d'experts ou à un comité de planification organisationnelle, comme c'est l'habitude, lorsqu'une crise s'annonce à l'horizon, la haute direction d'une entreprise va plutôt chercher à impliquer le plus de gens possible à tous les niveaux en autant qu'ils sont concernés par les changements à apporter. Pour aider ces gens (individus et groupes naturels) dans leur réflexion et leur comportement, l'aide d'un agent de changement interne et/ou externe est nécessaire. La qualité de la relation qui s'établit alors entre l'agent de changement et l'organisation qui devient système-client traduit la manière dont on entend introduire le changement. Cette relation prend un caractère éducatif en ce sens que l'agent de changement se préoccupe d'instrumenter les individus et les groupes ou de créer des situations où les individus et les groupes apprennent à développer eux-mêmes leurs propres instruments d'analyse, apprennent à développer et maintenir un climat de relations interpersonnelles facilitant l'analyse des problèmes et l'élaboration de solutions. En d'autres termes, l'agent de changement, dans sa relation qu'il entretient avec le système-client, fait en sorte que ce dernier puisse développer une capacité d'innover, de s'adapter à des conditions changeantes. C'est un peu le proverbe chinois qui reçoit ici son application: "Mieux vaut apprendre à quelqu'un à pêcher que de lui donner du poisson".

14.3 LE D.O.: UNE DÉFINITION

Après avoir ainsi caractérisé le D.O. comme stratégie globale d'intervention dans les organisations en mettant l'accent surtout sur la démarche, nous croyons utile de fournir ici une définition plus systématique, même si elle est plutôt axée sur un contenu. Pour ce faire, nous retenons celle de Richard Beckard que nous accompagnerons de quelques commentaires. Beckard (3) définit le D.O. comme suit:

> "Un effort programmé global, c'est-à-dire au niveau de l'ensemble de l'organisation, encouragé et animé par les dirigeants au sommet en vue d'améliorer l'efficacité et la santé de l'organisation au moyen d'interventions sur les processus de fonctionnement de l'organisation qui font appel aux apports des sciences humaines".

Reprenons maintenant chacun des éléments de cette définition...

— *Un effort programmé global*

Cet élément implique qu'un diagnostic de la situation actuelle sera effectué au niveau des sous-systèmes et du système social global de l'organisation pour dégager les avenues de changement et pour identifier les ressources nécessaires à l'implantation.

— *Au niveau de l'ensemble de l'organisation*

Même si un programme de D.O. veut atteindre l'ensemble de l'organisation, il peut fort bien débuter au niveau d'un sous-système (exemples: un groupe naturel à l'intérieur d'un service, un service au sein d'une usine, une usine d'une entreprise à multiples établissements), pourvu que ce sous-système possède une certaine autonomie de fonctionnement à l'intérieur des contraintes du système global et de l'environnement socio-culturel et technologique. Une fois la démarche amorcée au niveau du sous-système, l'effort de changement peut se continuer par voie de diffusion, en utilisant les habilités déjà acquises par le sous-système. Il faut également penser aux avantages (temps, ressources, argent et succès anticipé) qu'implique une action de D.O., lorsqu'elle démarre comme "expérience-pilote" ou "expérience protégée" et lorsque cette action démarre à l'échelle de toute l'organisation.

— *Encouragé et animé par les dirigeants au sommet*

Le support et l'encouragement de la haute-direction demeurent bien

---

(3) BECKARD, R. ***Le développement des organisations, stratégies et modèles***. Dalloz, 1975, 12-17.

entendu, des conditions du succès d'un programme de D.O. Nous concevons mal qu'un programme de D.O. initié au niveau des cadres intermédiaires et de premier palier, et mettant l'accent sur un style de management participatif, puisse survivre alors que la haute-direction continue à épouser une philosophie managériale autoritaire et centralisatrice. Si c'était le cas, l'effort de développement se traduirait par un déphasage culturel entre la haute-direction et ses collaborateurs.

— *En vue d'améliorer l'efficacité et la santé de l'organisation*

Chez Beckard, les notions d'efficacité et de santé organisationnelles se chevauchent pour donner un profil de l'organisation idéale qui recouvre sensiblement les mêmes caractéristiques que celui de Bennis et de Slater présenté plus haut. La notion d'efficacité devrait traduire le degré d'atteinte des résultats anticipés en termes de profits, de rentabilité et de productivité, de volume d'affaires, ou encore en termes de quantité et qualité des services offerts. La notion de santé organisationnelle serait plutôt reliée au degré de satisfaction globale que les membres retirent de leur contribution et à la capacité d'une organisation de s'adapter à un contexte changeant. L'idée de santé organisationnelle renvoie donc à la présence ou l'absence d'un climat organisationnel satisfaisant et valorisant.

— *Au moyen d'interventions sur les processus de fonctionnement*

En limitant les cibles d'intervention uniquement au processus de fonctionnement, Beckard fait porter l'effort de développement sur des mécanismes d'intégration tels que la distribution du pouvoir et de l'autorité, le leadership, les communications, les modes de prise de décision et de solution de conflits. Si l'effort de D.O. porte éventuellement sur l'organisation dans son ensemble, on en viendra à déborder la sphère des relations interpersonnelles et intergroupes pour remettre en cause les normes et les valeurs, de même que la technologie et les structures de l'organisation.

— *L'apport des sciences humaines*

Ce qui distingue le D.O. de la recherche opérationnelle, de l'ergonomie ou du génie industriel, c'est bien l'utilisation intensive des sciences du comportement appliquées aux organisations. En effet, la vision des organisations et des individus que se font les agents de changement et qu'ils véhiculent au cours des interventions de D.O. s'apparentent à celle qu'on retrouve dans les chapitres qui constituent la majeure partie de cet ouvrage. Un effort systématique de changement au plan des structures et du fonctionnement d'une organisation suppose également de la part des individus impliqués une certaine connaissance des apports de la psychologie organisationnelle (théories de la perception, de la motivation, de leadership, des communications), de la sociologie organisationnelle (division du travail, distribution de pouvoir, réglementation interne) et de la psychologie sociale (dynamique des groupes restreints, systèmes sociaux émergents).

14.4 LE RÔLE DE L'AGENT DE CHANGEMENT

En caractérisant le D.O. comme étant avant tout une démarche éducative visant à développer chez un système-client une habileté à innover, à s'adapter à un contexte changeant, le rôle de l'agent de changement dans l'établissement et le maintien d'une relation d'aide devient important.

On situe habituellement ce rôle à l'intérieur de deux pôles caractérisés: la consultation-expertise, la consultation-facilitation. Selon Roger Tessier [4], le conseiller-expert développe "une préoccupation pour le problème que vivent les personnes"; il cherche à "produire lui-même des idées et des actions utiles à la résolution du problème"; il a tendance à envisager une "situation-problème comme matière de contenus sur lesquels il va travailler intellectuellement pour intervenir". Le conseiller-faciliteur développe une préoccupation pour les personnes qui vivent un problème; il cherche à aider les personnes à résoudre elles-mêmes leurs problèmes; il a tendance à "envisager une situation-problème comme un ensemble de processus sociaux à élucider pour faciliter le fonctionnement optimal de la personne et du groupe". Ces deux ensembles de comportement nous amènent à conclure que le conseiller-expert s'intéresse plus au contenu de l'intervention qu'à la démarche, ce faisant, il a tendance à s'approprier le changement. Le conseiller-facilitateur se préoccupe surtout du cheminement des individus et des groupes dans leur effort de réflexion pour dégager des avenues de changement. Cependant, dans la pratique, les deux rôles peuvent se chevaucher. Au cours des premières phases de l'intervention, le conseiller en D.O. peut adopter une attitude non directive, celle du facilitateur qui place le client face à ses responsabilités, l'aide à définir ses problèmes et à dégager des solutions. Par la suite, au cours de l'implantation du changement lui-même, le conseiller peut adopter une attitude directive et chercher à influencer le système-client sur le choix de la solution à adopter et des moyens à mettre en oeuvre. Il risque alors de développer une relation de dépendance de son système-client à son endroit.

La non-directivité qui caractérise un premier type de facilitation en D.O. origine des expériences et des écrits de Carl Rogers [5] en psychothérapie et en éducation. Elle se présente comme "une orientation et un ensemble de techniques qui caractérisent l'aide qu'un agent de changement entend fournir à un système-client dans la recherche d'une valorisation de ce dernier ou d'une meilleure adaptation à son entourage" [6]. La non-directivité prend pour acquis qu'un

---

[4] TESSIER, R. et TELLIER, Y. ***Changement planifié et développement des organisations: théorie et pratique***. IFG-EPI, Montréal, Paris: 1973, 534-539.

[5] ROGERS, C. "Les caractéristiques des relations d'aide" dans: ***Le développement de la personne.*** Paris: Dunod, 1968, 29-45.

[6] BELANGER, L. ***op. cit.*** 648.

individu ou un groupe possède assez de ressources en lui-même pour élucider et traiter les blocages qui empêchent son bon fonctionnement.

Un deuxième type de facilitation utilisé en D.O. s'inscrit dans la nature de la relation qui s'établit entre le conseiller et le client dans l'intervention thérapeutique de type "Gestalt". Les prémisses qui fondent cette relation et qui servent d'assises théoriques à une intervention de type gestaltiste ont été explicitées par Malcolm E. Shaw (7).

1. Une personne doit cesser de juger son propre comportement et ses valeurs en se basant sur ce que les autres ressentent, croient ou veulent. Chacun doit être à l'écoute de ses propres sentiments (feelings); chacun doit avoir confiance dans ses sentiments. Tout en étant à l'écoute des autres et en cherchant à répondre à leurs besoins, un individu ne doit pas déprécier ou nier ce qu'il ressent et ce qu'il sait.
2. Chacun est responsable de son propre comportement. Ceci implique qu'un individu peut toujours faire des choix et, par conséquent, il doit s'en tenir responsable.
3. Tout effort de développement individuel et organisationnel doit faire en sorte que chaque individu puisse utiliser ses propres ressources et devenir ce qu'il est capable de devenir. Ce principe implique que les dirigeants et les membres de l'organisation ne doivent pas être incités à modifier leur comportement pour se rapprocher d'un modèle idéal élaboré par d'autres.
4. Les individus et l'organisation doivent être considérés comme des totalités. Ceci implique que l'intérêt personnel, l'agressivité, la peur et la colère sont des réalités qui font partie de la totalité de l'expression individuelle et organisationnelle.

Ces prémisses réhabilitent l'autorité et le contrôle, la recherche de l'intérêt personnel, la compétition, l'expression de la haine, de l'agressivité, de la peur, de la colère comme étant des réalités faisant partie de l'expérience personnelle et organisationnelle au même titre que la logique et la rationalité; la recherche de la collaboration, de l'authenticité dans les relations et de la satisfaction d'un travail bien fait. Dans cette optique, le développement organisationnel passe d'abord par le développement des individus. Le rôle de l'agent de changement consiste selon Gilles Charest (8) "à aider les supérieurs et les subordonnés à expérimenter et à exprimer réellement ce qu'ils vivent vis-à-vis de leur tâche et des autres personnes".

---

(7) SHAW, M.E. "The Behaviorial Sciences: A New Image". ***Training and Development Journal***, Feb. 1977, 29-30.

(8) CHAREST, G. Session intensive d'entraînement à la consultation, texte non publié. Centre de formation et de consultation, Québec.

14.5 LES PHASES DU DÉVELOPPEMENT ORGANISATIONNEL

Qu'il soit individuel, groupal ou organisationnel, un changement important au plan du comportement suit, en général, la séquence suivante:

— ***Une phase de sensibilisation au changement ou de dégel*** (unfreezing)

C'est la prise de conscience d'une situation actuelle jugée insatisfaisante.

— ***Le mouvement vers le changement*** (moving)

Après avoir établi un diagnostic des forces et faiblesses à l'oeuvre dans la situation existante, le système (individu, groupe ou organisation) explore les avenues possibles de changement pour arriver à préciser les caractéristiques de la situation nouvelle, jugée souhaitable et plus confortable. La résistance ou les réticences à adopter telle ou telle conduite sont examinées. Suit ensuite l'apprentissage des comportements nouveaux qu'exige la situation à créer.

— ***La stabilisation des changements*** (refreezing)

Le changement effectué va acquérir une certaine stabilité ou une certaine permanence, lorsque toutes les parties du système auront intériorisé et adapté les nouvelles normes et les nouveaux comportements. Un système aura tendance à se maintenir dans la situation nouvellement créée s'il génère lui-même une information qui vient confirmer la justesse ou l'opportunité des changements à effectuer, ou encore s'il reçoit l'approbation d'un système voisin qui est motivé à emprunter des avenues de changement à peu près identiques. Par exemple, le contremaître d'un atelier aura tendance à maintenir un nouveau style de supervision, s'il constate que ses supérieurs hiérarchiques s'acheminent dans la même voie, ou encore s'il réalise que ses propres subordonnés sont beaucoup plus satisfaits lorsqu'il adopte ce nouveau style de supervision.

Un effort systématique de développement organisationnel mettant en relation un système-client et un consultant emprunte sensiblement le même cheminement. Nous décrivons donc ici les principales phases d'un programme de D.O.

1. *L'établissement d'une relation entre le ou les conseillers et un système-client* demande d'aide

C'est la phase de l'entrée, du contact initial et de la rédaction d'un contrat provisoire d'intervention. La demande d'aide professionnelle, au moment où une entreprise ou une organisation éprouve certaines difficultés et qu'elle ne peut dégager des ressources internes, provient de l'une ou l'autre des sources suivantes:

— un membre de la haute-direction ou du personnel d'encadrement connaît le ou les conseillers et décide de s'entretenir avec eux sur les problèmes qui ont cours dans l'organisation.

— un conseiller ou des conseillers appartenant à un même groupe vont eux-mêmes offrir leurs services à une entreprise en difficulté. Il est possible que ces mêmes conseillers aient déjà aidé une autre entreprise à peu près identique qui éprouvait les mêmes difficultés dans le passé.

— une tierce personne qui connaît les membres de la direction d'une organisation en difficulté et qui connaît également les conseillers aptes à intervenir fait en sorte que le système-client et les conseillers éventuels se rencontrent pour discuter d'une forme d'aide possible.

Au cours de cette rencontre, le conseiller essaiera de bien délimiter son système-client (la haute-direction ou les cadres intermédiaires; l'usine au complet ou une section de celle-ci, un service en particulier ou l'organisation dans son ensemble). Il tentera, par la suite, d'établir un diagnostic préliminaire des forces et des faiblesses de son système-client pour préciser la forme d'aide qu'il entend apporter et la contribution de ceux qui seront impliqués dans des changements possibles. Si l'aide proposée est acceptée, la rencontre peut se terminer par l'élaboration des grandes lignes d'un contrat d'intervention qui sera rediscuté au cours des étapes suivantes.

2. *La sensibilisation et la motivation au changement*

Cette phase consiste à créer chez tous les membres qui composent le système-client un éveil dans le sens d'une identification de l'insatisfaction qu'ils ressentent et des besoins d'apporter des changements. Au cours de discussions en groupe (la haute-direction, la direction d'une division ou d'un service, les directeurs de différents services), chacun est invité à décrire la manière dont il vit la situation actuelle, le degré auquel il la juge inconfortable. Après avoir atteint une certaine similitude au plan des perceptions, les groupes de discussion explorent dans quelle mesure chaque membre est prêt à investir du temps et de l'énergie pour entreprendre un effort systématique de changement à l'échelle de l'organisation.

3. *Diagnostic de la situation actuelle et retour d'information*

Après avoir cerné les malaises qui ont cours dans leur milieu et après avoir vérifié leur velléité d'aller plus loin et d'introduire des changements, les composantes du système-client (haute-direction, direction des unités administratives), à la suggestion de l'agent de changement, peuvent s'engager dans une étude systématique et approfondie des points forts et des points faibles. Les données ainsi recueillies à l'aide de questionnaires ou d'entrevues sont rapportées de façon sélective à chacune des unités administratives pour qu'elles puissent identifier des zones et des priorités de changement.

Habituellement, lorsqu'une organisation conduit un sondage d'opinions chez ses membres , et à tous les niveaux, les données ainsi recueillies sont transmises confidentiellement à la haute-direction ou au service du personnel. Un programme de D.O. procède selon une technique nettement différente qu'on a appelée "la rétroaction d'enquête" (survey feedback). Etant donné qu'un programme de D.O. s'inscrit dans une approche démocratique de changement planifié, il est normal que tous les individus impliqués se voient remettre l'information qu'ils ont eux-mêmes contribué à fournir. Evidemment, le caractère de confidentialité de certaines données sur les forces et les faiblesses du système-client et de ses sous-systèmes exige qu'elles soient redistribuées de façon sélective, c'est-à-dire aux individus et aux groupes directement mis en cause par ces données.

L'agent de changement, seul ou avec le concours des gens impliqués, se chargera de la préparation et de l'administration du diagnostic. Une fois les données recueillies, il veillera à ce qu'elles soient traitées selon les rubriques retenues au départ et qui couvrent les divers aspects de la situation actuelle; il se chargera également de la présentation du rapport aux individus ou groupes naturels concernés. Ce faisant, il animera les réunions de discussion de diagnostic en évitant de procéder à l'interprétation des données.

Le diagnostic peut se faire à l'aide d'un questionnaire qu'on utilise habituellement pour effectuer une enquête sur le degré de satisfaction que les individus retirent de leur appartenance à une organisation de travail. Il existe toute une gamme de questionnaires d'opinions. Mentionnons celui qui est le plus connu et qui a été mis au point par Rensis Likert (9) et son équipe. Cet instrument codé à l'avance pour fin de traitement par ordinateur permet la cueillette d'informations sur sept dimensions majeures: la nature des forces motivationnelles dans une organisation, les processus de communication, la qualité des interactions sociales, les processus de décision, de fixation d'objectifs, de contrôle et les mécanismes d'évaluation de la performance.

4. *Programmation des changements*

A ce stade du programme de D.O., les individus et les groupes ont acquis une perception commune des forces et des faiblesses qui ont cours dans leur situation de travail. Les groupes de discussion, mis en place au moment du retour d'enquête, poursuivent avec l'aide de l'agent de changement, qui se charge de leur animation, leur effort de réflexion pour classer les actions à entreprendre, pour déterminer un ordre d'importance et pour fixer des échéanciers de travail en courte, moyenne et longue période. C'est une phase qui consiste surtout à préciser les résultats anticipés des changements qu'on désire effectuer.

5. *La réalisation d'un programme de changement*

C'est la phase d'exécution du programme de changement en tenant compte des priorités et des échéanciers. A ce stade, les individus et les groupes impliqués dans le programme feront l'apprentissage des comportements et des modes de fonctionnement qui seront exigés par la situation nouvelle en voie de

---

(9) LIKERT, R. ***The Human Organization.*** McGraw-Hill, 1967.

s'implanter. Ils verront à se donner également les moyens matériels et les ressources humaines nécessaires pour soutenir le programme de changement.

6. *La stabilisation du changement et le suivi*

Le système-client doit, à ce stade, se donner les mécanismes et les incitations qui lui permettront de poursuivre son effort dans la réalisation de la situation recherchée. Le conseiller en D.O. verra à aménager des rencontres permettant aux gens de constater les progrès accomplis en cours de réalisation. Si les résultats ainsi évalués de façon ponctuelle s'avèrent positifs, les individus et les groupes seront incités ou motivés à poursuivre leur effort d'innovation, sachant qu'ils s'acheminent dans la bonne voie. Si les résultats s'avèrent négatifs ou plus faibles que ceux anticipés au départ, il devient alors évident que des revisions s'imposent au plan des orientations nouvelles et des actions à prendre qui seraient plus appropriées. Un tel exercice d'évaluation en cours de réalisation permet au système-client de vérifier dans quelle mesure sa capacité d'auto-analyse ou d'auto-diagnostic est bien ancrée chez lui. A la limite, le suivi doit comporter une évaluation globale des progrès réalisés, une fois les changements majeurs implantés. Nous disposons, cependant, de peu de moyens pour procéder à une telle évaluation. Les critères habituellement retenus sont ceux qui réfèrent d'abord à la performance financière de l'organisation: accroissement du chiffre d'affaires, des profits, diminution des coûts d'opération, réduction des pertes de matériel, etc. D'autres critères réfèrent à l'état de satisfaction globale que les individus et les groupes retirent dans la situation nouvellement créée: baisse du taux d'absentéisme, du taux de roulement, diminution de la fréquence et de la gravité des accidents de travail, réduction des plaintes et des griefs, accroissement du degré de satisfaction au travail, une plus grande authenticité au plan des relations interpersonnelles, une réduction des conflits au sein des groupes fonctionnels (supérieur-subordonnés immédiats) et entre les groupes et les unités administratives.

Nous venons de décrire les principales phases d'un programme complet (pour ne pas dire ambitieux) de développement d'une organisation. Il se peut que ces mêmes phases se chevauchent d'un sous-système à l'autre; un sous-système étant plus profondément engagé qu'un autre dans le programme. Il se peut également qu'on escamote l'une ou l'autre des phases. Ce serait le cas d'un système-client qui démarre un programme par un diagnostic systématique des points forts et des points faibles, sans avoir vérifié, au préalable, si les individus et les groupes sont prêts à changer leurs modes de fonctionnement et les structures qui les soutiennent.

14.6 STRATÉGIE GLOBALE ET STRATÉGIES PARTICULIÈRES (LES APPROCHES DE D.O.)

Nous avons déjà caractérisé le D.O. comme une stratégie globale d'intervention dans une organisation en mettant l'accent surtout sur la nature de la relation qui s'installe et se maintient entre le consultant (agent de changement) et le système-client. Nous avons également souligné qu'une intervention de D.O.

implique un contenu. Dans le déroulement de sa relation, l'agent de changement amène le système-client à adopter une stratégie globale qui revêt un contenu de nature **behaviorale** et/ou de **nature technostructurelle.** Les stratégies particulières réfèrent plutôt à des types précis d'intervention ou approches de D.O. Elles peuvent être soit de nature behaviorale, soit de nature technostructurelle, ou les deux à la fois.

14.6.1 Caractéristiques d'une stratégie globale axée surtout sur les comportements (stratégie behaviorale)

Cette stratégie vise avant tout l'épanouissement des individus et un meilleur fonctionnement des groupes en situation de travail. Elle consiste donc en la création et le maintien des conditions d'apprentissage permettant aux individus d'expérimenter de nouveaux comportements; aux groupes, de prendre conscience de la nature des interactions qui existent entre les membres et leurs modes de fonctionnement. Une telle stratégie, si l'on se réfère à notre modèle des déterminants psycho-sociaux des comportements, porte surtout sur les mécanismes d'intégration des individus et des groupes aux structures des organisations de travail: des mécanismes tels que l'exercice du pouvoir et du leadership, les processus de communication, l'authenticité et l'ouverture au plan des relations interpersonnelles, les modes de prise de décision et de solution de conflits, la formation et le développement d'équipes de travail efficaces.

14.6.2 Caractéristiques d'une stratégie globale axée sur la technologie et la structure organisationnelle (stratégie technostructurelle)

Cette stratégie qui met en relation étroite la technologie utilisée dans un effort de production ou de fourniture de services et les caractéristiques de l'environnement interne d'une organisation (objectifs, politiques, structure bureaucratique) vise un accroissement de la productivité des individus et des groupes, un meilleur accomplissement des tâches qui leur sont assignées et la création de conditions de travail satisfaisantes et valorisantes.

Cette appellation "technostructurelle" réservée au second volet de la stratégie globale du D.O. origine plus précisément des travaux de recherche de Tavistock Institute of Human Relations de Londres. Des auteurs tels que Emery et Trist [10] ont constaté qu'à une technologie de fabrication donnée pouvait correspondre diverses formes de répartition ou d'organisation au travail. Il existe donc des liens d'interdépendance entre les objectifs, les politiques, la structure d'une organisation du travail et le type de technologie utilisée (artisanal, ligne de montage et d'assemblage propre à une production de masse, automatisation des processus continus). D'autres ont constaté l'existence d'un lien étroit entre les caractéristiques du marché des produits, l'état de la technologie et le type de structures (bureaucratiques ou formelles) qu'une organisation peut se donner.

---

(10) EMERY, F.E. et TRIST, E. "Sociotechnical Systems" dans: ***Hurchman and Technics.*** New York: Pergamon, 1960.

D'où l'idée que les organisations sont de nature contingente, c'est-à-dire que leur structure doit être adaptée aux exigences d'un environnement stable ou turbulent. En pratique, les deux volets de cette stratégie globale se chevauchent puisque tout programme D.O. vise l'épanouissement des individus dans leur milieu de travail et un meilleur accomplissement des tâches. Cependant, au cours de diverses phases du D.O. et suivant le rythme de l'effort de réflexion fourni par les gens impliqués, l'agent de changement saura doser l'utilisation de l'un ou l'autre des volets de sa stratégie globale. On conçoit facilement qu'au cours des phases de sensibilisation au changement et d'élaboration des objectifs de changement, la stratégie empruntera les caractéristiques du premier volet: elle sera de nature behaviorale. Au cours de la phase du diagnostic sur les objectifs, les politiques, les processus de fabrication (en particulier, la répartition et le flux du travail), la stratégie d'intervention revêtera un caractère plutôt technostructurel.

14.6.3 Stratégies particulières de D.O. ou approches

Dans un article publié il y a quelques années [11], nous avons présenté six approches en décrivant la nature de chacune, les antécédents théoriques, le niveau d'intervention et les objectifs implicites. A une stratégie globale de nature technostructurelle correspondent deux approches particulières: celle des systèmes socio-techniques et l'approche relationelle.

L'approche systèmes socio-techniques vise une optimisation conjointe des systèmes humains et des systèmes techniques. L'intervention porte d'abord sur les processus de fabrication et la technologie qui les sous-tend pour identifier les éléments critiques qui seront soumis à l'attention des exécutants. Ces derniers pourront procéder aux corrections à apporter et prendre éventuellement charge de tout le processus à l'intérieur des balises (coûts, délais, qualité, quantité) fixées par l'encadrement. Dans la poursuite d'une meilleure adaptation des systèmes techniques au système humain, l'intervention débutera habituellement par une étude de la technologie existante pour arriver à concevoir et mettre en place une technologie qui répondra mieux aux aspirations des exécutants et aux exigences qui découlent de la formation et du maintien des groupes de travail.

L'approche relationnelle s'intéresse d'abord à l'étude des caractéristiques de l'environnement externe de l'organisation pour déboucher ensuite sur la conception et la mise en place d'une structure organisationnelle plus adaptée aux exigences de l'environnement.

A une stratégie globale de nature behaviorale, correspondent quatre approches: la recherche-action, la consultation sur les processus, la socio-analyse et l'orientation non directe. Les deux dernières ne sont pas, à notre connaissance, utilisées comme telles dans le contexte nord-américain. Par conséquent, nous ne décrirons sommairement que les deux approches: recherche-action et consultation sur le processus.

---

(11) BELANGER, L. ***op. cit.***, 633 et suivantes.

La recherche-action, telle que vécue et décrite par Kurt Lewin et ses collègues, a donné lieu au cours des années 50 à la dynamique de groupe (T-group, groupe de base, groupe de sensibilisation). Au cours d'expériences, non pas en laboratoire, mais tirées de la vie réelle, Lewin et ses collègues, en étudiant leur propre fonctionnement comme équipe et en étudiant d'autres équipes, arrivent à identifier trois moments de la vie d'un groupe:

— Une prise de conscience des résultats de l'action que l'on mène et des modes de fonctionnement du groupe. C'est la phase de dégel (unfreezing) dont nous avons parlé plus haut.

— Une recherche des avenues nouvelles et des moyens à prendre pour les exploiter (moving).

— Une expérimentation des nouvelles normes et des nouveaux modes de comportements en vue de leur donner un caractère de stabilité (freezing).

En prenant un recul et en remettant en cause leurs propres modes de fonctionnement, les groupes en viennent à dégager de nouvelles orientations à donner à leur action. On retrouve donc ici la démarche générale qui sous-tend tout programme de développement qu'il soit axé sur un contenu behavioral ou techno-structurel. En effet, tout processus de changement emprunte les étapes présentées dans le schéma suivant:

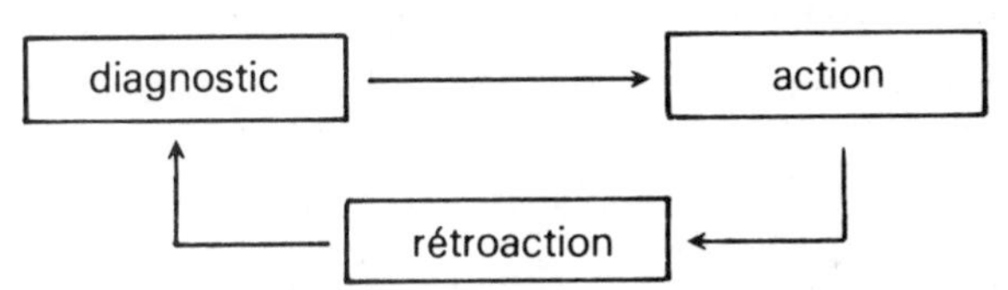

L'approche "process consultation" (consultation sur les processus), comme l'explique Schein [12], se caractérise par "un ensemble d'activités susceptibles d'aider le client à mieux percevoir, comprendre et corriger les différents processus qui ont cours dans son milieu. L'utilisation de ce processus, comme le fait Schein, réfère avant tout aux mécanismes d'intégration des individus aux structures:

— la prise de décisions
— les communications
— le leadership
— le pouvoir
— la solution des conflits
— les relations interpersonnelles au sein des groupes et entre les groupes.

En s'intéressant aux modes de fonctionnement des organisations et en tenant compte de la vie interne des groupes naturels, cette approche vise implicitement à développer chez les individus et les groupes une capacité de mieux

---

(12) SCHEIN, E. ***Process Consultation, its Role in Organization Development.*** Reading, Mass.: Addison-Wesley Pub., 1969.

saisir et de résoudre les problèmes qui se posent dans un contexte d'intéractions sociales (différences au plan des valeurs, des perceptions, des attitudes, des motivations) et qui influencent les conduites à adopter.

14.7 LES TECHNIQUES PARTICULIÈRES DE D.O.

Sous l'expression "techniques particulières du D.O." nous regroupons ici l'ensemble des méthodes d'intervention et des instruments appropriés permettant aux individus et aux groupes de prendre conscience de leur situation de travail, d'élaborer et mettre en oeuvre les changements qui s'imposent, de procéder à l'apprentissage des nouveaux comportements exigés.

14.7.1 Classification des techniques

Certains auteurs ont tenté un effort de classification de ces méthodes et de ces instruments. French et Bell [13] utilisent une grille à deux dimensions: des méthodes centrées soit sur l'individu, soit sur le groupe; des méthodes qui concernent soit l'accomplissement des tâches, soit les modes de fonctionnement d'une organisation. Par exemple, la rétroaction d'enquête (survey feedback) s'applique au niveau des groupes et porte sur les mécanismes d'intégration ou modes de fonctionnement (process issues). Elle s'applique également à l'étude des problèmes reliés à l'accomplissement des tâches. Fordyce et Weil [14] ont relevé au moins 30 méthodes ou instruments utilisés en D.O. qu'ils regroupent sous les rubriques suivantes:

- les méthodes visant à instaurer les changements telles que les réunions de diagnostic, la technique du miroir de l'organisation, les sessions d'entraînement au travail d'équipe, les réunions intergroupes, etc.;
- les méthodes destinées à faire le point d'une situation: questionnaires écrits, interviews, détection, sondages, collages, dessins, représentations physiques des organisations;
- les méthodes pour améliorer l'efficacité des réunions: graphiques, tour de table, formulation de critiques, création de sous-groupes, cercle excentrique ou intérieur;
- les méthodes destinées à modifier la qualité des relations existantes: jeu de rôle, prise de contact, écoute, technique du compliment, cartes sur table, le pour et le contre, communications non verbales.

Sans y aller d'une nouvelle classification, nous décrivons, ici, quelques-unes des méthodes utilisées au cours des différentes phases d'un programme de D.O.

---

(13) FRENCH, W.L. et BELL, C.H. ***Organization Development.*** New Jersey: Prentice-Hall Inc., 1973, 97-113.

(14) FORDYCE, J. et WEIL, R. ***30 méthodes pour réorganiser votre entreprise***. Paris: Editions d'organisation, 1974.

14.7.2 Les sessions de sensibilisation au travail d'équipe

Cette méthode réunit au plus une dizaine de personnes (un supérieur et ses subordonnés; les directeurs de tous les services; des personnes appartenant à des services différents).

Ces personnes se voient confier une tâche fictive ou encore un problème qui a cours dans leur milieu. Le but consiste à faire l'apprentissage d'une méthode de travail, à acquérir une habileté à définir des objectifs opérationnels, à reconnaître la dimension socio-affective d'un groupe (phénomènes de pouvoir, de leadership, de cohésion, de rejet, de conflit, du jeu des affinités et des antipathies naturelles).

14.7.3 La rétroaction d'enquête (survey feedback)

Cette méthode consiste à réunir les personnes d'un même service ou département pour procéder à l'étude des données recueillies à l'aide de questionnaires, de diagnostics ou d'entrevues. Elle vise, dans un premier temps, à une analyse plus approfondie des points forts et des points faibles au plan de la satisfaction globale que les personnes retirent de leur appartenance à un service. Une telle analyse procède par voie de comparaison entre le profil global au niveau de l'organisation et le profil obtenu au niveau du service ou du département en question. Dans un deuxième temps, les participants sont amenés à circonscrire des zones d'améliorations ou de changements souhaités.

14.7.4 Les réunions intergroupes de constitution d'équipes (confrontation meeting)

Ces réunions rassemblent des personnes originant de deux services ou départements différents qui éprouvent des difficultés au plan des communications, de la définition de leurs responsabilités ou de leur contribution respective (par exemple, l'équipe de direction au service du personnel et l'équipe de direction au département de la production). Au cours d'une première étape, les managers des groupes respectifs se rencontrent avec le consultant pour fixer les objectifs de la réunion et la démarche à suivre. Une deuxième étape consiste à recueillir l'information nécessaire à une meilleure compréhension des problèmes communs. Au cours de la troisième étape, chaque groupe se réunit séparément pour dresser trois listes:

a) des données positives: la satisfaction qu'un groupe retire dans ses rapports quotidiens avec l'autre groupe;

b) les points d'accrochage: l'insatisfaction qu'on retire des relations qu'on entretient avec l'autre groupe;

c) la manière dont on croit être perçu par l'autre groupe: il s'agit ici, pour les membres du groupe A, de s'imaginer comment ils sont perçus par l'autre groupe (groupe B).

Les groupes se rencontrent de nouveau face à face pour échanger leurs perceptions respectives des problèmes qui entravaient leur efficacité. Les managers des groupes échangent donc leur liste sans faire de commentaires, sans procéder à des interprétations.

Les groupes ainsi réunis procèdent à l'établissement des avenues de changement et des moyens à prendre pour les réaliser. Chaque groupe s'engage alors à entreprendre les changements qui s'imposent et à effectuer un suivi (follow-up).

14.8 LE DÉVELOPPEMENT ORGANISATIONNEL ET LA QUALITÉ DE LA VIE AU TRAVAIL

D'autres techniques telles que l'enrichissement des tâches et l'implantation de groupes semi-autonomes peuvent être utilisées au cours d'un programme de développement organisationnel. Habituellement, ces techniques s'insèrent dans l'ensemble des méthodes qui visent à améliorer la qualité de la vie de travail au sein des organisations. L'amélioration des conditions de travail implique des changements majeurs au sein d'une organisation, changements qui peuvent être introduits en empruntant la démarche générale propre au développement des organisations. Dans un premier temps, nous suggérons une approche qui peut être utilisée dans un programme de D.O. axée sur l'enrichissement des tâches du personnel d'exécution; dans un deuxième temps, une approche qui peut être utilisée au cours de l'implantation de groupes semi-autonomes.

14.8.1 L'enrichissement des tâches

L'enrichissement des tâches réfère au "chargement vertical" (vertical loading) en termes d'un accroissement des responsabilités de planification, d'organisation et de contrôle du travail au niveau des exécutants [15].

Herzberg établit sept principes qui président à l'enrichissement d'une tâche et dégage les facteurs de motivation qui y sont inhérents [16].

Principes	**Facteurs de motivation**
Supprimer certains contrôles tout en conservant certains indices de performance.	Responsabilité et accomplissement.
Augmenter l'initiative de chacun vis-à-vis son propre travail.	Appréciation.
Faire réaliser un ensemble de gestes plutôt qu'une opération unique.	Accomplissement et appréciation.

---

(15) Dans un ouvrage intitulé: ***Gestion des ressources humaines: une approche systémique.*** (L. Bélanger), nous avons décrit l'origine du mouvement d'enrichissement des tâches et nous avons établi des distinctions entre "rotation des postes", "élargissement des tâches" et "enrichissement des tâches". 329-332.

(16) HERZBERG, F. "One More Time: How do you Motivate Employees". ***Harvard Business Review,*** Janv.-Fev. 1968, 53-62.

Accorder une autonomie plus grande dans le travail.	Responsabilité, accomplissement, appréciation.
Acheminer des rapports périodiques aux travailleurs eux-mêmes plutôt qu'aux cadres.	Appréciation.
Introduire des opérations nouvelles plus difficiles qui ne sont pas accomplies habituellement par des exécutants.	Progression et désir d'apprendre.
Assigner un employé à une tâche pour lui permettre de devenir un expert.	Progression, avancement, responsabilité.

Un programme d'enrichissement des tâches qui fait appel à la participation des employés concernés peut emprunter les étapes suivantes:

1. La haute-direction qui accorde son appui au programme doit s'assurer qu'elle possède, au sein de son service des ressources humaines, les compétences pour entreprendre un tel programme; en l'absence de telles compétences, elle demandera l'aide d'un conseiller extérieur.
2. Le conseiller interne ou externe rencontrera les chefs de service pour expliquer le projet d'enrichissement des postes. Il choisira alors un service qui veut bien se prêter à l'expérience. Ce service sera probablement celui où l'on retrouve des tâches monotones et parcellaires, où les employés éprouvent une insatisfaction au travail, où les taux de roulement et d'absentéisme sont élevés, où la productivité des individus est mesurable.
3. Suivent des rencontres avec le chef de ce service et ses collaborateurs. C'est la phase sensibilisation aux nouvelles techniques d'organisation du travail. Le conseiller utilisera probablement des exemples d'enrichissement de tâches pratiqués dans d'autres entreprises.
4. Les employés avec l'aide de leur supérieur immédiat et du conseiller procèdent à l'étude du cheminement du travail au niveau de l'ensemble du service et à l'étude des opérations propres à chaque tâche respective.
5. Des réunions suivent où les employés élaborent les changements qu'ils souhaiteraient apporter à leur tâche: les opérations de planification, d'organisation et de contrôle du travail qui peuvent être accomplies par les employés eux-mêmes, les opérations connexes accomplies dans d'autres services qui pourraient être rapatriées. On se définira également des critères pour juger du rendement et de la satisfaction au travail, une fois les changements faits.
6. Suit la phase d'implantation des changements qui suppose une négociation d'une part avec le supérieur hiérarchique dont le rôle sera éventuellement modifié et d'autre part avec la direction d'autres services lorsque le projet s'étend au rapatriement d'opérations accomplies par d'autres personnes.

L'implantation suppose également une période d'apprentissage pour permettre aux employés de se familiariser avec leurs tâches modifiées et effectuer les ajustements qui s'imposent au plan de l'allocation des ressources, le cheminement du travail et la structure des rémunérations, s'il y a lieu.

7. Le conseiller et le supérieur hiérarchique, avec la collaboration des employés, effectuent un suivi en se basant sur les critères définis, au préalable, en termes de productivité, de coûts, de délais, de qualité et de satisfaction accrue.

Un programme d'enrichissement des tâches qui se fonde sur la théorie de Herzberg se déroule habituellement dans une sorte de "vide organisationnel": on se préoccupe d'enrichir les tâches dans un service sans vérifier l'impact que peut avoir un tel programme sur les activités d'un autre service. C'est ainsi qu'en enrichissant les tâches de quelques individus, on risque d'appauvrir celles des autres, à moins que le service ou la section retenue soit complètement autonome. Pour contrer cette lacune, nous suggérons plutôt qu'un projet d'enrichissement des postes de travail s'inscrive dans un programme plus vaste impliquant l'implantation de groupes semi-autonomes.

14.8.2 L'implantation de groupes semi-autonomes

Un groupe de travail peut être qualifié de semi-autonome lorsqu'il accepte la responsabilité de la planification de l'organisation du travail qui lui est confié et qu'il peut répartir librement entre ses membres. Cette prise en charge de responsabilités se fait à l'intérieur de balises fixées par la direction des unités administratives, balises définies en termes de qualité, de quantité, de coûts, de délais. L'implantation de groupes semi-autonomes découle de l'approche "des systèmes socio-techniques" que nous avons décrits sommairement plus haut comme étant une stratégie particulière d'intervention en D.O. Un programme de développement organisationnel et d'amélioration de la qualité de vie au travail se déroulerait selon les grandes étapes suivantes [17]:

— Au cours d'une première phase, des représentants de la direction et des employés (syndiqués ou non) se réunissent avec une personne compétente dans le domaine pour se sensibiliser aux concepts de base et aux techniques d'analyse du travail propres à l'approche "systèmes socio-techniques".

Cette première phase qui est une amorce au projet se subdivise en quatre sous-étapes:

— recherche et discussion
— échange d'information
— recherche d'un engagement de la part des parties impliquées
— délimitation du champ d'action ou d'intervention

---

(17) La description de ces phases s'inspire largement d'une brochure intitulée: ***Qualité de la vie au travail: l'idée et son application***. Travail-Canada, 1978, (Carl P. Johnston, Mark Alexander, Jaquelin Robin).

Une deuxième phase est celle de la mise en chantier du projet, elle comprend:

— la rédaction d'une entente entre les parties ou d'un protocole de projet décrivant la composition d'un comité d'orientation, le but du projet, les rôles et les responsabilités des participants.

— l'orientation générale à donner au projet en approfondissant les notions, les théories et les méthodes propres à l'implantation de changements visant à améliorer la qualité de la vie au travail.

— le choix d'un terrain d'essai après avoir effectué un relevé des conditions de travail existantes et du degré de satisfaction qui prévaut chez les employés.

— la préparation du terrain d'essai: le comité d'orientation doit entrer en discussion avec le gestionnaire du service retenu comme terrain d'essai pour s'assurer qu'il comprend bien les principes et les implications du projet et qu'il est prêt à accorder son appui.

— le comité d'orientation verra à préciser le rôle et les responsabilités du directeur du projet, à mettre sur pied un mécanisme de sélection des membres qui feront partie de l'équipe du projet.

La troisième phase consiste dans une analyse approfondie de la situation du travail en vue:

a) "d'identifier les problèmes de production ou de fourniture de services, problèmes qui se posent au niveau des systèmes de production, de communication, de gestion, de mesure et de contrôle";

b) "de déterminer les changements à faire pour améliorer la qualité de la vie au travail des employés du secteur en question".

La quatrième phase porte sur la conception et la mise en oeuvre des changements à effectuer au niveau de la technologie (équipement, outils, matériel, procédés); au niveau de la structure (répartition du travail, affectation des employés, rôle des cadres intermédiaires, etc.); au niveau des méthodes de gestion (degré de participation aux décisions et au contrôle du travail quotidien); au niveau des pratiques et politiques concernant le personnel (sélection, évaluation, discipline, formation, systèmes de rémunération); au niveau de l'ambiance physique (sécurité, hygiène au travail).

La dernière phase comporte une évaluation des nouveaux modes de fonctionnement mis en place, de la technologie et des structures pour connaître l'impact de ces changements sur la productivité des employés et le degré de satisfaction qu'ils retirent à ce moment-là de leur nouvelle situation de travail.

Au cours de cette même phase d'évaluation et de suivi, on discutera également de la diffusion à donner à ces projets dans d'autres secteurs de l'organisation; dans d'autres usines, s'il s'agit d'une entreprise à établissements multiples.

14.8.3 Conclusion

Le déroulement d'un projet d'amélioration de la qualité de travail emprunte une démarche à peu près identique à celle d'un programme de développement organisationnel. On y retrouve, en effet, les phases principales qui caractérisent tout changement important faisant appel à la participation des individus affectés.

Une phase de sensibilisation (dégel), une phase de mouvement vers l'élaboration et l'implantation d'une situation nouvelle, une phase de stabilisation et de suivi pour vérifier les effets du changement. Cependant, il existe des différences entre les deux types de programme ou de projet, différences qui tendent à s'estomper avec le temps et avec l'utilisation de plus en plus intensive de l'approche "systèmes socio-techniques".

En effet, il faut se rappeler que les programmes de D.O. à l'origine sont issus du mouvement de la dynamique des groupes fortement axé sur la croissance personnelle et l'établissement d'un climat d'authenticité au plan des relations interpersonnelles. Par conséquent, ces programmes gravitaient autour des aspects humains de l'organisation: ils s'intéressaient aux comportements, très peu à la technologie, aux structures des organisations. Ils s'adressaient surtout à une clientèle de cadres (cadres subalternes, intermédiaires et supérieurs, autant fonctionnels que hiérarchiques). Avec le temps, les deux types de programme (D.O. et projet d'amélioration de la qualité de la vie au travail) ont tendance à se confondre, lorsqu'ils utilisent un dosage approprié des deux volets d'une même stratégie globale: un volet axé sur les comportements (behavioral) et un volet axé sur la technologie et les structures (technostructurel).

SUJETS D'ETUDE ET DE DISCUSSION

1. "Le D.O. est avant tout une méthode démocratique d'introduction des changements". Commentez cette affirmation.

2. Peut-on utiliser la grille managériale de Blake et Mouton dans un programme de D.O.? Si oui, à quel moment d'un tel programme?

3. L'implantation d'une "direction participative par les objectifs" peut-elle faire l'objet d'un programme de D.O.? Si oui, comment?

4. Effectuez une classification des techniques de D.O. en utilisant comme critères les stratégies particulières ou approches?

5. Regroupez les phases d'un programme de D.O. en prenant comme points de référence les phases qui caractérisent tout changement (individuel ou organisationnel).

6. a) Décrivez les caractéristiques de chacune des techniques d'intervention suivantes:
   - sessions de sensibilisation au travail d'équipe
   - rétroaction d'enquête
   - réunions intergroupes de constitutions d'équipes.

   b) A quel moment d'un programme de D.O. serait-il avantageux d'utiliser l'une plutôt que l'autre?

7. Stratégie "behaviorale" versus stratégie "structurelle".

   a) Décrivez les caractéristiques propres à chacune de ces stratégies.

   b) Quels seraient les avantages et les inconvénients de mener une intervention en utilisant une stratégie "structurelle" uniquement?

   c) Quels seraient les avantages et les inconvénients de mener une intervention avec une stratégie "behaviorale" uniquement?

   d) Serait-il préférable d'utiliser à bon escient et en alternance les deux types de stratégies?

8. a) Quelles sont les caractéristiques d'une attitude non directive?

   b) Comment cette attitude non directive se traduit-elle dans les comportements de l'agent de changement au cours des différentes phases d'un programme de D.O.?

9. "On peut difficilement imaginer une intervention dans une organisation sans l'apport des "sciences du comportement". Si cette affirmation est juste, comment peut-on reconnaître un tel apport?

10. Comment les objectifs spécifiques d'un projet d'amélioration de la qualité de la vie au travail (enrichissement des tâches et création de groupes semi-autonomes) rejoignent ceux que vise un effort de D.O.?

11. Les valeurs qui sous-tendent un programme de D.O. s'apparentent-elles aux nouvelles valeurs véhiculées dans le contexte nord-américain?

BIBLIOGRAPHIE SUPPLÉMENTAIRE

ARGYRIS, C. ***Personality and Organization***. New York: Harper, 1957.

ARGYRIS, C. ***Intervention Theory and Method.*** New York: Addison-Wesley, 1970.

BECKHARD, R. "An Organizational Improvement Program in a Decentralized Organization". ***Journal of Applied Behaviorial Science***, Vol. 2, N° 1, 3-27.

BECKHARD, R. ***The Confrontation Meeting. Harvard Business Review,*** March-April, 1967, 147-155.

BECKHARD, R. ***Organization Development-Strategies and Models***. Reading: Addison-Wesley, 1969.

BELANGER, L. "Développement organisationnel, évaluation d'un programme en cours". ***Relations Industrielles***, Vol. 25, N° 2, 1970.

BENNIS, W. et SCHEIN, E.-H. ***Personal and Organization Change trough Group Methods: The Laboratory Approach.*** New York: John Wiley, & Sons, 1965.

BENNIS, W.G., BENNE, K.D., CHIN, R. ***The Planning of Change***. (2e ed.). New York: Rinehart and Winston Inc., 1969.

BENNIS, W.G. ***Organization Development: Its Nature, Origins and Prospects***. Reading: Addison-Wesley, 1969.

BENNIS, W.G. ***Changing Organizations***. Cambridge, Mass.: ***Journal of Applied Behaviorial Sciences***. 2, 247-265.

BLAKE, R. et MOUTON, J. ***The Managerial Girl.*** Houston: Gulf publishing Co., 1964.

BLAKE, R. et MOUTON, J. ***Faites le diagnostic de votre employeur***. Paris: Edition d'organisation, 1974.

BUCHANAN, P.C. "The Concept of Organization Development, or a Self-Renewal, as a Form of Planned Change" dans: ***Concepts for Social Change.*** G. Walson, National Training Laboratories, 1-10, 1967.

BURKE, W. et HORNSTEIN. ***Social Technology of Organization Development.*** Washington, NTL-LRC, 1972.

DAVIS, S.A. "An Organic Problem-Solving Method of Organizational Change". ***Journal of Applied Behaviorial Science***, Vol. 3, N° 7, 1967, 3-22.

EDDY, W., BURKE, B., WARNER, W., DUPRE, A., SOUTH, O. ***Science and the Manager's Role.*** Washington, D.C.: NTL Institute for Applied Behaviorial Science, 1969.

FRENCH, W. et BELL, C. ***Organization Development.*** Prentice-Hall, N.J., 1973.

HORNSTEIN, et AL. ***Social Intervention: A Behaviorial Science Analysis.*** New York: Free Press.

HUSE, E. ***Organization Development and Change.*** West Publishing, 1975.

HATZ, D. et KHAN, R. ***The Social Psychology of Organizations.*** New York: John Wiley and Sons Inc., 1966.

LAWRENCE, P.R., LORSCH, J.W. ***Developing Organizations; Diagnosis and Action***. New York: Addison-Wesley, 1969.

LAWRENCE, P.R., LORSCH, J.W. ***Organization and Environment.*** Homewood, Irwin, Dorsey, 1966.

LEAVITT, H.J. "Applied Organizational Change in Industry: Structural, Technological and Humanistic Approaches" in: J.C. March (ed.). ***Handbook of Organization.*** Chicago: Ran McNally, 1965.

LIPPITT, R., WATSON, G., WESTLEY, B. ***The Dynamics of Planned Change.*** New York: Harcourt, Brace and Co., 1958.

LIPPITT, R. ***Organizational Renewal.*** New York: Appleton-Crofs, 1969.

MARGULIES, N. et RAIA, A. ***Organization Development Values, Process, and Technology.*** McGraw-Hill Book Co., 1972.

MORIN, P. ***Le développement des organisations.*** Paris: Dunod, 1971.

NOREAU, J.J., TESSIER, R., TREMBLAY, B. ***L'évolution d'une stratégie de changement.*** Montréal: Les éditions de l'Institut de formation par le groupe Inc., 1970.

SCHEIN, E.C. ***Process Consultation.*** Reading, Mass.: Addison-Wesley, 1969.

STRAUSS, G. ***Organization Development.*** Credits and Debits, Organizational Dynamics. 1, 3, Winter 1973.

TESSIER, R., et TELLIER. Y. ***Changement planifié et développement des organisations: théorie et pratique.*** Montréal: Les éditions de l'Institut de formation par le groupe Inc., 1973.

WALTON, R.E. ***Interpersonal Pacemaking: Confrontation and third Party Consultation.*** Reading: Addison-Wesley.

SCHMUCK, et AL. ***Handbook of Organization Development in Schools.*** Paolo Alto, National Press Book, 1972.

ZIMMERN, B. ***Développement de l'entreprise et innovation.*** Paris: Hommes et techniques, 1969.

NOTES

NOTES

NOTES

NOTES

NOTES

NOTES

6581